V&R

Dem schrecklichen Mitschüler
Christoph Levin
in Dankbarkeit

YOSHIKAZU MINOKAMI

Die Revolution des Jehu

VANDENHOECK & RUPRECHT
IN GÖTTINGEN

GÖTTINGER THEOLOGISCHE ARBEITEN

Herausgegeben von Georg Strecker

Band 38

CIP-Titelaufnahme der Deutschen Bibliothek

Minokami, Yoshikazu:
Die Revolution des Jehu / Yoshikazu Minokami. –
Göttingen : Vandenhoeck u. Ruprecht, 1989
(Göttinger theologische Arbeiten ; Bd. 38)
ISBN 3-525-87391-3
NE: GT

Inhalt

Einleitung

Die Erzählung über die Revolution des Jehu in 2 Kön 9.10, "ein blitzendes Juwel" (J.Wellhausen[1]), ein Meisterwerk der israelitischen Literatur[2], ist eine Geschichtsquelle von hoher Bedeutung für die israelitische Königszeit, genauer: für die Zeit, in der das Königtum eine etablierte Institution[3] war. "Der grössere historische Wert dieser prachtvollen Erzählung" (Wellhausen[4]) wird mit Recht immer wieder hervorgehoben[5]. Allerdings kann der Text nicht unbesehen in jeder Einzelheit als Geschichtsquelle gelten. Zunächst "hat der Historiker eine vielseitige kritische Arbeit zu leisten, bevor er die Überlieferung für seine Rekonstruktion der Geschichte verwenden kann" (R.Smend[6]). Mit der vorliegenden Untersuchung soll diese kritische Arbeit an der Überlieferung in 2 Kön 9.10 erneut unternommen werden. Der Gegenstand ist so wichtig, daß ein solcher neuer Versuch gerechtfertigt ist.

Es versteht sich von selbst, daß der Text von 2 Kön 9.10 nicht aus einem Guß ist. Das Alte Testament ist - cum grano salis - "Auslegungsliteratur, ein großer, in Jahrhunderten gewachsener, schriftlicher Midrasch" (Ch.Levin[7]). Deshalb bildet die ursprüngliche Geschichtsquelle nur einen Teil des heutigen Textes, den es sorgfältig aus der Fülle der nachfolgenden Erweiterungen auszugrenzen gilt. "Es gab vielerei Anlässe,

---

1 Prolegomena 279.
2 Vgl. vor allem H.Gunkel, Die Revolution des Jehu. Die bearbeitete Fassung dieser Abhandlung findet sich in: ders., Elisa 67-94.
3 Dazu vgl. R.Smend, Der Ort des Staates im Alten Testament.
4 Die Composition des Hexateuchs 286.
5 Statt vieler vgl. A.Alt, Der Stadtstaat Samaria 283.
6 Wellhausen in Greifswald 153.
7 Die Verheißung des neuen Bundes 67.

Nötigungen und Möglichkeiten, die vorhandene ... Überlieferung 'fortzuschreiben'. Bevor sie sich zu dem uns vorliegenden abgeschlossenen Text verfestigte, der nicht mehr weitergebildet, sondern nur noch ausgelegt werden konnte, war sie in weiten Bereichen eine lebendige Größe, waren Auslegung und Weiterbildung keine Alternativen" (Smend[8]). Es ist gar nicht verwunderlich, wenn unser Juwel, wie es ist, schillernd scheint.

Wir beginnen unsere Untersuchung mit dem Nachweis, daß die Jehu-Erzählung von vornherein zum deuteronomistischen Geschichtswerk gehört hat: Sie lag dem ersten Redaktor des Geschichtswerks (DtrH[9]) vor. Damit wird ein fester Ausgangspunkt erreicht: Der gegenwärtigen Gestalt der Erzählung lag sicher eine alte Quelle zugrunde.

8 Die Entstehung des Alten Testaments 141.
9 Dazu zusammenfassend Smend, Die Entstehung des Alten Testaments 111-125.

I. Die Jehu-Erzählung als Bestandteil der Grundschrift des deuteronomistischen Geschichtswerks

1. Die Zugehörigkeit der Jehu-Erzählung zur Grundschrift des deuteronomistischen Geschichtswerks

Für den König Jehu von Israel fehlt das einleitende Rahmenstück aus der Hand des Verfassers der Grundschrift des deuteronomistischen Geschichtswerks (DtrH), von dem die Komposition der Königsbücher stammt. Weder der Regierungsantritt Jehus noch seine Beurteilung werden nach dem üblichen Schema[1] angegeben. Die Ursache liegt darin, daß DtrH die 2 Kön 9.10 zugrunde liegende Erzählungskomposition vorgefunden und in sein Geschichtswerk aufgenommen hat[2].

Die Frömmigkeitszensur des DtrH über Jehu findet man in 10,28. 29a[3]:

"So vertilgte Jehu den Baal aus Israel; nur (רק) von den Sünden Jerobeams, des Sohnes Nebats, der Israel sündigen machte, ließ Jehu nicht ab."

V.28 resümiert die vorausstehende Erzählung, die mit der ätiologischen Notiz עד-היום in V.27 abgeschlossen ist; V.28 und V.29a gehören zusammen[4].

Die "Sünde Jerobeams" wird Jehu, dem König von Israel, sozusagen per definitionem vorgeworfen. Böse ist "der Kultus außerhalb des von der dt-dtr Theologie rückwirkend zur einzigen legitimen Kultstätte ge-

---

1 Vgl. R.Smend, Die Entstehung des Alten Testaments 121.
2 Vgl. T.Veijola, Das Königtum 92 Anm.60; Ch.Levin, Atalja 11.
3 V.29b ist Glosse. Vgl. z.B. I.Benzinger, KHC 9, 154: V.29b "dürfte der Stellung nach exegetische Glosse sein; auch sonst ist in der Regel diese 'Sünde Jerobeams' nicht näher genannt".
4 Benzinger, aaO. 154: "28 29 hangen, wie רק zeigt, eng zusammen; V.28 darf also nicht als Schlußzusammenfassung zum Vorhergehenden gezogen werden". Vgl. H.-Chr.Schmitt, Elisa 19 Anm.2.

machten Jerusalemer Tempels, also auf den 'Höhen' und in den Reichs-
heiligtümern des Nordreiches, Bet-El und Dan. Unter diesem Gesichtspunkt ist es für einen isr. König schlechterdings unmöglich, der Verurteilung durch DtrH zu entgehen, selbst wenn er wie Jehu den Baalsdienst
ausrottet" (R.Smend[5]). Die Ätiologie der "Sünde Jerobeams", die den Ungehorsam gegen das deuteronomische Kultuszentralisationsgesetz bedeutet, hat DtrH in 1 Kön 12,28a.29.30b[6] gestaltet:

"Und der König ging mit sich zu Rate[7] und machte zwei goldene
Jungstiere. Und er stellte den einen in Bet-El auf, und den anderen stif-
tete er in Dan. Und das Volk zog vor dem einen bis nach Dan[8]."

Es versteht sich, daß DtrH den Tatbestand "weniger definierend
und beschreibend als erzählend begreift und vermittelt", und "das Sein
im Vorgang auffaßt, in den Vorgang umdeutet, als Vorgang darstellt"
(Smend[9]). Indem er den Fall Jerobeams zur Darstellung bringt, gibt er
ein Urteil über die israelitischen Könige überhaupt ab; "der Anfang cha-
rakterisiert alles weitere" (Smend[10]).

---

5 AaO. 121.
6 Die Überlegung Jerobeams (V.26.27) und seine Erklärung an das Volk
(V.28a) sind sekundär. V.26b ist in Hinblick auf 1 Kön 11,31; 14,8 formuliert worden:

עתה תשוב   הממלכה לבית דוד   (12,26b)
ואקרע את-הממלכה מבית דוד   (14,8aα)

1 Kön 11,29-39; 14,7-11 sind aber jünger als DtrH. Dazu vgl. W.Diet-
rich, Prophetie und Geschichte. Es ist leicht zu sehen, daß V.28b ein
Einschub ist: An V.28a schließt sich V.29 glatt an. Es ist sicher, daß
"die 35 Belege für das Exoduscredo innerhalb von Jos - 2 Kön" "ohne
Ausnahme jünger sind als die Erstredaktion des deuteronomistischen
Geschichtswerks (DtrH)" (Levin, Die Verheißung des neuen Bundes 49).
"30a ist offensichtlich ein Zusatz, zunächst wahrscheinlich eine Rand-
glosse, die dann an einer ganz unpassenden Stelle in den fortlaufen-
den Text geriet" (M.Noth, BK IX/1, 284f.). V.30b hingegen gehört
zum ursprünglichen Bestand (gegen E.Würthwein, ATD 11,1, 162). Dieser Halbvers, in dem vom Verhalten des Volkes (des Nordreiches) die
Rede ist, bildet ein Gegenstück zu 1 Kön 22,44b; 2 Kön 14,4b; 15,4b.
35aβ.
7 ויועץ. "MT bietet keinen Anstoß und ist für ursprünglich zu halten"
Noth, aaO. 268). Vgl. 1 Kön 12,6.8 in der Quelle des DtrH. LXX(A)
lautet: καὶ ἐπορεύθη. Dazu vgl. 1 Kön 14,9b; 16,31bβ.
8 Vgl. Noth, aaO. 268.285.
9 Überlieferung und Geschichte 118.
10 Die Entstehung des Alten Testaments 118.

Die Fassung 2 Kön 10,28.29a zeigt die typische Diktion des DtrH. Er formuliert das Urteil über die einzelnen Könige gern nach der Weise, daß er zuerst etwas Positives (oder Negatives) angibt, dann aber das Lob (oder den Tadel) durch den folgenden, mit רק eingeführten Satz einschränkt[11]: 1 Kön 15,11.14[12]; 22,43.44 (hier אך statt רק); 2 Kön 12, 3a.4[13]; 14,3.4; 15,3.4; 15,34.35a; ferner 2 Kön 3,2a.3[14]; 17,2.

Damit ist die dem DtrH vorliegende Überlieferung in 2 Kön 9.10 sicher einstweilen in 10,18-27 zu finden. Denn dort allein ist vom Baal die Rede.

Jedoch ist ausgeschlossen, daß in unseren zwei Kapiteln nur dieser Abschnitt die Vorlage des DtrH dargestellt hat. Im davorstehenden Teil sind die redaktionellen Eingriffe des DtrH in 9,14a*[15].28 erkennbar.

Die Revolutionsnotiz V.14a*[16], die mit 1 Kön 15,27aα; 16,9a; 2 Kön 15,10aα.25aα[1].30aα zu vergleichen ist[17], faßt den vorangehenden Abschnitt zusammen[18] und kündigt die folgende Entfaltung an.

---

11 Vgl. Noth, aaO. 49. 1 Kön 3,3 ist jedoch jünger als DtrH.
12 Zu V.12-13 vgl. Levin, Joschija im deuteronomistischen Geschichtswerk 362 mit Anm.43.44.
13 V.3b gehört der Schicht der "priesterlichen Bearbeitung" an, die Levin, Atalja 29-57, entdeckt hat.
14 V.2b ist ein Nachtrag. Dazu s.u.
15 Streiche בן-יהושפט. Zur Absicht dieses Nachtrags s.u. In 1 Kön 19, 16; 2 Kön 9,20; 2 Chr 22,7 kommt Jehu als יהוא בן-נמשי vor. Die Bezeichnung יהוא בן-יהושפט בן-נמשי findet sich noch in 2 Kön 9,2, wo Jehu zum erstenmal in unserer Erzählung genannt wird. Stade-Schwally vertreten mit Recht die Auffassung: "It looks as though originally only יהוא בן נמשי stood in the text, ... בן יהושפט having crept into the text of MT LXX from the margin" (SBOT 9, 220). Anders R.Kittel, HK 1,5, 229; A.Šanda, EHAT 9/2, 93 ; Schmitt, Elisa 224f. Anm.173.
16 Es ist unzweifelhaft, daß das Stück V.14-15a nicht zur Jehu-Erzählung gehört: "9,14.15a sprengen den notwendigen Zusammenhang zwischen V.13 und V.15b" (J.Wellhausen, Die Composition des Hexateuchs 286). Zu V.14b.15a s.u.
17 Vgl. Dietrich, aaO. 59.
18 Die hitp-Form vom Verbum קשר zeigt, daß die Notiz V.14a* sich auf das Stück V.1-13* bezieht. Sie weist auch darauf hin, daß diese redaktionelle Notiz kein bloßes Zitat aus der Quelle ist. In den Stellen, die auf die Quelle zurückgehen, erscheint das Verbum קשר ohne Ausnahme im qal: 1 Kön 15,27; 16,9.16; 2 Kön 15,10.25.30 und 2 Kön 12,21; 14,19; 21,23. Welche Nuance steckt im hiesigen קשר hitp? Würthwein will daran die kritische Einstellung des Verfassers able-

Mit der Notiz über das Begräbnis des Königs Ahasja von Juda (9,28) sind 2 Kön 14,20; 23,30 zu vergleichen[19]. An diesen Stellen handelt es sich um Berichte aus dem "Tagebuch der Könige von Juda", das dem DtrH als Quellenmaterial gedient hat. Den Verlauf der Ermordung Ahasjas aber hat DtrH in seinem erzählenden Stoff zur Sprache kommen lassen.

9,29 ist jünger als DtrH. Die Angabe des Verses widerspricht der in 2 Kön 8,25[20], der seinerseits Teil des einleitenden Rahmenstücks des DtrH für Ahasja ben Joram ist. Aufgezählt seien als ähnliche, später als DtrH zu datierende Notizen: 1 Kön 15,28aβγ; 16,10aβ[21]; 2 Kön 15, 30b (vgl. 17,11)[22]; ferner auch 2 Kön 1,17aβ (vgl. 3,2aβ)[23]. DtrH gibt - in der Regel - die chronologischen Daten jedes einzelnen Königs im einleitenden Rahmenstück an.

Die Angabe über die Regierungsdauer Jehus kommt jedoch erst in 2 Kön 10,36 im rückwärtigen Rahmen (V.34-35.36) vor[24]:

"Und die Zeit, die Jehu über Israel König war, war achtundzwanzig Jahre in Samaria[25]."

Diese Darstellung[26] setzt den Regierungsantritt Jehus voraus, den

sen (ATD 11,2, 328 mit Anm.10). Das ist fraglich. קשר hitp erscheint sonst in 2 Chr 24,25.26 als Umschreibung von 2 Kön 12,21.22. Dort ist die Verschwörung - anders als in der annalistischen Darstellung der Vorlage, die vom moralischen Urteil frei ist - positiv dargestellt. Was unsere Stelle betrifft, hat die Aussage wahrscheinlich mit irgendeinem Urteil nichts zu tun.

19 Vgl. Schmitt, Elisa 24 mit Anm.40.41. Schmitt verweist nur auf 2 Kön 23,30.
20 Statt vieler vgl. Noth, Überlieferungsgeschichtliche Studien 84 Anm.2.
21 Zu diesen zwei Stellen vgl. Dietrich, aaO. 59 Anm.38.
22 S.o. Anm.21. Vgl. ferner A.Jepsen, Die Quellen des Königsbuches 47ff.
23 Vgl. Dietrich, aaO. 126; Jepsen, aaO. 44.
24 Vgl. Noth, Überlieferungsgeschichtliche Studien 84 Anm.3.
25 Benzinger, KHC 9, 155: "בשמרון ist, wie die Stellung zeigt, Glosse von einem, der die sonst vielfach in diesem Zusammenhang gegebene Notiz vermisste". Ähnlich Stade-Schwally, SBOT 9, 234; Kittel, HK I,5, 243; ferner - statt vieler - Jepsen, aaO. 33. Diese Literarkritik halte ich nicht für sicher. DtrH könnte sich hier auf seine Quelle beziehen, in der Samaria als Hauptstadt betont ist.
26 1 Kön 2,11a; 11,42; 14,20a; 2 Kön 10,36 haben denselben Satzbau: שנה X N.N. מלך אשר והימים. Jepsen, aaO. 30-33, ist der Meinung, daß diese Stellen als solche Komponenten seiner "synchronistischen Chro-

DtrH durch unsere Erzählung, die ihm ja vorlag, mitgeteilt hat[27]. Den Bericht über das Ende des Joram ben Ahab, des Königs von Israel, das gleichzeitig die Thronbesteigung Jehus veranlaßt, übernimmt die Jehu-Erzählung. Sie bildet deswegen für DtrH in der Abfolge der israelitischen Könige einen unentbehrlichen Bestandteil.

2. Die Bedeutung der Jehu-Erzählung in der Grundschrift des deuteronomistischen Geschichtswerks

Nach dem Urteil des DtrH war Ahab von Israel ein außerordentlich schlechter König, wie noch nie einer dagewesen war (1 Kön 16, 30[28]). Dieses Urteil bezieht sich auf die Einführung des Baalskults in Israel. V.31a, der ein Gegenüber zu 2 Kön 10,29a bildet, besagt[29], die Sünde Ahabs habe sich nicht auf die "Sünde Jerobeams" beschränkt. Im Anschluß daran wird seine Baalsverehrung genannt (V.31b.32[30]).

Den Beginn des Baalskults bei Ahab verbindet DtrH mit seiner Eheschließung mit der phönizischen Prinzessin Isebel (V.31aα). Für DtrH fallen Anfang und Abschluß des Baalskults in Israel mit dem Auftreten Isebels zusammen; ihr Ende wird in der Jehu-Erzählung berichtet. Ob Isebels Auftreten in Israel historisch mit der Einführung des Baalskults

---

nik (S)" sind. Man muß jedoch die Verarbeitung der Quelle durch DtrH nach seinem Plan in Betracht ziehen. Die Formulierung und Stellung ist DtrH zuzuschreiben.

27 Die Umstände des Regierungsantritts Salomos berichtet DtrH mit der Thronfolgegeschichte Davids. Was die Begründung des Königtums Jerobeams I. angeht, hat DtrH die Erzählung über die Reichstrennung und eine andersartige Quelle (1 Kön 12,2.20*) zusammengesetzt.

28 Vgl. 1 Kön 16,25. Für DtrH war Omri deshalb ein sehr schlechter König, weil er der Vater des Ahab war.

29 Vom sprachlichen Gesichtspunkt aus ist V.31a schwierig. Es geht um den Ausdruck הנקל. Vgl. Stade-Schwally, SBOT 9, 149; Kittel, HK I,5, 135 einerseits; C.F.Burney, Notes on the Hebrew Text of the Books of Kings 206; Noth, BK IX/1, 325 andererseits. Was dieser Halbvers besagt, ist aber eindeutig.

30 "Es ist leicht zu sehen, daß 1 Kön 16,33 eine erweiterte Wiederholung der Frömmigkeitszensur V.30 ist" (Levin, Atalja 63 Anm.11).

gleichzusetzen ist, ist allerdings nicht so sicher, wie es den Anschein hat. Der schlechte Einfluß der Frauen auf die Religionspolitik der Könige ist eine Vorstellung des DtrH, die er bei Salomo beispielhaft dargestellt hat (1 Kön 11,3.4b.6a; V.3a ist quellenhaft, V.3b.4b.6a redaktionell[31]). Zwar kann DtrH die Kenntnis der Heirat von Ahab und Isebel aus dem "Tagebuch der Könige von Israel" bekommen haben[32]; diese offizielle bzw. halboffizielle Quelle, die ihm zur Verfügung stand, hat aber gewiß keine religionsgeschichtlichen Nachrichten enthalten. Dafür spricht die Tatsache, daß DtrH bei seinen Frömmigkeitszensuren über die einzelnen Könige von Israel in der Regel gar keine diesbezüglichen Einzelheiten mitteilt, sondern stereotypal nur die "Sünde Jerobeams" nennt. Darin kommt lediglich seine grundsätzliche theologische Einstellung zum Ausdruck, die von vorgegebenen Quellen unabhängig ist.

Es ist leicht zu sehen, daß DtrH sich bei der Darstellung der Einführung des Baalskults durch Ahab stark auf die Szene von dessen Ausrottung durch Jehu gestützt hat[33]. Ausschlaggebend ist, daß sich in 2 Kön 10,18 der Ausdruck אחאב עבד את-הבעל findet. Aufgrund dessen ist der Satz ויעבד את-הבעל in 1 Kön 16,31 formuliert. Der Baalstempel בית הבעל ist in 2 Kön 10,18-27 mehrmals erwähnt. Zwar ist nirgends in diesem Abschnitt ausgesagt, daß er in der Stadt Samaria gestanden habe. Doch das ist Voraussetzung; erst nach seinem Eintreffen in Samaria (10,17aα bzw. V.12a*) beginnt Jehu, den Baalskult abzuschaffen. Der Ausdruck בית הבעל אשר בנה בשמרון in 1 Kön 16,32 beruht auf der Jehu-Erzählung.

Auf der Grundlage der Jehu-Erzählung[34] hat DtrH ein Geschichtsbild entworfen, wonach der Baalskult in Israel durch Ahab eingeführt und durch Jehu vertilgt worden ist.

Ahab und Isebel, die DtrH als die eigentlichen Exponenten des Baalskults ansieht, geben den Maßstab für die Frömmigkeitszensur ihrer

---

31 Vgl. Levin, Joschija im deuteronomistischen Geschichtswerk 359 Anm.2.
32 Vgl. Noth, Überlieferungsgeschichtliche Studien 82 Anm.4.
33 Vgl. Noth, aaO. 82 Anm.4.
34 Für die Elija-Überlieferungen fehlen merkwürdigerweise redaktionelle Verklammerungen und Eingriffe, die eindeutig von DtrH herrühren.

königlichen Söhne ab[35].

1 Kön 22,52.53 lauten:

"Ahasja, der Sohn Ahabs, wurde König über Israel in Samaria im siebzehnten Jahre Joschafats, des Königs von Juda. Und er war König über Israel zwei Jahre. Und er tat das Böse in den Augen Jahwes; er wandelte auf dem Wege seines Vaters und auf dem Wege seiner Mutter und auf dem Wege Jerobeams, des Sohnes Nebats, der Israel sündigen machte."

2 Kön 3,1.2a.3 lauten:

"Und Joram, der Sohn Ahabs, wurde König über Israel in Samaria im achtzehnten Jahre Joschafats, des Königs von Juda. Und er war König zwölf Jahre lang. Und er tat das Böse in den Augen Jahwes, doch nicht wie sein Vater und seine Mutter[36]. Doch an den Sünden Jerobeams, des Sohnes Nebats, der Israel sündigen machte, hielt er fest. Er ließ nicht davon ab."

Der "Weg Ahabs und Isebels" bedeutet nichts anderes als die Baalsverehrung. DtrH, der aus der ihm vorliegenden Quelle die Verwandtschaft zwischen den Omriden und Davididen kennt, schließt darüber hinaus, der Baalskult habe damals auch im Südreich Eingang gefunden[37].

---

35 DtrH denkt dynastisch. In der Frömmigkeitszensur für die einzelnen Könige nennt DtrH sehr oft den jeweiligen Vater. Es gibt zwölf Belege: 1 Kön 11,4b; 15,3.26; 22,43.53; 2 Kön 3,2; 14,3; 15,3.34; 21,2. 20; 24,9. Als Maßstab des Urteils über die Könige von Juda wird der Ahnherr David fünfmal genannt: 1 Kön 11,4b; 15,3.11; 2 Kön 18,3; 22,2. Daneben ist dreimal pauschal von "seinen Vätern" die Rede: 2 Kön 15,9; 23,32.37. Vgl. ferner 2 Kön 24,19, wo der zuvor regierende Bruder genannt wird.

36 "Im Unterschied zu Ahasja wird sein Bruder und Nachfolger Joram von der Redaktion positiv gegen die Eltern abgesetzt" (Smend, Der biblische und der historische Elia 235). Dieses Hin und Her ist nicht historisch zu erklären (gegen Smend, aaO. 235 und die dort genannte Literatur). 2 Kön 3,2a entspricht 2 Kön 17,2:

ויעש(ה) הרע בעיני יהוה רק לא כ...

Ebenso wie Joram ben Ahab, der letzte König der Omriden, bekommt auch Hoschea ben Ela, der letzte König von Israel überhaupt, eine relativ milde Zensur. In dem Urteil über die beiden unglückseligen Könige hat DtrH womöglich die eigene, tragische Erfahrung der Exilsgeneration mit dem Gericht festgehalten.

37 Zum "Baal in Juda" vgl. Levin, Atalja 62-64.

2 Kön 8,16-18 lauten:

"Im fünften Jahre Jorams, des Sohnes Ahabs, des Königs von Israel, ( )[38] wurde Joram, der Sohn Joschafats, König von Juda. Zweiunddreißig Jahre war er alt, als er König wurde, und acht Jahre war er König in Jerusalem. Er wandelte auf dem Wege der Könige von Israel, wie das Haus Ahab tat; denn die Tochter Ahabs[39] war seine Gemahlin: Er tat das Böse in den Augen Jahwes."

2 Kön 8,25-27a[40] lauten:

"Im zwölften Jahre Jorams, des Sohnes Ahabs, des Königs von Israel, wurde Ahasja, der Sohn Jorams, König von Juda. Zweiundzwanzig Jahre war er alt, als er König wurde, und ein Jahr war er König in Jerusalem. Und der Name seiner Mutter war Atalja, die Tochter Omris, des Königs von Israel. Er wandelte auf dem Wege des Hauses Ahab; er tat das Böse in den Augen Jahwes, wie das Haus Ahab."

Es ist zu beachten, daß DtrH die von Omri gegründete Dynastie das "Haus Ahab" (בית אחאב) nennt[41]. Der Baalskult ist für DtrH der "Weg des Hauses Ahab". Wegen der Baalsverehrung, d.h. der Abgötterei, die viel schlimmer als der illegitime (Jahwe-) Kult ist, ist das "Haus Ahab" für DtrH innerhalb der Geschichte des Nordreiches ein Höhepunkt der Sünde gewesen. DtrH hat die Geschichte "eben mit einer bestimmten religiösen Fragestellung"[42] auf- und abgefaßt.

Wir haben oben gesehen, daß DtrH den Jehu, der den Baalskult abgeschafft hat, insofern positiv beurteilt hat, auch wenn das besondere Lob dabei nicht ausdrücklich ausgesprochen ist; der Sturz des "Hauses Ahab" durch Jehu, ein Machtwechsel in der Geschichte des israelitischen Königtums, stellt als solcher allerdings keinen Gegenstand der geschichtstheologischen Beurteilung des DtrH dar.

Wir werden nun sehen, daß die Geschichtsauffassung des DtrH seither - πολυμερῶς καὶ πολυτρόπως - übernommen und variiert worden ist.

---

38 Streiche ויהושפט מלך יהודה. Vgl. BHS.
39 Vgl. Levin, Atalja 83 Anm.3.
40 V.27b ist wohl Glosse. Vgl. Würthwein, ATD 11,2, 323 mit Anm.1.
41 Vgl. Levin, Atalja 83 Anm.3.
42 Smend, Die Entstehung des Alten Testaments 122.

II. Das Bild Jehus in der Chronik

Von Jehu ist auch in der Chronik die Rede. Dort findet sich das jüngste Bild, das im Alten Testament von ihm überliefert ist. Die Chronik ist abhängig von den Büchern Samuelis und der Könige[1]. "Die Chronik benutzt die älteren Bücher (nicht gemeinsame Quellen); sie enthält Zusätze, läßt Stellen weg oder versetzt sie. Dadurch wird der ursprüngliche Bericht mannigfach in der Substanz verändert"[2]. Ich stelle 2 Chr 22,1-9 und seine Vorlage zusammen, um die chronistische Umarbeitung anschaulich zu machen.

וימליכו יושבי ירושלם 1	Vgl. 8,24b
את-אחזיהו בנו הקטן תחתיו	
כי כל-הראשנים הרג הגדוד	
הבא בערבים למחנה	
וימלך אחזיהו בן-יהורם	(8,25b) מלך אחזיהו בן-יהורם
מלך יהודה	מלך יהודה
בן-ארבעים ושתים שנה[3] 2	(8,26) בן-עשרים ושתים שנה
אחזיהו במלכו	אחזיהו במלכו
ושנה אחת מלך בירושלם	ושנה אחת מלך בירושלם
ושם אמו עתליהו	ושם אמו עתליהו
בת-עמרי ( )	בת-עמרי מלך ישראל
גם-הוא הלך בדרכי בית אחאב	(8,27a) וילך בדרך בית אחאב
כי אמו היתה יועצתו להרשיע	

1 Dies bewies, wie bekannt ist, W.M.L. de Wette, Beiträge zur Einleitung in das Alte Testament I. Eine bequeme Übersicht bei R.Smend, Wilhelm Martin Leberecht de Wettes Arbeit am Alten und am Neuen Testament 40-45.
2 Smend, aaO. 43.
3 Die Angabe steht in Spannung mit 2 Chr 21,5.20a (← 2 Kön 8,17): 32 Jahre alt war Joram, als er König wurde, und acht Jahre war er König in Jerusalem. Demnach ist er im Alter von 40 Jahren gestorben. Sein Sohn Ahasja, und zwar der jüngste, sei aber damals 42 Jahre alt gewesen! Der Widerspruch ist LXX bekannt; sie gibt die Zahl 20 an. Ahasja wurde vom Chronisten zum jüngsten Prinzen erklärt. Mit dieser Fiktion drückt er seine Geringschätzung aus. V.1 besagt, er sei eigentlich nicht sukzessionsfähig gewesen. Vgl. 2 Chr 21,3, wo sich die Vorstellung findet, Joram ben Joschafat sei deshalb auf dem Thron nachgefolgt, weil er der älteste Sohn gewesen sei.

4 ויעש הרע בעיני יהוה	ויעש הרע בעיני יהוה
כבית אחאב	כבית אחאב
כי-המה היו-לו יועצים	
אחרי מות אביו	
למשחית לו	
5 גם בעצתם הלך	
וילך	(8,28) וילך
את-יהורם בן-אחאב	את-יורם בן-אחאב
מלך ישראל	
למלחמה על-חזאל	למלחמה עם-חזהאל
מלך-ארם	מלך-ארם
ברמות גלעד	ברמת גלעד
ויכו הרמים[4] את-יורם	ויכו ארמים את-יורם
6 וישב ( )	(8,29) וישב יורם המלך
להתרפא ביזרעאל	להתרפא ביזרעאל
כי[5] המכים אשר הכהו ( )	מן-המכים אשר יכהו ארמים
ברמה	ברמה
בהלחמו את-חזהאל מלך ארם	בהלחמו את-חזהאל מלך ארם
ועזריהו[6] בן-יהורם	ואחזיהו בן-יהורם
מלך יהודה	מלך יהודה
ירד לראות את-יהורם	ירד לראות את-יורם
בן-אחאב	בן-אחאב
ביזרעאל	ביזרעאל
כי-חלה הוא	כי-חלה הוא
7 ומאלהים היתה תבוסת אחזיהו	
לבוא אל-יורם	
ובבאו	
יצא עם-יהורם	Vgl. 9,21aα
אל-יהוא בן-נמשי	
אשר משחו יהוה	
להכרית את-בית אחאב	
8 ויהי כהשפט יהוא	
עם-בית אחאב	
וימצא את-שרי יהודה	Vgl. 10,13aα
ובני[7] אחי אחזיהו	
משרתים לאחזיהו	
ויהרגם	

4 Der Ausdruck הרמים, der dem ארמים in 2 Kön 8,28.29 entspricht, ist nur hier belegt; er fehlt in V.6. Er kann die Pluralform des Nomens ארמי mit Artikel sein (vgl. HAL 87). Die Auffassung der LXX οἱ τοξόται ist wohl eine sekundäre Interpretation. Vgl. BHS, dabei Jer 4,29; Ps 78,9 einerseits, 1 Sam 31,3 (→ 1 Chr 10,3); 2 Sam 11,24 (Qere) andererseits.

5 Dieses כי ist syntaktisch kaum zu erwarten. Vulgata setzt es aber voraus.

6 Ein bloßer Abschreibfehler. Ein ähnliches Beispiel findet man in 2 Chr 21,17.

7 Trotz LXX ist dieses בני, gegen BHS, beizubehalten. Die Brüder Ahasjas sind schon in 2 Chr 22,1 ums Leben gekommen. Man kann

9 ויבקש את-אחזיהו
וילכדהו
והוא מתחבא בשמרון   Vgl. 9,27
ויבאהו אל-יהוא
וימתהו
ויקברהו   ויקברו אתו (9,28b*)
כי אמרו
בן-יהושפט הוא
אשר-דרש את-יהוה בכל-לבבו
ואין לבית אחזיהו
לעצר כח לממלכה

Dieser Abschnitt der Chronik stellt, das ist entscheidend, die Geschichte des Königs Ahasja von Juda dar. Es handelt sich um "die Judaisirung der Vergangenheit" (J.Wellhausen[8]). Die Machtergreifung Jehus, die in 2 Kön 9.10 so ausführlich und schön erzählt ist, gehört nicht zum Thema. Daß Jehu den Baal aus Israel vertilgt hat (2 Kön 10,18ff.), ist auch völlig außer acht gelassen. In der Chronik kommt die Baal-Angelegenheit ausschließlich innerhalb von Juda vor[9]. Der ursprüngliche Sinn der Aussage, daß Ahasja von Juda auf dem Weg des Hauses Ahab gewandelt sei, ist somit verloren. Dennoch bildet die wörtliche Übernahme von 2 Kön 8,27aβ die chronistische Grunderkenntnis über Ahasja ben Joram: "Er tat das Böse in den Augen Jahwes wie das Haus Ahab" (V.4a). Sein gewaltsames Ende, das die Vorlage berichtet, wird als Vergeltung Jahwes interpretiert. Wenn er begraben wird, so ist es der Frömmigkeit seines

nicht zweimal sterben. J.Wellhausen, Prolegomena 205: "Nach Josaphats Tode soll zunächst Joram alle seine Brüder (21,4) gemordet haben, sodann die Araber alle Söhne Jorams mit Ausnahme eines einzigen (22,1): wer von den Davididen bleibt dann da noch für Jehu übrig, der auch ihrer zweiundvierzig abgeschlachtete (2. Reg. 10,14)?" Diese Frage läßt sich beantworten: Für Jehu hat der Chronist die Söhne der Brüder Ahasjas erschaffen! Ein Charakteristikum des Chronisten ist "Mangel an Präcision, Nachlässigkeit" (de Wette, aaO. 62). Hier herrscht jedoch schlecht und recht eine Art Sorgfalt. In diesem Zusammenhang ist die Änderung 1 Chr 20,5 bemerkenswert, vgl. Wellhausen, aaO. 173.

8 Prolegomena 219.
9 Der Ausdruck בעל erscheint in 2 Chr 17,3; 23,17 (← 2 Kön 11,18); 24, 7; 28,2; 33,3 (← 2 Kön 21,3); 34,4. Zwar deuten 2 Chr 19,2; 21,13 den Baalsdienst im Hause Ahab an, aber es wird nicht expressis verbis von ihm geredet.

Großvaters Joschafat[10] zu verdanken (V.9aβγ). V.3b[11].4b.5aα[1] verraten die Vorstellung, das Haus Ahab habe auf Ahasja schwerwiegenden Einfluß ausgeübt. Die Sündhaftigkeit des Hauses Ahab ist für den Verfasser der Chronik eine Selbstverständlichkeit[12]. Die Verbindung mit diesem israelitischen Königshaus stellt deswegen für Juda als solche ein schweres Verbrechen dar[13].

Jehu erscheint als derjenige, "den Jahwe gesalbt hat, um das Haus Ahab auszurotten" (V.7bβ). Diese Bestimmung, die sich auf 2 Kön 9,1-10 bezieht[14], umfaßt, anders als die Aussage der Vorlage[15], keine göttliche Legitimierung seiner Erhebung zum König. Von Jehus Königtum ist ist in der Chronik überhaupt nicht die Rede. Jehus Rolle ist, "das Gericht am Hause Ahab zu vollziehen" (V.8a). Was aus Joram ben Ahab geworden ist, bleibt dabei offen. Zur Darstellung gebracht ist die Hinrichtung des "Hauses Ahasja" (V.9) durch Jehu als Beauftragten Jahwes.

---

10 2 Chr 20,32.33a sind die Abschrift von 1 Kön 22,43.44a. Die Chronik nimmt das Urteil der Vorlage auf. Aber darüber hinaus - und zwar im Widerspruch dazu - wird die Abschaffung der Höhen unter Joschafat behauptet (2 Chr 17,3); ein Versuch, die Ehre des judäischen Kults zu retten. Vgl. de Wette, aaO. 105. Joschafats Regierung ist durch die umfangreichen Erdichtungen 2 Chr 17; 19; 20,1-30 auch sonst in manchen Punkten phantasievoll nach dem Geschmack des Chronisten idealisiert. Vgl. Wellhausen, aaO. 185-188. Joschafats Verbindung mit dem Hause Ahab ist allerdings ein Vergehen, das von Gott bestraft werden muß. Diese Anscauung spiegelt sich in 2 Chr 19,2 sowie 20,35-37. Das letzte Stück ist die Verfälschung von 1 Kön 22, 49f. Vgl. de Wette, aaO. 131f. En passant sei auch ein typisch chronistisches Verfahren angemerkt: 2 Chr 18,31 gegenüber 1 Kön 22,32f. Vgl. de Wette, aaO. 78-80. In der Unterschiebung steckt stillschweigend die Auffassung, Joschafat sei ein guter König gewesen, darum habe Jahwe ihn gerettet.

11 Hier ist auf eine Nachlässigkeit hinzuweisen: Omri ist in der Chronik nur an dieser Stelle erwähnt. Dabei ist der Titel מלך ישראל gestrichen. Aus der Chronik allein kann man deswegen nicht wissen, daß er der Vater Ahabs war. Dementsprechend kann man auch die Abstammung Ahasjas nicht wissen. Ihr Name kommt in 2 Chr 21,6 (← 2 Kön 8,18) nicht vor.

12 Außer der Kopie der Vorlage finden sich die eigenen Fassungen der Chronik in 2 Chr 19,2; 21,13. S.o. Anm.9.

13 2 Chr 19,2; 20,35-37. S.o. Anm.10.

14 Nebenbei bemerkt: In der Chronik ist von Elischa, der in 2 Kön 9,1 vorkommt, niemals die Rede.

15 Vgl. 2 Kön 9,3aβ[2]γ.6bα[2]β.12bβγ.

Dabei sind die Vorgänge gegenüber der Vorlage umgestellt; Ahasja selbst wird zuletzt getötet. Vielleicht ist damit eine Steigerung beabsichtigt. Dies ist vielleicht auch der Grund, weshalb der unwirkliche Bericht vom Versteck Ahasjas in Samaria entstanden ist[16]. Wie dem auch sei, "von Gott war das Verderben Ahasjas gefügt" (V.7aα[17]).

Was hat die Chronik aus Jehu gemacht! Der Revolutionär, der mit Blut und Eisen an die Macht gelangt war, ist zum fleißigen Henker in der theokratischen Anstalt geworden[18].

Das Bild Jehus als Werkzeug Gottes ist aber, wie wir sehen werden, nicht erst mit der Chronik entstanden.

16 De Wette, aaO. 74, spricht von schlechtem Epitomieren in V.9 vermutlich mit Ironie: "Wie die Notiz der Chronik entstanden, wage ich nicht zu bestimmen".
17 Diese Diktion hat ihren Ursprung in 1 Kön 12,15bα (→ 2 Chr 10, 15bα). Daraus folgt 1 Kön 12,24 (→ 2 Chr 11,4). Vgl. dabei 1 Kön 1, 27a. Die Formulierung 2 Chr 25,20 stützt sich auf 2 Chr 10,15. In 1 Chr 5,22aβ fehlt die Kopula.
18 Vgl. Wellhausen, aaO. 176f.

III. 2 Kön 8,28-29 als Nachtrag zum einleitenden Rahmenstück
für Ahasja von Juda

Kehren wir zum Königsbuch zurück, indem wir 2 Kön 8,28f., die, wie gesehen, fast wörtlich in die Chronik aufgenommen worden sind, unter die Lupe nehmen.

A.Jepsen[1] und E.Würthwein[2] sehen 2 Kön 8,28 als Einsatz in die Jehu-Erzählung an und streichen dabei את– 1°:

וילך ( ) יורם בן-אחאב למלחמה עם-חזהאל מלך-ארם ברמת גלעד

"Diess ist unrichtig"[3], wie schon früher O.Thenius gegen H.Ewald[4], der diese Meinung vertreten hatte, festgestellt hat.

Unter textkritischem Gesichtspunkt ist es nichts als Willkür, את– 1° in V.28 streichen zu wollen. Es finden sich - einschließlich der alten Übersetzungen - keine den Vorschalg unterstützenden Varianten. Dieses "את steht durch alle Zeugen gesichert fest" (Thenius[5]).

Zwar beginnen mit dem Satz "... N.N. וילך" die Abimelech-Erzählung (Ri 9) und die Erzählung über die Reichstrennung (1 Kön 12), ferner die Erzählung über die Gotteserscheinung vor Salomo in Gibeon (1 Kön 3,4-15[6]):

(Ri 9,1a)   וילך אבימלך בן-ירבעל שכמה אל-אחי אמו

(1 Kön 12,1a)   וילך רחבעם שכם

(1 Kön 3,4aα)   וילך המלך גבענה לזבח שם

---

1 Israel und Damaskus 156 Anm.13. Vgl. ders., Die Quellen des Königsbuches, Übersicht über Quellen und Redaktionen.
2 ATD 11,2, 324.328.
3 KEH 9, 315.
4 Geschichte des Volkes Israel bis Christus III/1, 568.
5 KEH 9, 315.
6 In diesem Stück, das in sich nicht einheitlich ist, liegt kein vordeuteronomistischer Keim vor. Vgl. Jepsen, Die Quellen des Königsbuches 19; T.Veijola, Das Königtum 48 Anm.61 und die dort genannte Literatur. Gegen S.Herrmann, Die Königsnovelle in Ägypten und Israel; M. Noth, BK IX/1, 42ff.; Würthwein, ATD 11,1, 30ff.

Doch in diesen drei Erzählungen sind Abimelech, Rehabeam und Salomo die Hauptperson. Das zeigt auch der Schluß der Erzählungen:

(Ri 9,54b) ‏וימת‎

(1 Kön 12,18b) ‏והמלך רחבעם התאמץ לעלות במרכבה לנוס ירושלם‎

(1 Kön 3,15b) ‏... ויעל עלות ויעש שלמים ויעש משתה לכל-עבדיו‎

Abimelech, Rehabeam und Salomo spielen in der jeweiligen Erzählung durchgehend die Hauptrolle. Für Joram ben Ahab in unserer Erzählung trifft das nicht zu. Nach seinem gewaltsamen Ende entfaltet sich das Geschehen weiter; seine Ermordung stellt nur eine einzelne Szene dar. 2 Kön 8,28a* kann deshalb nicht der ursprüngliche Einsatz der Erzählung sein.

2 Kön 8,28a ist mit 1 Kön 22,4aβ und 2 Kön 3,7aβ zu vergleichen, wo der israelitische König den judäischen König veranlaßt, an seinem Krieg teilzunehmen. In dieser Reihenfolge heißen die drei Sätze:

‏למלחמה עם-חזהאל מלך-ארם ברמת גלעד‎   ‏וילך את-יורם בן-אחאב‎

‏רמת גלעד‎   ‏למלחמה‎   ‏התלך אתי‎

‏אל-מואב למלחמה‎   ‏התלך אתי‎

H.Schweizer[7] vertritt die Auffassung, 1 Kön 22,4aβ beruhe auf 2 Kön 3,7aβ. Darauf gehe ich nicht näher ein. Unzweifelhaft ist allerdings, daß 2 Kön 8,28a sich auf 1 Kön 22,4aβ stützt. Die Sekundarität des Halbverses wird durch die schwerfällige und künstliche Diktion angezeigt: "Und er (Ahasja, der König von Juda) ging mit Joram, dem Sohn Ahabs, zum Kampf mit Hasael, dem König von Aram, in Ramot Gilead."

Der Ausdruck ‏עם למלחמה‎- stammt aus 1 Kön 20,26[8]:

‏... ויפקד בן-הדד את-ארם ויעל אפקה למלחמה עם-ישראל‎

Den Ausdruck ‏ברמת גלעד‎ hat der Schreiber von V.28a in 2 Kön 9,14b gefunden:

"Und Joram hielt Wache in Ramot Gilead (‏ברמת גלעד‎), er und ganz Israel, vor Hasael, dem König von Aram."

---

7 Elischa in den Kriegen 32-35. Nebenbei bemerkt: LXX übersetzt 1 Kön 22,4aβ: Ἀναβήσῃ μεθ' ἡμῶν ...; Diese Lesart ist offenbar sekundär. 2 Chr 18,3aβ lautet: ... (LXX: μετ' ἐμοῦ) ‏התלך עמי‎.

8 Der betreffende Ausdruck kommt sonst nur in Ri 20 vor: V.14.18.20. 23.28.

Die Fortsetzung V.28b.29 ist aufgrund von 2 Kön 9,15a.16aßb formuliert[9]. Auf den Ausdruck יכהו ארמים[10] (sic!) gründet sich V.28b: ויכו
ארמים את-יורם. V.29ab[1] ist Nachbildung von 9,15a.16b.

V.29ab[1]	V.15a.16b
<u>וישב יורם המלך</u>	וישב יהורם המלך
<u>להתרפא ביזרעאל</u>	להתרפא ביזרעאל
<u>מן-המכים</u>	מן-המכים
אשר יכהו ארמים ברמה[11]	אשר יכהו ארמים
בהלחמו את-חזהאל <u>מלך ארם</u>	בהלחמו את-חזאל מלך ארם
<u>ואחזיהו בן-יהורם מלך יהודה</u>[12]	ואחזיה מלך יהודה
ירד	ירד
<u>לראות את-יורם בן-אחאב ביזרעאל</u>	לראות את-יורם

V.29b[2] stützt sich auf 9,16aß:

כי יורם שכב שמה ← כי-חלה הוא

In 2 Kön 9 erscheint der König Ahasja von Juda erst in V.16b. In
V.14b.15a, die die Konfrontation des Joram mit Hasael in Ramot Gilead
zum Inhalt haben, ist nicht von ihm die Rede. "War er mit anwesend gewesen, so war es der Mühe wert, seiner Erwähnung zu thun" (R.Kittel[13]).
V.16b meint fraglos, daß Ahasja aus Jerusalem gekommen ist. Darum muß
man die Aussage von 8,28a für die Erdichtung des Verfassers halten. Kittel ist der Meinung, "dass die Notiz von Ahasjas Anwesenheit in Ramoth
auf blosser Vermutung des Verfas. ruht"[14]. Das ist unwahrscheinlich. Die
Erfindung von 8,28a ist mit einer ganz bestimmten Absicht geschehen.
2 Kön 8,28.29 deuten schon auf 2 Chr 19,1.2 hin:

---

9 Vgl. O.Eißfeldt, HSAT(K) 555: "Die Verse 28.29 sind wohl von später
 Hand nach 9,14-16 geformt und hier eingetragen, wobei der Zug, daß
 Ahasja mit in Ramoth gewesen sei, hinzugetan ist".
10 C.F.Burney, Notes on the Hebrew Text of the Books of Kings 296:
 "The use of the imperf. seems to be inexplicable". Anders A.Šanda,
 EHAT 9/2, 77: "יכהו ... hat einen guten Sinn. Er (sc. Joram) erhielt
 mehrere Male bei verschiedenen Gelegenheiten kleinere Wunden".
11 Aufgrund dieses Belegs liest J.Wellhausen, Die Composition des Hexateuchs 283, רמת גלעד wie "Ramath Gilead". Vgl. ferner Burney, aaO.
 251; Stade-Schwally, SBOT 9, 168 und Šanda, EHAT 9/2, 77.
12 Die Auslassung von מלך יהודה in LXX ist sekundär.
13 HK I,5, 226.
14 Ebd. 226.

24

"Und Joschafat, der König von Juda, kehrte wohlbehalten nach seinem Haus zurück, nach Jerusalem. Und der Seher Jehu, der Sohn des Hanani, trat ihm entgegen, und sagte zu dem König Joschafat: Sollst du dem Gottlosen helfen, und diejenigen lieben, die Jahwe hassen? Infolgedessen kommt über dich der Zorn von seiten Jahwes."

Hier besteht die Vorstellung, die Beteiligung am Krieg des israelitischen Königs bilde als solche eine Sünde. Aufgrund dieser Vorstellung ist auch 2 Kön 8,28a geschaffen worden.

Wann sind 2 Kön 8,28.29 entstanden? Der terminus ad quem ist die Abfassungszeit der Chronik. 2 Kön 8,28.29 grenzen an die vorangehenden Angaben über den König Ahasja von Juda an. Darum fehlt das ausdrückliche Subjekt des Satzes in V.28a: ... וילך את־יורם. Die Abfassungszeit der Grundschrift des deuteronomistischen Geschichtswerks bestimmt also den terminus ante quem non.

"Dass das bisherige über Hasael (sic! lies Ahasja, sc. 2 Kön 8,25-27) dem Schema des Rd angehörte, bedarf keines Beweises. Hingegen kann sich fragen, wie es sich mit dieser über das Schema hinausgehenden Notiz verhalte" (Kittel[15]). Kittel führt aber V.28.29 auf dieselbe Hand, die V.25-27 verfaßt hat, seinen "Rd", den Verfasser des Königsbuches, zurück. Viele[16] sind derselben Meinung in dem Sinne, daß die betreffenden Verse aus der Hand dessen stammen, der das Gerüst des Königsbuches komponiert hat. Das ist aber unrichtig. Die in Frage stehende Vorstellung ist DtrH fremd; Joschafat, der mit dem König von Israel im Einvernehmen stand (vgl. 1 Kön 22,45), bekommt eine gute Zensur (22,43.44). Überdies werden wir gleich sehen, daß 2 Kön 9,14b.15a.16aβ, die die Vorlage von 2 Kön 8,28.29 darstellen, jünger als DtrH sind.

15 Ebd. 226.
16 Statt vieler vgl. Noth, Überlieferungsgeschichtliche Studien 84.

IV. 2 Kön 9,14b.15a.16aβ als Zusatz zur Jehu-Erzählung

Wenden wir uns 2 Kön 9,14b.15a zu, so stellen wir fest, daß sie - im Anschluß an die redaktionelle Notiz V.14a* (DtrH) - ein nachträglicher Einschub in die Jehu-Erzählung sind[1]. Aus derselben Feder ist V.16aβ geflossen.

Es steht zunächst fest, daß das Stück V.14-15a den Erzählgang unterbricht. H.Gunkel, der dies gut beobachtet, sieht in ihm die ursprüngliche Exposition der Jehu-Erzählung, "die von dem Anfang des Ganzen, an den sie gehört, durch einen Redaktor, der selber eine ähnliche Notiz (sc. 8,28.29) verfassen wollte, fortgelassen und von einer anderen Hand an späterer Stelle, wo sie freilich den Zusammenhang sprengt, wieder eingesetzt worden ist"[3]. Das ist aber von vornherein unvorstellbar. Vielmehr haben V.14.15a gerade an dieser Stelle ihren Platz. Wie erwähnt, faßt V.14a den vorangehenden Teil zusammen und kündigt die folgende Entfaltung an. Anschließend daran stellen V.14b.15a die vorwegnehmende Erläuterung der nächsten Szene dar, indem sie den Tatbestand des Aufenthalts Jorams in Jesreel nennen.

Das in Frage stehende Stück, das stilistisch ein Fremdkörper in der Jehu-Erzählung ist[4], hat anscheinend einige Ähnlichkeit mit den Berichten über die besonderen Thronwechsel, die die DtrH vorliegende Quelle enthält[5]. Doch ist der Bericht V.14b.15a, der den redaktionellen Eingriff V.14a* (DtrH) voraussetzt[6], kein Exzerpt aus dem alten Doku-

---

1 Vgl. J.Wellhausen, Die Composition des Hexateuchs 286: "9,14.15a sprengen den notwendigen Zusammenhang zwischen V.13 und V.15b".
2 Anders Wellhausen, aaO. 286: "V.14.15a "stossen sich mit der kurzen Notiz V.16 denn Joram lag dort". Dazu s.u.
3 Elisa 68.
4 Vgl. H.-Chr.Schmitt, Elisa 23.
5 Vgl. W.Dietrich, Prophetie und Geschichte 59f.; Schmitt, aaO. 23 mit Anm.38.
6 Sonst wäre die Erwähnung des Joram allzu überraschend. Manche Exegeten lesen ויהוא anstatt יורם in V.14b. Vgl. Schmitt, aaO. 226f. Anm.188. Dafür gibt es aber keinen textlichen Anhalt.

ment[7], sondern eine freie Konstruktion aus späterer Zeit. Dies verrät schon der singuläre Ausdruck ארמים[8] für die Aramäer, die in der Regel kollektiv als ארם bezeichnet werden.

Mit V.14b.15a hängt V.16aβ zusammen: כי יורם שכב שמה. Die Verwendung des Partizips שכב ist singulär. In 2 Kön 8,29 ist der Sachverhalt stattdessen mit חלה umschrieben. LXX hat mit ἐθεραπεύετο frei übersetzt. Nach der Darstellung von V.17ff. macht Joram keinen kranken Eindruck. Das Verbum שכב hat sonst nirgends die Bedeutung "sich aufhalten". Daraus folgt, daß die Notiz V.16aβ mit dem Bericht V.14b.15a in Verbindung steht.

V.14b.15a.16aβ zeichnen ein Geschichtsbild, wonach der König Joram von Israel der Todesgefahr im Aramäerkrieg entronnen und zur Kur in Jesreel anwesend war, als Jehu seinen Aufstand unternahm. In dieser literarischen Schicht ist Joram ben Ahab wahrscheinlich als derjenige aufgefaßt, der dem Schwerte Hasaels entronnen ist, aber von Jehu getötet werden soll (1 Kön 19,17).

Übrigens liegt die Vermutung nahe, daß der Nachtrag der Bezeichnung בן-יהושפט für Jehu in 2 Kön 9,2.14a einer ähnlichen Geschichtsauffassung entstammt. Der Grund dieser Benennung ist durchsichtig[9]:

$$יהושפט[10] = יהוה + שפט.$$

Joram ben Ahab wird in V.14b.16aβ als יורם und in V.15a als יהורם המלך bezeichnet. Das ist auffällig[11]. Möglicherweise stellen der Ausdruck

---

7 Gegen Schmitt, aaO. 23f.
8 Dieser Ausdruck kommt nur in 2 Kön 8,28.29; 9,15 vor, abgesehen von einem fraglichen Beleg וארמים in 2 Kön 16,6 (Qere: ואדמים, LXX: καὶ Ἰδουμαῖοι). Es liegt nahe, daß auch dieser Vers ein nachträglicher Einschub in die Grundschrift des deuteronomistischen Geschichtswerks ist.
9 Es ist unzutreffend, an die Entlastung von Jehus Mordtaten zu denken (gegen S.Timm, Die Dynastie Omri 137 Anm.5). Es geht um die Theodizee.
10 Vgl. den imaginären Ortsnamen "Tal Joschafat" in Joel 4,2.12. Dazu vgl. H.W.Wolff, BK XIV/2, 91f.
11 Vgl. Schmitt, aaO. 226f. Anm.188.

יהורם המלך [12] sowie V.15aβγ[13] nachträgliche Glossen dar. In der Tat ist es zweifelhaft, daß V.14bβ und V.15aβγ von ein und derselben Hand stammen. Die zweimalige Nennung des Königs Hasael von Aram klingt zu dick:

(V.14bβ)   מפני חזאל מלך-ארם

(V.15aβγ)   בהלחמו את-חזאל מלך ארם

Dagegen kann der Unterschied zwischen Lang- und Kurzform des Namens jedoch schwerlich ein Kriterium für die Literarkritik sein[14]. Ich führe drei Stellen aus unserer Erzählung an.

(9,16b)   ואחזיה מלך יהודה ירד לראות את-יורם

Beide werden aber in V.21 in der Langform geschrieben:

יהורם מלך-ישראל ואחזיהו מלך-יהודה

V.27aα lautet:

ואחזיה מלך יהודה ראה

Es ist ausgeschlossen, daß diese Belege von verschiedenen Händen stammen.

V.16 ist in LXX erweitert.

וישב יהורם המלך 15a	καὶ ἀπέστρεψεν Ιωραμ ὁ βασιλεὺς
להתרפא ביזרעאל	ἰατρευθῆναι ἐν Ιεζραελ
מן-המכים	ἀπὸ τῶν πᾰηγῶν,
אשר יכהו ארמים	ὧν ἔπαισαν αὐτὸν οἱ Σύροι
בהלחמו	ἐν τῷ πολεμεῖν αὐτὸν
את-חזאל מלך ארם	μετὰ Αζαηλ βασιλέως Συρίας
וירכב יהוא וילך 16a	καὶ ἵππευσεν[15] καὶ ἐπορεύθη Ιου
	καὶ κατέβη

---

12 Diese Wortfolge ist auffallend. C.Brockelmann, Hebräische Syntax §64b: "Titel stehen durchweg voran". Die Stellung des Personennamens vor dem Königstitel, d.h. der Ausdruck "המלך N.N.", findet sich nur in 1 Sam 18,6; 2 Sam 13,39; 2 Kön 8,29 ← 9,14; Jer 3,6; während "המלך N.N." sehr oft belegt ist.

13 Vgl. Gunkel, Elisa 98 Anm.6.

14 Gegen S.Norin, Jô-Namen und J^ehô-Namen. Dazu vgl. Würthwein, ATD 11,2, 363 mit Anm.4.

15 Das Wort ἵππεύω ist in 2 Kön 9,16; Mi 1,13; Ez 23,23 belegt. Vgl.

יזרעאלה	εἰς Ιεζραελ,
כי יורם שכב	ὅτι Ιωραμ <u>βασιλεὺς Ισραηλ</u> <u>ἐθεραπεύετο</u>
שמה	<u>ἐν Ιεζραελ</u>
	ἀπὸ τῶν τοξευμάτων,
	ὧν κατετόξευσαν αὐτὸν οἱ Αραμιν
	ἐν τῇ Ραμμαθ
	ἐν τῷ πολέμῳ
	μετὰ Αζαηλ βασιλέως Συρίας,
	ὅτι αὐτὸς δυνατὸς καὶ ἀνὴρ δυνάμεως,

Der erweiterte Teil setzt keine hebräische Vorlage voraus[16]. Er ist sogar innerhalb der LXX wohl sekundär. Darauf weisen die Unterschiede der Ausdrucksweise hin.

V.15	V.16
... ἀπὸ τῶν πληγῶν,	... ἀπὸ τῶν τοξευμάτων,
ὧν ἔπαισαν αὐτὸν	ὧν κατετόξευσαν αὐτὸν
οἱ Σύροι	οἱ Αραμιν[17]
	ἐν τῇ Ραμμαθ[18]
ἐν τῷ πολεμεῖν αὐτὸν ...	ἐν τῷ πολέμῳ ...

1 Kön 18,45b:

וירכב אחאב וילך	καὶ ἔκλαιεν (!) καὶ ἐπορεύετο Αχααβ
יזרעאלה	εἰς Ιεζραελ

Warum weint Ahab in LXX? Es scheint, daß LXX anstatt רכב fälschlich בכה gelesen hat (vgl. BHS).

16 Anders Timm, aaO. 138 Anm.15.
17 Dieser Ausdruck ist nur hier belegt.
18 Vgl. Ρεμμωθ in 8,29; Ρεμμωθ Γαλααδ in 9,4.14.

V. 2 Kön 10,32.33 als Spätling im Königsbuch

Anschließend an die Kritik von 9,14b.15a.16aβ betrachten wir 10, 32.33, wo ebenfalls von Hasael von Aram die Rede ist.

Der Ausdruck "In jenen Tagen fing Jahwe an, zu ..." findet sich im Alten Testament nur in 2 Kön 10,32; 15,37. Schon darum fallen die beiden Stellen auf.

10,32a lautet:

בימים ההם החל יהוה לקצות[1] בישראל

15,37 lautet:

... בימים ההם החל יהוה להשליח ביהודה רצין ... ואת פקח ...

In 15,37 sind Rezin von Aram und Peqach ben Remalja Gesandte Jahwes. Diese Vorstellung gilt gewiß auch für 10,32b:

ויכם חזאל בכל-גבול ישראל

Die Auffassung A.Šandas, V.32b sei sekundär gegenüber V.32a[2], hat die Analogie von 15,37 gegen sich. Die beiden Sätze in 10,32 gehören zusammen. Welche Funktion aber haben 10,32; 15,37 im Kontext des Königsbuchs?

Wenden wir uns zunächst 15,37 zu. Sein Nachtragscharakter ist schon von seiner Stellung her selbstverständlich. 15,36 heißt:

"Was sonst von Jotam zu sagen ist, was er getan hat, das steht ja geschrieben im Tagebuch der Könige von Juda."

Daran schließt die Mitteilung V.37, die ein ein Ereignis zu Lebzeiten Jotams zum Inhalt hat, nicht ursprünglich an. 2 Kön 16,5 berichtet, daß Rezin, der König von Aram, und Peqach, der König von Israel, in der Regierungszeit des Ahas ben Jotam, des Königs von Juda, gegen Jerusalem hinaufzogen. Offenkundig gehören 2 Kön 16,5.7-9 zur Grundschrift

---

1 Stade-Schwally, SBOT 9, 233: "The verb לקצות to cut off, to break off in MT לקצות בישראל, in LXX συγκόπτειν ἐν τῷ Ισραηλ, is well supported by the context of V.33 as well as by Mishnic usage".
2 EHAT 9/2, 119.

des deuteronomistischen Geschichtswerks, ebenso wie 1 Kön 14,25.26aα; 15,17-22; 2 Kön 12,18.19*[3]; 14,8.11aβb-14; 18,13-15; 24,10-13a.15a[4].

Durch 2 Kön 15,27.32.33; 16,1, die ebenfalls Bestandteile des Geschichtswerks von DtrH sind, bekommt man die Vorstellung, daß Peqach schon in der Zeit des Königs Asarja (Usija) von Juda den Thron bestieg und zwanzig Jahre, über die sechzehnjährige Regierungszeit Jotams hinaus, bis in die Zeit des Ahas König über Israel war[5].

2 Kön 15,37, die Angabe über den Angriff von Rezin und Peqach gegen Juda in der Zeit Jotams, wurde aufgrund von 2 Kön 16,5 in der Absicht erfunden, eine Kontinuität der Geschichte Judas während der Zeit von Asarja über Jotam bis Ahas zu schaffen: Peqach sei im letzten Regierungsjahr Asarjas, des Großvaters des Ahas, König über Israel geworden, und er sei in der Zeit des Ahas gegen Jerusalem hinaufgezogen; aber sein Kampf gegen Juda habe bereits in der Zeit Jotams, des Vaters des Ahas, begonnen. In diesem Sinne ist חלל hi gebraucht[6].

Auch 10,32 hat die Absicht, eine Lücke in seiner Vorlage auszufüllen. Es handelt sich um die Geschichte der Auseinandersetzung Israels mit Hasael. Dieser wurde König in der Zeit des Königs Joram von Israel und setzte sich in der Zeit, als Jehu seinen Aufstand machte, mit ihm auseinander (2 Kön 8,7-15; 9,14a.15). "Und Hasael, der König von Aram, bedrängte Israel in der ganzen Zeit des Jehoahas", des Sohnes Jehus (2 Kön 13,22; vgl. 13,2). Aber wie verhielt er sich gegen Israel in der Regierungszeit Jehus? Dies gibt 10,32 nachträglich an. 10,32 ist jünger als 9,14.15a und setzt 8,7-15; 13 voraus. Die Phrase לקצות בישראל (10, 32aγ) bezieht sich auf 2 Kön 13,25a[7]. Das territorialgeschichtliche Bild, das 10,32 vorstellt, liegt auf der Hand: Hasael, der gegen Joram vor

---

3 Ohne כל 1° bis ואת 2°.
4 Die exakte Abgrenzung dieser vorexilischen Quellen verdanke ich Ch. Levin.
5 Hier geht es freilich um die biblische Aussage. Die Rekonstruktion der realgeschichtlichen Chronologie ist ein anderes Problem.
6 Das Subjekt des Satzes ist Jahwe: ausdrücklich ist die Geschichte dem Willen Jahwes zugeschrieben.
7 Im Vorausblick auf 2 Kön 17,18 meint O.H.Steck, Überlieferung und Zeitgeschichte in den Elia-Erzählungen 95 Anm.5: "für 2Kön 10,32 ist diese Zeit der Anfang vom Ende" des Nordreichs. Das geht zu weit.

Ramot Gilead vorgedrungen war, eroberte viele Städte Israels in der Zeit des Jehoahas ben Jehu; aber sein Einbruch in das ganze Gebiet Israels (כל-גבול ישראל) hat schon in der Zeit Jehus begonnen[8].

V.33a ist Nachtrag zu V.32a. "V.33 schliesst sich an V.32 nicht an. Denn die Accusative את כל-ארץ וגו', welche auf מזרח השמש מן-הירדן folgen, geben nicht an, wo Chaza'el Israel geschlagen hat, sondern was er abgerissen hat von Israel, wie sie ja auch V.32b widersprechen, da nach diesem Chaza'el die Israeliten בכל-גבול ישראל 'im ganzen Gebiete Israels' geschlagen hat, nicht blos im Ostjordanlande. Aber auch mit 32a steht die Angabe von V.33 genau besehn im Widerspruch. Denn wer den Euphemismus gebraucht: 'damals begann Jahwe abzuschneiden an Israel', will überhaupt nicht sagen, was verloren gegangen ist. Es ist V.33 vielmehr ein späterer Nachtrag, welcher den Euphemismus V.32a erläutern soll, und zwar ein doppelter, wie das zweimalige Glied zeigt" (B.Stade[9]). In der ersten Erläuterung V.33a "erscheint Gilead als Gesamtbezeichnung des Ostjordanlandes, dessen einzelne Teile nach den drei israelitischen Stämmen Ruben, Gad, Manasse benannt sind" (I.Benzinger[10]). Diese Vorstellung stammt von der "im Stile und im Sinne von P"[11] formulierten Erzählung in Jos 22,9-34: V.9.13.15.32. Einen Zusatz zu 10,33a bildet V.33b[12]. Sein Verfasser ist mit der biblischen Terminologie für die ostjordanische Topographie vertraut. Er beruft sich vor allem auf Dtn 3,12f.

A.Jepsen läßt 2 Kön 10,32f.; 15,37 seiner levitischen Redaktionsschicht aus dem "Ausgang des 6. Jahrhunderts" angehören[13]. Für die "levitische Redaktion" genügt es hier, auf die kritische Bemerkung von Ch. Levin zu verweisen: "Es sei dahingestellt, ob die von Jepsen genannten

---

8 Wie T.Veijola, Das Königtum 77f. mit Anm.42, beobachtet, wird das Verbum חלל hi in Jos 3,7; Ri 13,5b sehr wirkungsvoll zur Anwendung gebracht. Jos 3,7; 4,14 bilden ein Pendant; Ri 13,5b entspricht 2 Sam 8,14b. Die redaktionellen Eingriffe wollen einen Spannungsbogen erzeugen. Damit hat der Gebrauch von חלל hi in 2 Kön 10,32; 15,37 nichts zu tun.
9 Miscellen 10, 279.
10 KEH IX, 155.
11 M.Noth, HAT 7, 134.
12 Benzinger, KEH IX, 155, sieht das Verhältnis umgekehrt. Das ist unhaltbar.
13 Die Quellen des Königsbuches 102-104.

Belege im Einzelfall richtig zugeordnet sind. Sicher falsch ist, diese gelegentlichen Kommentierungen als 'Redaktion' zu bezeichnen. Auch ist die Datierung auf das Ende des 6. Jh.s viel zu hoch gegriffen"[14]. Was unsere zwei Stellen angeht, ist der Hinweis Jepsens von Belang: "Die beiden Sätze II 10,32f. und 15,37 führen den Beginn des Unheils unmittelbar auf Jahwes Eingreifen zurück, ähnlich wie es auch die Chronik tut (2. Chronik 25,15; 26,7; 28,5; 33,11 u.a. ..)"[15]. Sicher handelt es sich dabei um eine der Chronik nahestehende Bearbeitung innerhalb des deuteronomistischen Geschichtswerks.

14 Atalja 27 Anm.15.
15 AaO. 103.

VI. Die vergeltungstheologische Bearbeitung der Jehu-Erzählung und die frühchronistische Notiz

A. 2 Kön 9,26b als frühchronistische Notiz

"Dass 10,28ss. nicht der organische Schluss unserer Erzählung ist"[1], liegt auf der Hand. Im Rahmen dieses nachgetragenen Schlußabschnitts sind 10,32.33, wie oben festgestellt wurde, aus einem der Chronik nahestehenden Kreis hervorgegangen. Innerhalb der Erzählung hat 9,26b wohl eine ähnliche Herkunft.

Daß V.26b eine Wiederholung von V.25aβγ darstellt, läßt den Zusatzcharakter dieses Halbverses erkennen:

(V.25aβγ) שא השלכהו בחלקת שדה נבות היזרעאלי

(V.26b) כדבר יהוה ועתה שא השלכהו בחלקה

2 Kön 9,26b scheint 1 Kön 21,27-29, die sicher als frühchronistisch bezeichnet werden dürfen, im Auge zu haben. 1 Kön 21,27-29 lauten:

"27. Und es geschah, als Ahab diese Worte hörte, zerriß er seine Kleider und legte ein Bußerkleid auf seinen Leib und fastete und schlief im Bußerkleid und ging gedrückt umher. 28. Und es erging das Wort Jahwes an Elija, den Tischbiter: 29. Hast du gesehen, daß Ahab sich vor mir gedemütigt hat? Weil er sich vor mir gedemütigt hat, bringe ich das Unheil nicht in seinen Tagen; in den Tagen seines Sohnes bringe ich das Unheil über sein Haus."

Es ist leicht zu sehen, daß dieses Stück ein Nachtrag zur vorangehenden Szene ist. V.28 ist die wörtliche Wiederholung[2] von V.17: ויהי דבר־ יהוה אל-אליהו התשבי לאמר. Das Wort Jahwes an Elija V.29 will die Abänderung seines in V.21 durch Elija gegen Ahab kundgegebenen Willens darstellen:

---

1 J.Wellhausen, Die Composition des Hexateuchs 287.
2 Die Fassung der LXX ist sekundär. Vgl. Stade-Schwally, SBOT 9, 167 sowie 143.

<table>
<tr><td>V.21aα</td><td>V.29bα²βγ</td></tr>
</table>

V.21aα	V.29bα²βγ
הנני	
מבי[3] אליך רעה	לא-אבי[4] הרעה בימיו
	בימי בנו אביא הרעה
	על-ביתו[5]

Mit V.28.29 hängt V.27 zusammen. Ahabs Buße, die dieser Vers zur Darstellung bringt, ist die notwendige Voraussetzung für den durch die Wortereignisformel (V.28) eingeführten Spruch Jahwes (V.29).

1 Kön 21,27 hat eine Parallele in 2 Kön 22,11:

1 Kön 21,27	2 Kön 22,11
ויהי כשמע אחאב[6]	ויהי כשמע המלך
את-הדברים האלה	את-דברי ספר התורה
ויקרע בגדיו	ויקרע את-בגדיו[7]
וישם-שק על-בשרו	
ויצום	
וישכב בשק	
ויהלך אט[8]	

Auch die Parallelität von 1 Kön 21,29 zu 2 Kön 22,19.20 ist deutlich, wie A. Jepsen aufgewiesen hat[9]:

1 Kön 21,29	2 Kön 22,19*.20*
הראית כי-נכנע אחאב מלפני	
יען כי-נכנע מפני[10]	יען רך-לבבך ותכנע מפני יהוה
לא-אבי הרעה בימיו	ולא-תראינה עיניך בכל הרעה
בימי בנו אביא הרעה על-ביתו	אשר-אני מביא על-המקום הזה

---

3 Vgl. Stade-Schwally, aaO. 166.
4 Vgl. Stade-Schwally, aaO. 168.
5 Diesen Ausdruck muß man trotz LXX unbedingt beibehalten. Vgl. Stade-Schwally, aaO. 168.
6 Vgl. Stade-Schwally, aaO. 167. Kurz und gut: "The text of MT is here decidedly preferable".
7 Vgl. 2 Kön 22,19aβ: ותקרע את-בגדיך.
8 Vgl. HAL 36 und die dort genannte Literatur.
9 Die Quellen des Königsbuches 103; Ahabs Buße 150-153. Zum Huldaorakel vgl. Ch. Levin, Joschija im deuteronomistischen Geschichtswerk 364-368.
10 Diese Stelle fehlt in LXX wegen Homoioteleuton. Es ist klar, daß sie beizubehalten ist.

Sowohl das in Frage stehende Stück als auch das Huldaorakel handeln davon, "wie die Demütigung vor Jahwe ihre Belohnung findet" (Jepsen[11]). Die Demütigung vor Jahwe, die das Verbum כנע ni zum Ausdruck bringt, ist, wie Jepsen gezeigt hat, ein geprägter theologischer Topos. Er findet sich außer an den genannten zwei Stellen in Lev 26,41; 2 Chr 7, 14; 12,6.7.12; 30,11; 32,26; 33,12.19.23(bis); 34,27; 36,12[12]: Das Theologumenon von der Demütigung vor Jahwe, das vornehmlich in der Chronik bezeugt ist, kommt neben den zwei Stellen im Königsbuch zum erstenmal im Heiligkeitsgesetz der Priesterschrift vor. Die Verteilung der Belege weist auf die geschichtliche Stellung von 1 Kön 21,27-29 hin[13]: Der Abschnitt 1 Kön 21,27-29 dürfte in nachdeuteronomistische Zeit, nahe der Abfassungszeit der Chronik, zu datieren sein. Er läßt sich durchaus als Vaticinium ex eventu deuten: Das הרעה in V.29 meint, wie der Ausdruck על־ביתו zeigt, ausschließlich den Untergang der Dynastie. Die hiesige Aussage bezieht sich nur darauf, daß Ahab den Untergang seines Hauses nicht selbst erlebt, nicht darauf, daß er nicht im Kampfe fallen solle[14]. "Wie in der Chronik dient der Topos כנע ni. dazu, den in der Überlieferung vorgegebenen Geschichtsverlauf mit der Auffassung von der konsequenten Wirksamkeit der Gerechtigkeit Gottes in Einklang zu bringen"[15]. Das Stück 1 Kön 21,27-29 begründet, daß das Haus Ahab nicht mit dem Ende Ahabs selbst zusammengefallen, sondern erst in der Zeit des Joram ben Ahab zugrunde gegangen ist[16].

In diesem Stück werden 2 Kön 9,25.26a ausgelegt. Nach Ermordung des Königs Joram befiehlt Jehu seinem Adjutanten:

---

11 Die Quellen des Königsbuches 103.
12 Vgl. Jepsen, Ahabs Buße 150.
13 Jepsen, Ahabs Buße 153. "2 Kön 22 und 1 Kön 21 scheinen mir sachlich so nahe zu 2 Chr 12,6ff und vor allem zu 32,26 und 36,12 zu gehören, daß ich sie ... zwischen Lev 26 und der Chronik ansetzen möchte".
14 Vgl. Jepsen, Die Quellen des Königsbuches 103: "das בשלום (in 2 Kön 22,20) bezieht sich nur darauf, daß Josia die Zerstörung Jerusalems nicht erlebt, also vorher, noch 'im Frieden' stirbt, nicht darauf, daß er im Kampfe fallen solle".
15 Levin, aaO. 368.
16 Vgl. Jepsen, Ahabs Buße 150-152.

"Nimm und wirf ihn (Joram ben Ahab) auf das Feldgrundstück Nabots, des Jesreeliters" (V.25aβ).

Um diese Maßnahme zu rechtfertigen, wird ein Ausspruch Jahwes angefügt:

"Wahrhaftig, ich habe gestern das Blut Nabots und das Blut seiner Söhne gesehen, Spruch Jahwes; darum vergelte ich dir[17] (Ahab) auf diesem Gründstück, Spruch Jahwes" (V.26a).

Das Stück 1 Kön 21,27-29 erläutert auf seine Weise, warum die Heimsuchung Jahwes, die eigentlich Ahab selbst getroffen haben sollte, erst seinen Sohn erreicht hat.

Es scheint, daß 2 Kön 9,26b, der einen Zusatz zu V.25.26a darstellt, und 1 Kön 21,27-29 sich entsprechen. Die Beziehung von 2 Kön 9,26b auf 1 Kön 21,27-29 als eine Art Erfüllungsvermerk ist nicht zwingend zu erweisen, jedoch wahrscheinlich. Denn anderswo wäre der sachliche Zusammenhang dieses Zusatzes schwer zu finden; der V.26b vorangehende Spruch Jehus selbst ist von sehr junger Herkunft.

B. Die vergeltungstheologische Bearbeitung der Jehu-Erzählung:
2 Kön 9,21bα²βγ.22bβ.25.26a

Behandeln wir eingehend V.25.26a, nachdem wir V.26b als Zusatz dazu festgestellt haben. Jehu hält hier eine Rede. Der Text lautet:

ויאמר אל־בדקר	Und er (Jehu) sagte zu Bidqar,
שלשה[18]	seinem Adjutanten:
שא[19] השלכהו	Nimm (und) wirf ihn
בחלקת שדה נבות	auf das Feldgrundstück Nabots,
היזרעאלי	des Jesreeliters!

17 Die Fassung der LXX ist sekundär: καὶ ἀνταποδώσω αὐτῷ ...
18 Qere: שלשו.
19 Vgl. R.Bohlen, Der Fall Nabot 280 Anm.3 und die dort genannte Literatur.

כי-זכר[20]	Erinnere dich doch:
אני ואתה	ich und du
( ) [21] רכבים צמדים[22]	lenkten die Gespanne
אחרי אחאב אביו	hinter Ahab, seinem Vater,
ויהוה נשא עליו	da tat Jahwe über ihn
את-המשא הזה	diesen Ausspruch:
אם-לא	Wahrhaftig,
את-דמי נבות	das Blut Nabots
ואת-דמי בניו	und das Blut seiner Söhne
ראיתי אמש	habe ich gestern gesehen,
נאם-יהוה	Spruch Jahwes;
ושלמתי לך	darum vergelte ich dir
בחלקה הזאת	auf diesem Grundstück,
נאם-יהוה	Spruch Jahwes.

Dieses Stück unterbricht zwischen V.24 und V.27 den Ablauf der Handlung. An V.24 schließt V.27 glatt an:

"24. Jehu aber spannte den Bogen und schoß Joram mitten in seinen Rücken; der Pfeil fuhr durch sein Herz. So fiel er in seinem Kampfwagen zusammen. 27. Ahasja aber sah (es) und floh. ..."

V.25.26a sind offenkundig ein nachträglicher Einschub. Und zwar ist dieser Nachtrag von junger Herkunft. Zu dieser Entscheidung[23] zwingt bereits die zweimal vorkommende Gottesspruchformel נאם יהוה. Im Enneateuch[24] findet sich nur an fünf weiteren Stellen: Gen 22,16 (deuteronomistisch[25]); Num 14,28 (P); 1 Sam 2,30 bis (sehr jung[26]); 2 Kön 19,33 (sehr

---

20 Vgl. vor allem A.Šanda, EHAT 9/2, 98; ferner Bohlen, aaO. 280 Anm.5 und die dort genannte Literatur.
21 Wahrscheinlich ist את als Dittographie von אתה zu streichen.
22 Vgl. Bohlen, aaO. 280f. Anm.7. und die dort genannte Literatur.
23 Vgl. E.Würthwein, ATD 11,2, 332f.
24 Zu diesem Begriff vgl. R.Smend, Die Entstehung des Alten Testaments 33-35.
25 Vgl. Smend, aaO. 65.
26 Vgl. T.Veijola, Die ewige Dynastie 35-37 mit Anm.114; Levin, Die Verheißung des neuen Bundes 31.

jung[27]); 2 Kön 22,19 (frühchronistisch[28]). In den alten Erzählungstexten begegnet נאם יהוה niemals.

Für die späte Datierung unseres Einschubs spricht auch die Verwendung des Ausdrucks משא als Bezeichnung für den Spruch Jahwes. Alle Belege dieses Terminus, der sich im Enneateuch nur an unserer Stelle findet, sind sicher exilisch-nachexilisch. Er erscheint sonst in Jes 13,1; 14, 28[29]; 15,1; 17,1; 19,1; 21,1.11.13; 22,1; 23,1; 30,6; Jer 23,33-38 (fünfmal); Ez 12,10; Nah 1,1; Hab 1,1; Sach 9,1; 12,1; Mal 1,1; Klgl 2,14; 2 Chr 24, 27.

Mit V.25.26a ist fraglos V.21bα²βγ zu verbinden, dessen Nachtragscharakter sich an der Wiederholung des Verbums יצא erkennen läßt:

(V.21bα¹)　　ויצא יהורם מלך-ישראל ואחזיהו מלך-יהודה איש ברכבו

(V.21bα²βγ)　　ויצאו לקראת יהוא וימצאהו בחלקת נבות היזרעאלי

Die in Frage stehenden Zusätze wollen besagen, daß Joram auf dem Grundstück des Jesreeliters Nabot umgebracht und dem Wind und Wetter ausgesetzt worden ist.

Bekanntlich wird von Nabot sonst in 1 Kön 21 berichtet. Dort ist von seinem Weinberg (כרם) die Rede, während das Wort חלקה sich nicht findet.

Nach W.Dietrich ist dieses חלקה "ein vorwiegend in älteren Schichten belegter Begriff"[30]. Die Auffassung erweist sich als nicht sehr präzise, wenn man alle Belege in Betracht zieht: Gen 33,19; Dtn 33,21; Jos 24, 32; 2 Sam 2,16; 14,30(bis).31; 23,11.12; 2 Kön 3,19.25; 9,21.25.26(bis); Jer 12,10(bis); Am 4,7(bis); Ijob 24,18; Rut 2,3; 4,3; 1 Chr 11,13.14. Die Möglichkeit der vorexilischen Datierung besteht nur für 2 Sam 2,16; 14,30f.; 2 Kön 3,25. Unter Berücksichtigung aller Belege ergibt sich auch, daß die Verbindung von חלקה mit שדה nicht auffällig ist[31]: Gen 33,19; Jos 24, 32; 2 Sam 23,11; Rut 2,3; 4,3; 1 Chr 11,13. Ferner mag es bemerkens-

27 Vgl. Smend, aaO. 137.
28 Vgl. die in Anm.9 genannte Literatur.
29 Vgl. W.Dietrich, Jesaja und die Politik 208f.
30 Prophetie und Geschichte 85.
31 Anders S.Timm, Die Dynastie Omri 141 Anm.33.

wert sein, daß in Jer 12,10 חלקה parallel zu כרם vorkommt[32].

Auf jeden Fall meinen unsere Zusätze V.21bα^{2}βγ.25-26a mit Nabots "Grundstück" nichts anderes als den Weinberg in 1 Kön 21, wo die ursprüngliche Erzählung mit V.1aβ^{1}b folgendermaßen beginnt: כרם היה לנבות היזרעאלי אצל היכל אחאב מלך שמרון. Die "Novelle"[33] in 1 Kön 21 hat keinen Geschichtsbezug in dem Sinne, daß hinter ihr irgendein wirklich geschehener Vorgang zu bestimmen sei. Anhand einer frei erfundenen Situation hat der Autor dieser Erzählung ein Charaktergemälde von Ahab und Isebel nach seiner Vorstellung plastisch und lebenswahr dargestellt, wenn man auch "eine Charakterzeichnung in unserem Sinne oder gar eine wirkliche Tendenz zur Biographie"[34] nicht erwarten darf. Es ist vorzüglich sein negatives Bild des Königtums, das der Autor dort in konzentrierter Gestalt in Szene gesetzt hat.

Der Fall Nabot ist jedenfalls Erfindung. Die betreffenden Zusätze in 2 Kön 9 aber hängen von der literarischen Fiktion des Berichtes in 1 Kön 21 ab. Die Erwähnung der Söhne Nabots, von denen in 1 Kön 21 keine Rede ist, ist nur eine sekundäre Erweiterung. Dasselbe Phänomen ist in Jos 7,24.25 zu finden[35]. Manche Diskrepanzen zwischen den beiden Darstellungen kann man auch sonst beobachten[36]. Sie haben aber mit dem Interesse des Bearbeiters der Jehu-Erzählung nichts zu tun. Zentrales Motiv, mit dem die Maßnahme Jehus gerechtfertigt wird, ist die Vergeltung Jahwes (שלם pi).

---

32 Vgl. dazu J.A.Soggin, Jeremias XII 10a: Eine Parallelstelle zu Deut. XXXII 8/LXX?

33 Vgl. Würthwein, Naboth-Novelle und Elia-Wort.

34 Smend, Überlieferung und Geschichte 21f.

35   וירגמו אתו כל־ישראל אבן (Jos 7,25bα)
                באבנים אתם ויסקלו (Jos 7,25bγ)
V.25bγ ist gegenüber V.25bα sekundär. Vgl. C.Steuernagel, HK I,3, 179; Levin, Die Verheißung des neuen Bundes 44f. Anm.34. Anders M.Noth, HAT 7, 42. Er betrachtet V.25bα als "Zusatz, der das ältere סקל durch das später geläufige רגם ersetzt". Das Verbum רגם findet sich noch in Lev 20,2.27; 24,14.16.23; Num 14,10 (P); 15,35.36 (P); Dtn 21,21; 1 Kön 12,18 (→ 2 Chr 10,18); Ez 16,40; 23,47; 2 Chr 24,21. Die meisten Belege sind also exilisch-nachexilisch. 1 Kön 12,18aβ aber gehört mit Sicherheit dem ursprünglichen Bestand der Erzählung über die Reichstrennung an: וירגמו כל־ישראל בו אבן וימת.

36 Statt vieler vgl. O.H.Steck, Überlieferung und Zeitgeschichte in den Elia-Erzählungen 51 Anm.2; H.-Chr.Schmitt, Elisa 25f.

Dieser theologische Begriff, der niemals im Tetrateuch erscheint, findet sich im Deuteronomium nur im Rahmen: Dtn 7,10; 32,41. In den Prophetae priores kommt er, abgesehen von unserer Stelle, in Ri 1,7 (hier erscheint אלהים statt יהוה); 1 Sam 24,20; 2 Sam 3,39 vor. "Es liegt nahe, in Ri 1,1-2,5 (6-9) einen bei der Einteilung in Einzelbücher geschaffenen Anfang des Buches Ri (vgl. 1,1 mit Jos 1,1) zu sehen" (R.Smend[37]). Wie T.Veijola gezeigt hat[38], gehören weder 1 Sam 24,20 noch 2 Sam 3,39 zu den alten Erzählungen. Die anderen Belege finden sich in Jes 57,18; 59, 18; 65,6; 66,6; Jer 16,18; 25,14; 32,18; 50,29 (hier wird die Vergeltung im Auftrag Jahwes durch Menschen ausgeführt); 51,6.24.56; Joel 2,25; Ps 31, 24; 62,13; Ijob 21,19; 34,11.33; Spr 19,17; 25,22; Rut 2,12. "Die Wendung šillem (= vergelten) mit Jahwe als Subjekt ist nur in jüngeren Stellen belegt" (E.Würthwein[39]).

Dann ist die Auffassung ausgeschlossen, "daß in V.26a ein ursprünglich frei umlaufendes Prophetenwort gegen Ahab vorliegt"[40]. - Als Begründung wird folgende Beobachtung genannt: "Daß das Wort nicht für die vorliegende Situation konzipiert wurde, zeigt sich daran, daß es sich ursprünglich gegen Ahab, nicht gegen Joram richtet"[41]. Dies trifft nicht zu. Der Verfasser unserer Schicht, die aus einem Guß ist, teilt die Vorstellung, daß die Schuld des Vaters den Sohn heimsuchen soll. Es ist dabei kein anderer als Jahwe, der vergilt. Die Rache ist sein. Unser Bearbeiter hat die Ermordung Jorams durch Jehu als Vergeltung Jahwes interpretiert und diese Interpretation in die Vorlage nachgetragen. Für ihn war die Angelegenheit in erster Linie gar nicht Jehus Kampf um die Macht, sondern Jahwes Strafe, die durch die Hand Jehus als des göttlichen Werkzeugs zustande gekommen ist. Es trifft deswegen nicht, wenn hinter dieser Bearbeitung eine "apologetische Tendenz für Jehu"[42] vermutet wird. Es geht vielmehr um die Theodizee.

37 Die Entstehung des Alten Testaments 115.
38 Die ewige Dynastie 33ff.45.90ff.
39 ATD 11,2, 333.
40 Schmitt, Elisa 26. Vgl. vor allem G.Hölscher, Die Profeten 177.
41 Schmitt, Elisa 27 Anm.55. Vgl. Steck, aaO. 33 und die dort genannte Literatur.
42 Schmitt, Elisa 27. Vgl. ferner z.B. H.Seebass, Der Fall Naboth in 1 Reg. XXI 486.

Der Bearbeiter hat seine Ansicht Jehu in den Mund gelegt; "seine Rede richtet sich nicht an seinen Adjutanten, sondern an die Hörer der Erzählung" (Würthwein[43]). Jehus Adjutant Bidqar[44], der gleichsam als Repräsentant der Hörer erscheint, ist keine historische Figur. "Wer die Angabe von Eigennamen für ein Kennzeichen der Historizität hält, sollte sich durch die Chronik eines besseren belehren lassen" (Ch.Levin[45]).

Die Feder dessen, der die Jehu-Erzählung vergeltungstheologisch bearbeitet hat, ist mit großer Wahrscheinlichkeit auch in 9,22bβ zu erkennen: עד-זנוני איזבל אמך וכשפיה הרבים. Ganz ähnlich, wie in V.25-26a von Jorams Vater Ahab die Rede ist, wird hier, ebenfalls durch den Mund Jehus, Isebel, die Mutter Jorams, der Hurerei und Zauberei bezichtigt.

Wie gesehen, hat DtrH die Vorstellung geprägt, daß Ahab und Isebel das schlechteste königliche Paar in der Geschichte des Nordreichs gewesen sind (1 Kön 16,30-32; 22,53; 2 Kön 3,2a). An den letzten zwei Stellen kommen die Ausdrücke אביו und אמו vor; man vergleiche die Bezeichnungen אחאב אביו in V.25 und איזבל אמך in V.22bβ. Die Vorstellung des DtrH hat sich seither unhinterfragt als leitende Auffassung von der Geschichte durchgesetzt. Es ist leicht zu sehen, daß die Erzählung in 1 Kön 21 dafür als Paradebeispiel gegolten hat. Unser Bearbeiter, der vorzüglich 1 Kön 21 berücksichtigt, muß der Auffassung gewesen sein, daß das gewaltsame Ende Jorams die Vergeltung Jahwes für die Sünde Ahabs und Isebels war. Für ihn ist Jehu als Werkzeug Gottes durch die Berichte über seine Salbung legitimiert (1 Kön 19,15-17; 2 Kön 9,1-10).

In V.22bβ ist von Isebels "Hurerei und Zauberei" die Rede. Diese Bezeichnung und Vorstellung stützt sich am unmittelbarsten auf Nah 3,4. Sie faßt das Bild Isebels in 1 Kön 18.19.21 zusammen[46].

43 ATD 11,2, 333.
44 Zu diesem Namen vgl. Noth, Die israelitischen Personennamen 149 Anm.1 und 241.
45 Atalja 62 Anm.9.
46 Vgl. Würthwein, ATD 11,2, 333.

C. 2 Kön 10,16: Eine Art nachträgliche Überschrift über die Szene von der Ausrottung des Baalskults durch Jehu

Mit der Bearbeitungsschicht 9,21bα²βγ.22bβ.25-26a, die wir oben behandelt haben, hängt 10,16 eng zusammen, in dem Sinne, daß auch 10,16 unter einem vergeltungstheologischen Gesichtspunkt abgefaßt worden ist.

V.16 ist gegenüber V.15 mit Sicherheit sekundär. V.16b ist eine Wiederholung von V.15bβ von späterer Hand:

ויעלהו אליו אל-המרכבה   (V.15bβ)

וירכבו אתו ברכבו   (V.16b)

Daß diese zwei Sätze nicht von ein und demselben Verfasser stammen, zeigt die Verschiedenheit der Bezeichnung des Wagens: מרכבה in V.15, רכב in V.16. Einen ähnlichen Fall kann man in 1 Kön 22,35.38 finden[47].

Im übrigen meint מרכבה oft den königlichen Repräsentationswagen (vgl. z.B. Gen 41,43 in der Joseph-Geschichte, Ri 4,15 in der Debora-Barak-Erzählung, 1 Sam 8,11 in dem sogenannten Königsrecht, 1 Kön 12, 18 in der Erzählung über die Reichstrennung, 1 Kön 20,33[48]; 22,35 in den Aramäerkriegserzählungen, ferner 2 Chr 35,24)[49], während רכב in der Regel den einfachen Wagen und Kampfwagen bezeichnet. Diesen Unterschied lassen am deutlichsten 1 Kön 10,26.29 erkennen, wo nacheinander von der Kampfwagenrüstung des Salomo (רכב) und von seinem Handel mit ägyptischen Prunkwagen (מרכבה) berichtet wird.

Betrachten wir 2 Kön 10,16 näher.

ויאמר	καὶ εἶπεν πρὸς αὐτόν[50]
לכה אתי	Δεῦρο μετ' ἐμοῦ
וראה	καὶ ἰδὲ
בקנאתי ליהוה	ἐν τῷ ζηλῶσαί με τῷ κυρίῳ Σαβαωθ·[51]
וירכבו אתו	καὶ ἐπεκάθισεν αὐτὸν
ברכבו	ἐν τῷ ἅρματι αὐτοῦ.

---

47 Vgl. Wellhausen, Die Composition des Hexateuchs 283 Anm.2.
48 Wir werden später sehen, daß 2 Kön 10,15bβ sich auf 1 Kön 20,33bβ stützt.
49 Vgl. Gesenius-Buhl 462.
50 πρὸς αὐτόν ist Zusatz.
51 Σαβαωθ ist Zusatz. Vgl. 1 Kön 19,10.14:

Auffällig ist die pluralische Form des Verbums רכב im masoretischen Text, "da bisher immer von Jehu allein die Rede war" (R.Kittel[52]). Es dürfte richtig sein, hier nach LXX und den anderen alten Übersetzungen[53] die singularische Lesart anzunehmen[54]. - Wer befindet sich aber mit Jehu zusammen auf seinem Wagen (ברכבו)? Bidqar, der in 9,25 in Erscheinung tritt! Vielleicht stellte sich der Verfasser vor, daß nicht Jehu allein, sondern auch sein Adjutant dem Jonadab ben Rekab auf den Wagen geholfen hat. Das muß jedoch eine denkbare Möglichkeit bleiben.

Wie dem auch sei, der Schwerpunkt des Nachtrags V.16 liegt im Spruch Jehus:

"Komm mit mir und lasse den Blick an meinem Eifer für Jahwe haften!" Dieses Wort hört Jonadab in Vertretung der Leser und nimmt damit dieselbe Rolle ein, die Bidqar in 9,25-26 gespielt hat.

V.16 ist als Ankündigung und Deutung der folgenden Erzählung von Jehus Ausrottung des Baalskults zu verstehen. Das Stichwort ist "Eifer für Jahwe". Dieses Theologumenon hat seinen Ursprung in 1 Kön 19,14[55], wo Elija über seine Isoliertheit klagt. In der Absicht, als Fortsetzung und Schluß der Elija-Erzählung 1 Kön 17-19 die Jehu-Geschichte innerhalb des größeren literarischen Ganzen zu lesen und lesen zu lassen, hat der Schreiber von 2 Kön 10,16 das Motiv des Eifers für Jahwe hier von dorther eingeführt[56]. Es geht um die Vorstellung unter dem Gesichtspunkt der Theodizee, die Handlung Jehus sei die Übernahme und der Vollzug der Sache Elijas gewesen.

Die Bearbeitungen der Jehu-Erzählung aufgrund von 1 Kön 17-19; 21 haben wir oben festgestellt. Sie beschränken sich aber nicht auf die schon behandelten Stellen. Innerhalb unserer zwei Kapitel kommt der

קנא קנאתי   Ζηλῶν ἐζήλωκα
ליהוה אלהי צבאות   τῷ κυρίῳ παντοκράτορι

52 HK I,5, 240.
53 Vgl. BHS.
54 Vgl. vor allem Kittel, HK I,5, 240.
55 Bekanntlich stellen V.9b.10 (mitsamt dem Anfang von V.11) eine sekundäre Vorwegnahme von V.13b.14 dar. Vgl. Wellhausen, Die Composition des Hexateuchs 280 Anm.1; Smend, Das Wort Jahwes an Elia 138f.
56 Übrigens liegt die Vermutung nahe, daß Num 25,13 in Vorstellung und Terminologie 2 Kön 10,16 gefolgt ist.

Name Elija in 2 Kön 9,36; 10,10.17 vor. Offensichtlich ist auch die Parallelität der Rede des von Elischa gesandten Prophetenjüngers an Jehu in 2 Kön 9,7-10 und des Wortes Jahwes an Elija in 1 Kön 21,17ff. Darauf wollen wir im nächsten Kapitel näher eingehen.

VII. Die deuteronomistischen Bearbeitungen der Jehu-Erzählung

Vorbemerkung: Die deuteronomistischen Schichten in 1 Kön 21

Der Novelle über den Fall Nabot in 1 Kön 21,1-16* folgt in V.17-29 eine sekundäre Fortsetzung. Erst in dieser Fortsetzung tritt der Prophet Elija in Erscheinung[1]. Den ursprünglichen Faden dieser Erweiterung bilden V.17.18.19b.21.22a.24:

17. Und es erging das Wort Jahwes an Elija, den Tischbiter: 18. Mache dich auf, geh hinab Ahab entgegen, dem König von Israel in Samaria. Siehe, im Weinberg Nabots ist er, wohin er hinabgegangen ist, um ihn in Besitz zu nehmen. 19b. Und du sollst zu ihm sagen: So spricht Jahwe: An der Stätte, wo die Hunde das Blut Nabots geleckt haben, sollen die Hunde auch dein Blut lecken. 21. Siehe, ich will Unheil über dich herbeibringen, und ich will hinter dir her ausfegen; und ich will von Ahab ausrotten, was männlich ist, sowohl Unmündige wie Mündige, in Israel. 22a. Ich will dein Haus hingeben, wie das Haus Jerobeams, des Sohnes Nebats, und wie das Haus Baschas, des Sohnes Ahijas. 24. Wer von Ahab in der Stadt stirbt, den sollen die Hunde fressen, und wer auf dem Felde stirbt, den sollen die Vögel des Himmels fressen.

Der Verfasser dieses Stücks ist derjenige, der das deuteronomistische Geschichtswerk, das ihm vorlag, um weitere Quellen ergänzt und unter dem leitenden Thema des Wortes Jahwes bearbeitet hat (W.Dietrich: "DtrP"[2]). Wie Dietrich gezeigt hat, hat dieser Redaktor auf die Ge-

---

1 Vgl. C.F.Burney, Notes on the Hebrew Text of the Books of Kings 210; R.Smend, Der biblische und der historische Elia 239f.; E.Würthwein, Naboth-Novelle und Elia-Wort; ders., ATD 11,2, 245ff.
2 Prophetie und Geschichte. Eine redaktionsgeschichtliche Untersuchung zum deuteronomistischen Geschichtswerk.

schichte des Auf und Ab der nordisraelitischen Königshäuser von der Reichstrennung bis zum Regierungsantritt Jehus das Schema einer göttlichen Ankündigung des Untergangs und deren Erfüllung angewandt. In 1 Kön 21 geht es um die Ankündigung des Untergangs des Hauses Ahab. In Gestalt eines Spruchs Jahwes an seinen Propheten bringt der Verfasser seine Absicht zum Ausdruck. In derselben Weise ist dies bei 1 Kön 16, 1-4* der Fall. Wie in 1 Kön 16,1 beginnt der redaktionelle Eingriff mit der Wortereignisformel V.17. Der anschließende V.18 gründet sich auf V.16b:

(V.16b)   ויקם אחאב לרדת אל-כרם נבות היזרעאלי   לרשתו

(V.18)   קום רד לקראת אחאב .. הנה בכרם נבות אשר-ירד שם לרשתו

Es darf nicht unbeachtet gelassen werden, daß unser Verfasser die von Omri gegründete Dynastie, der Auffassung des DtrH folgend[3], als das "Haus Ahab" versteht (V.22a). Für ihn ist Ahab, ebenso wie die Dynastiegründer Jerobeam I. und Bascha, sozusagen der Repräsentant des Königshauses. Die ganze königliche Familie, von deren Vernichtung die Rede ist, ist als zu Ahab gehörig (לאחאב) vorgestellt (V.21.24; vgl. 1 Kön 14,10.11; 15,29; 16,4.11).

Die Drohworte richten sich jeweils gegen den Repräsentanten der Dynastie. Die Schilderung der Ankündigung des Untergangs des Hauses Jerobeam beginnt mit 1 Kön 14,7[4]:

"Geh, teile Jerobeam mit: So spricht Jahwe, der Gott Israels ..."

In der Wortereignisformel 1 Kön 16,1, durch die die Ankündigung des Untergangs des Hauses Bascha eingeführt wird, findet sich der Ausdruck על- בעשא:

"Und es erging das Wort Jahwes an Jehu ben Hanani gegen Bascha."

---

3 M.Noth, Überlieferungsgeschichtliche Studien 83 Anm.2: "Das Anknüpfen an eine Ahab persönlich geltende Drohung hat nach Analogie von 14,10.11 (16,3.4) dazu geführt, daß hier nicht ganz sachgemäß vom 'Hause Ahabs' statt vom 'Hause Omris' die Rede ist". Tatsächlich hat sich der durch DtrH geprägte Terminus "Haus Ahab" seither durchgesetzt, wenn die moderne Sicht ihn auch für "nicht ganz sachgemäß" hält. Vom "Hause Omris" ist im Alten Testament keine Rede. Der Ausdruck ist nicht belegt.

4 Vgl. Dietrich, aaO. 51-55.

Für unseren Bearbeiter, dem der natürliche Tod Jerobeams und Baschas (1 Kön 14,20; 16,6) bekannt ist, kommt es nicht darauf an, in wessen Regierungszeit das angekündigte Unheil sich vollzieht[5]. Was Ahab betrifft, ergehen die Drohworte auch an ihn persönlich in V.19b.21aα. Dies geschieht mit Rücksicht auf die vorliegende Quelle, die sein Fallen im Felde berichtet[6] (1 Kön 22*[7]).

V.19a.20.22b.23.25.26 sind Zusätze.

Die Ansicht, daß sie - vereinfacht gesagt - zu dem "DtrN"-Kreis gehören, ist nicht ganz falsch[8]. Ich mache hier bewußt nur einige vorläufige Notizen, die eine genaue Untersuchung veranlassen sollen.

"Die Schuld Ahabs wird in V.19a als Vorstoß gegen das sechste und achte Gebot - Mord und Inbesitznahme - gezeichnet" (E.Würthwein[9]). Eine solche nomistische Einstellung ist - gegen Würthwein - der einschlägigen Bearbeitungsschicht fraglos fremd. V.19aα gründet sich wortwörtlich auf V.19bα: ודברת אליו לאמר כה אמר יהוה. V.19bα[1] heißt in LXX: διὰ τοῦτο. Das ist ebenso wie die Auslassung der zweiten Botenformel des Verses[10] offenkundig eine sekundäre Glättung. Der hebräische Text ist beizubehalten.

Der Nachtragscharakter von V.22b geht mutatis mutandis aus dem Vergleich mit 1 Kön 15,30; 16,13.19[11] hervor. Es ist sicher, daß das Theologumenon vom Reizen Jahwes (כעס את-יהוה hi) weder in der Grundschicht des deuteronomistischen Geschichtswerk (DtrH) noch in der einschlägigen Bearbeitungsschicht erscheint[12].

---

5 Wie gesehen, hat der Verfasser von 1 Kön 21,27-29 diese Vorstellung nicht mehr geteilt.
6 Anders Würthwein, ATD 11,2, 251.
7 V.35bβ.38aαb stammen von unserem Redaktor. Vgl. Dietrich, aaO. 49f.
8 "DtrN", dazu zusammenfassend Smend, Die Entstehung des Alten Testaments 110-125. Zur Kritik des Siglums "DtrN" vgl. Ch.Levin, Joschija im deuteronomistischen Geschichtswerk 354 Anm.11. Ich stimme Levin zu. Man muß allerdings darauf aufmerksam machen, daß· die Nichteinheitlichkeit des "DtrN" seinem Entdecker von Anfang an bekannt war. Vgl. Smend, Das Gesetz und die Völker.
9 ATD 11,2, 251.
10 Gegen den vorsichtigen Vorschlag von BHS.
11 Vgl. Dietrich, aaO. 37 und 137 Anm.108.
12 Gegen Dietrich, aaO. 90f.

Nach Dietrich stammen Ri 2,12; 1 Kön 16,26.33; 22,54; 2 Kön 17, 11; 21,6 von DtrH. Das ist nicht richtig.

Wie erwähnt, gehört 1 Kön 16,33 dem Grundbestand des Rahmenstücks für Ahab nicht mehr an. "Es ist leicht zu sehen, daß 1 Kön 16, 33 eine erweiterte Wiederholung der Frömmigkeitszensur V.30 ist" (Ch. Levin[13]): vgl. V.33bβγ mit V.30b. Offensichtlich um die Sündhaftigkeit Ahabs weiter zu konkretisieren, hat der Schreiber von V.33 die Anfertigung der Aschera erfunden. Für diesen Ergänzer, der insbesondere an den Götzendienst denkt, stellt das Reizen Jahwes (כעס את-יהוה hi) ein zentrales Theologumenon dar. Es kommt auch sonst ausnahmslos in literarischen Schichten vor, die jünger als DtrH sind, und zwar an Stellen, wo das Thema des illegitimem Kultes und der Abgötterei behandelt wird.

Nach Analogie von 1 Kön 16,33 ist klar, daß auch 1 Kön 16,26b ein Zusatz zum vorangehenden Teil (DtrH) ist. Hier ist von den Götzen (הבל pl.) die Rede (vgl. 1 Kön 16,13).

1 Kön 22,54a ist Zitat von 1 Kön 16,31 und bildet eine Anmerkung zu 1 Kön 22,53bα (DtrH). Es ist ausgeschlossen, daß V.53 und V.54 auf ein und denselben Autor zurückgehen. Anschließend an die ausdrückliche Erwähnung des Baal (V.54a) kommt das Theologumenon כעס hi in V.54b vor.

In dem groß angelegten Sündenregister Manasses in 2 Kön 21 ist DtrH nur für V.2a.3a.bβγ verantwortlich[14]. V.6b ist als eine verstärkte Wiederholung von V.2a zu verstehen.

In 2 Kön 17,7-23a ist kein Satz aus der Feder des DtrH geflossen[15]. Ursprünglich hat der redaktionelle Satz V.23b an die von DtrH aufgenommene Quelle V.3-6 angeschlossen. Es erinnert daran, wie DtrH die Quelle 2 Kön 24,20b-25,12 mit dem redaktionellen Satz V.21b zusammenfaßt[16]:

(2 Kön 17,23b)   ויגל ישראל מעל אדמתו אשורה עד היום הזה

(2 Kön 25,21b)   ויגל יהודה מעל אדמתו

13 Atalja 63 Anm.11.
14 Vgl. Levin, Atalja 63; ders., Joschija im deuteronomistischen Geschichtswerk 360 Anm.30.
15 Gegen Dietrich, aaO. 42-46.
16 Vgl. Dietrich, aaO. 139-143. Nebenbei ist zu bemerken: Die Nicht-

Der Anfangsteil der geschichtstheologischen Überlegungen in 2 Kön 17 in ihrer jetzigen Gestalt "stellt den Fremdgötterdienst, dem die Israeliten unter dem Einfluß der Landesbewohner erlegen waren, in den Vordergrund" (Würthwein[17]). Dies gilt auch von Ri 2,12, der eine nachträgliche Ausführung zu V.11a (DtrH) ist.

Dietrich meint, daß 1 Kön 14,9; 16,2 einheitlich von "DtrP" stammen. Aber 1 Kön 14,9b[18] ist Zusatz ad hoc zu V.9a[19], der seinerseits in dem Stück V.7-11 ursprünglich ist[20].

In 1 Kön 16,2bβ ist die Finalbestimmung להכעיסני בחטאתם[21] Zusatz. Sie ist eine sekundäre Erweiterung aufgrund von V.2bα[2]: ותחטא את-עמי ישראל. V.2bα handelt von der Sünde des Königs Bascha; daran schließt sich V.3 an, wo von der Strafe die Rede ist. Die Angabe von V.2bβ betrifft die Sünden des Volkes.

---

zugehörigkeit von 2 Kön 25,27-30 zum Geschichtswerk von DtrH kommt - gegen Dietrich - nicht in Frage. "Einen volltönenden Schluß hat das Werk (von DtrH) nicht. Doch die Szene von der Rehabilitierung des exilierten Königs Jojachin in Babylon (25,27-30) steht sicherlich nicht nur darum an seinem Ende, 'weil dieses - für die Geschichte an sich belanglose - Ereignis nun einmal noch mit zur Darstellung des Geschickes der judäischen Könige gehörte' (Noth). Vielmehr soll hier doch wohl, wie verhalten auch immer, ein Anhaltspunkt für neue Hoffnung nach der großen Katastrophe gegeben werden" (Smend, Die Entstehung des Alten Testaments 122f.). Im Gegensatz dazu mag DtrH mit 2 Kön 17,23bβ ("bis auf diesen Tag") das endgültige Erlöschen des Nordreiches erklärt haben.

17 ATD 11,2, 396.

18 Dietrich, aaO. 95f., sieht mit Recht, daß die hiesige Erwähnung der Gußbilder von Ex 32 abhängig ist. Was Ex 32 angeht, "ist die Geschichte vom goldenen Kalb kein alter Text und hat auch, durchaus nicht nur in den noch jüngeren dtr Zusätzen wie 32,9-14, schwerlich eine alte Grundlage" (Smend, Die Entstehung des Alten Testaments 68). Die heute in Ex 32 stehende Erzählung hat außerhalb des Pentateuchs (bzw. Enneateuchs) niemals bestanden.

19 Die Formulierung von V.9a stützt sich auf 1 Kön 16,25 (DtrH):
(1 Kön 16,25) ויעשה עמרי הרע בעיני יהוה
וירע מכל אשר לפניו
(1 Kön 14,9a) ותרע לעשות מכל אשר-היו לפניך
1 Kön 16,33 und 2 Kön 17,2 sind jünger als 1 Kön 14,9a.

20 Den ursprünglichen Faden bilden V.7.8a.9a.10.11. Anders Dietrich, aaO. 51-54.

21 LXX: τοῦ παροργίσαι με ἐν τοῖς ματαίοις αὐτῶν. Sie setzt בהבליהם statt בחטאתם voraus. Zu vergleichen sind 1 Kön 16,13bβ.26b: להכעיס את-יהוה אלהי ישראל בהבליהם. LXX lautet: τοῦ παροργίσαι κύριον τὸν

Zurück zu 1 Kön 21. Keine Gottesrede findet sich mehr in V.25.26, wo vielmehr die Sündhaftigkeit Ahabs allgemein beschrieben wird. Sie stellt offenbar eine Fortschreibung dar. Tatsächlich "ist der Anschluß an V.24 durch רק ausgesprochen hart" (Dietrich[22]).

"V.20 ist späterer Zusatz, der die in V.21 fortgehende Jahwerede unterbricht, die erst in V.24 zu Ende ist" (Noth[23]).

In V.20.25 findet sich eine gemeinsame Wendung: התמכר לעשות הרע בעיני יהוה. Sie kommt sonst nur in 2 Kön 17,17 vor[24], wo wiederum das Theologumenon כעס hi erscheint. V.17b lautet: ויתמכרו לעשות הרע בעיני יהוה להכעיסו.

Wie der Augenschein zeigt, gründet der diesem Satz voranstehende V.17a sich auf Dtn 18,10[25]. Dtn 18,9, der Einsatz der Perikope V.9-25 über die Propheten, lautet:

"Wenn du in das Land kommst, das dir Jahwe, dein Gott, geben will, so sollst du nicht lernen, nach den Greueln jener Völker (כתועבת הגוים ההם) zu tun."

θεὸν Ἰσραηλ ἐν τοῖς ματαίοις αὐτῶν. Vgl. Burney, aaO. 200: "Read בהבליהם as in vv. 13.26 (cf. Deut. 32,21), with LXX .... So Klo (stermann)". Dtn 32,21a lautet: הם קנאוני בלא-אל כעסוני בהבליהם. Aber Stade-Schwally, SBOT 9, 144: "(Die griechische Übersetzung) ἐν τοῖς ματαίοις αὐτῶν is a correction of MT from vv. 13.26. We must not ... emend MT following LXX". Dem Ausdruck בחטאתם begegnet man sonst nur in 1 Kön 14,22b: ויקנאו אתו מכל-אשר עשו אבתם בחטאתם אשר חטאו. In der hiesigen Übersetzung der LXX steht der Ausdruck ἁμαρτίαι als Äquivalent für חטא: καὶ παρεζήλωσεν (!) αὐτὸν ... ἐν ταῖς ἁμαρτίαις αὐτῶν, αἷς ἥμαρτον. Zur Textkritik von 14,22 vgl. Noth, BK IX/1, 323f.

22 AaO. 36.
23 Überlieferungsgeschichtliche Studien 83 Anm.1. Dort durchschaut Noth auch das formale Charakteristikum der hiesigen Rede Jahwes: "Der Wechsel zwischen Anrede an Ahab und Ahab in 3.pers. in V.21ff. erklärt sich daraus, daß in V.21b und 24 festgeprägte Redewendungen vorliegen". Freilich handelt es sich dabei nicht um die "aus der Ahiageschichte 14,10.11 übernommenen Redewendungen" (ebd. 83). Die nötige Korrektur verdanken wir Dietrich.
24 Vgl. Dietrich, aaO. 89.
25 In dieser Beziehung ist 2 Kön 17,17 vor allem auf 2 Kön 16,3; 21,6 zu verweisen. 21,6b lautet: הרבה לעשות הרע בעיני יהוה להכעיס. Zu 2 Kön 21 vgl. Levin, Joschija im deuteronomistischen Geschichtswerk 360 Anm.1.

Einem Beispiel für die Anwendung dieser Vorstellung begegnet man in 1 Kön 21,26:

"Und er (Ahab) handelte sehr abscheulich (תעב hi), indem er den Götzen (הגללים) nachwandelte, ganz wie die Amoriter taten, die Jahwe vor den Israeliten vertrieben hatte."

Dabei fällt die Nennung der Amoriter auf[26]. In dieser Hinsicht vergleiche man 2 Kön 21,11, wo auch von den Götzen die Rede ist[27]. Manasse von Juda ist ein Pendant zu Ahab von Israel[28]. 2 Kön 21,11b klingt an 1 Kön 21,22bβ an:

(2 Kön 21,11b) ויחטא גם-את-יהודה בגלוליו

(1 Kön 21,22bβ) ותחטא את-ישראל

Nach 1 Kön 21,25b wurde Ahab von seiner Frau Isebel verführt. Diese Vorstellung und Formulierung beruht auf Dtn 13,7[29]:

(Dtn 13,7) כי יסיתך ... אשת חיקך ... לאמר ...

(1 Kön 21,25b) אשר-הסתה אתו איזבל אשתו

---

26 1 Kön 14,24; 2 Kön 16,3; 21,2 sprechen von Greueln der fremden Völker, die Jahwe vor Israel vertrieben hat. Dort findet sich der Ausdruck: ככל התועבת/כתעבת/כתועבת הגוים אשר הוריש יהוה (אתם) מפני בני ישראל. Vgl. auch 2 Kön 17,8. Von der Vertreibung der גוים durch Jahwe ist freilich sehr oft die Rede. Was dabei die Amoriter betrifft, kommt die ausdrückliche Formulierung neben 1 Kön 21,26 nur in Ri 11,23 vor: יהוה אלהי ישראל הוריש את-האמרי מפני עמו ישראל (V.23a*). Der Abschnitt Ri 11,12-28 stellt eine Kopie des vorpriesterschriftlichen Teils von Num 20-21 dar.

27 V.11aβ (הרע מכל אשר-עשו האמרי אשר לפניו)ist Glosse ad hoc zu התעבות האלה in V.11a. Eine ähnliche Vorstellung findet sich in V.9: הרע מן- הגוים אשר השמיד יהוה מפני בני ישראל. V.11aβ und V.11b gehören zusammen. An V.11aα hat ursprünglich V.12 angeschlossen. Übrigens ist Dietrich, aaO, der Meinung, daß 2 Kön 21,10-14 zusammen mit 2 Kön 17,21-23 u.a. aus der Feder des "DtrP" geflossen seien. Die betreffenden Stücke, wo die Gruppe der Propheten (נביאים) statt eines einzelnen, bestimmten Propheten in den Vordergrund tritt, gehören sehr wahrscheinlich nicht zu der in Frage stehenden Bearbeitungsschicht. Es handelt sich vielmehr um Nachahmung. Es fehlt nämlich die Entsprechung von Ankündigung und Erfüllung des Wortes Gottes. Stattdessen geht es um allgemeine Geschichtsbetrachtung. Um ein weiteres Argument zu nennen: der Begriff חטאה גדולה in 2 Kön 17,21 stammt, wie Dietrich mit Recht erkennt, aus Ex 32.

28 2 Kön 21,3bα ist Zitat von 1 Kön 16,32-33. Vgl. Levin, Atalja 63 Anm.11.

29 Darauf weist schon Burney, aaO. 250, hin. Zu Dtn 13 vgl. Levin, Die Verheißung des neuen Bundes 87.

Von Isebel ist auch in V.23 im besonderen die Rede. Hier spricht nicht Jahwe, sondern Elija. Schon darum läßt sich erschließen, daß dieser Vers nicht älter als V.20 ist. Seinen sekundären Charakter läßt auch das einleitende וגם erkennen.

Wenden wir uns nun wieder 2 Kön 9.10 zu.

1. Die Bearbeitung der Jehu-Erzählung unter dem Gesichtspunkt der Wort-Jahwes-Geschichtstheologie: 2 Kön 9,6*.7a.8b.9; 10,1a.11aα.14bβ.17aβb.

(1) 2 Kön 9,6 (nur ישראל אלהי und יהוה עם-אל). 7a.8b.9

Wie J.Wellhausen schon beobachtet, "enthalten 9,7-10a die stehenden Phrasen; auf V.5 (sic! lies V.6) muss sogleich וינס הדלת ויפתח V.10 folgen, sonst wird die überraschende Plötzlichkeit der Erscheinung verdorben"[30]. Den ursprünglichen Bestand des Einschubs bilden V.7a.8b.9. Sie stammen von jemjenigen, der die Vorlage nach dem leitenden Thema des Wortes Jahwes bearbeitet hat.

"7a. Und du sollst das Haus Ahabs, deines Herrn, schlagen. 8b. Somit rotte ich von Ahab aus, was männlich ist, sowohl Unmündige wie Mündige, in Israel; 9. ich gebe hin das Haus Ahabs wie das Haus Jerobeams, des Sohnes Nebats, und das Haus Baschas, des Sohnes Ahijas."

Durch diese Eintragung hat der Redaktor den Vorgang, den die Vorlage berichtet, in sein geschichtstheologisches System eingeordnet. V.8b.9 stellen dabei die Wiederholung von 1 Kön 21,21b.22a dar (vgl. 1 Kön 14, 10aβγ; 16,3b). Der hebräische Text von V.8b ist im Hinblick auf 1 Kön 14,10aβγ; 21,21b unbedingt beizubehalten: ... והכרתי (1.pers.sg.; das Subjekt ist Jahwe). Es handelt sich um eine festgeprägte Wendung aufgrund der charakteristischen Vorstellung des Redaktors, daß die Vernichtung des Hauses Ahab wesentlich das Werk Jahwes ist. Die griechische Überset-

30 Die Composition des Hexateuchs 287.

zung ist sekundär: καὶ ἐξολεθρεύσεις ... Dort ist Jehu als Werkzeug Gottes aufgefaßt. In unserer literarischen Schicht wird jedoch der von Jahwe in Auftrag gegebene menschliche Akt ausschließlich durch das Verbum נכה hi zum Ausdruck gebracht: 1 Kön 15,29; 16,11 (vgl. 1 Sam 15,3[31]). Der hebräische Text ist darum auch in V.7a beizubehalten: ... והכיתה. Die griechische Übersetzung ist sekundär, die כרת hi statt נכה hi voraussetzt: καὶ ἐξολεθρεύσεις[32].

Die beiden Ausdrücke אלהי ישראל sowie אל-עם יהוה in V.6 sind bekanntlich Zusätze[33], und zwar gehören sie in unsere redaktionelle Schicht[34]. Die erweiterte Botenformel kommt z.B.[35] in 2 Sam 12,7b[36];

31 Zu 1 Sam 15 vgl. T.Veijola, Die ewige Dynastie 102 Anm.156 u.ö. und die in 113 Anm.42 genannte Literatur; F.Foresti, The Rejection of Saul in the Perspective of the Deuteronomistic School.
32 LXX fügt sogar den Ausdruck ἐκ προσώπου μου hinzu. Hinter ihm ist keine hebräische Vorlage zu postulieren. O.Thenius, KEH 9, 316f.: "V.7. והכיתה) LXX והכרתה und nach אדניך) מעל פני (s. 23,27. 2 Chron. 7,20), und diess ist, da Letzteres in keiner Weise Zuthat sein kann, und da והכיתה ungleich leichter aus והכרתה (durch blosse Verkürzung des Jod) entstehen konnte, als umgekehrt, sicher urspr. LA". Dieser Auffassung kann man nicht folgen. Die Redeweise von 2 Chr 7,20, die sich auf 1 Kön 9,7 gründet, trägt zur Feststellung des Textes unserer Stelle nichts bei. Vielmehr gilt auch hier die Regel: lectio brevior potior. Die Verwendung des Verbums ἐξολεθρεύω ist in Zusammenhang mit V.8 zu erklären. Burney, aaO. 297 mit Anm.1: "והכיתה) LXX, Luc. καὶ ἐξολοθρεύσεις, i.e. probably והכרתה; Cf. 2 Chr. 22. 7. So Klo(stermann), Kamp(hausen), Kit(tel), Benz(inger). Ἐξολεύθρευειν occurs only once as a rendering of הכה, viz. Josh. 11.14, whereas it is constantly employed (as in V.8) to represent הכרית. Die Beobachtung über die Entsprechung von כרת hi und ἐξολεθρεύω ist richtig. Deshalb läßt sich nicht erschließen, daß im hebräischen Text von V.7 das Verbum כרת hi ursprünglich gebraucht worden ist. Klostermann, KK A,3, 419: "S καὶ ἐξολοθρεύσεις, d.h. והכרתה, bestätigt durch Chr (sic! lies 2 Chr) 22,7: 'den Jahve gesalbt להכרית'". Das ist nicht zu unterstützen. Stade-Schwally, SBOT 9, 220, hat dagegen Recht: "MT has the true reading; הכרית follows in V.8, and the addition ἐκ προσώπου σου (μου) is also a reason against LXX. MT והכיתה was misread והכרתה. MT והכיתה is attested also by א, 15, 29; 16,11. The variant להכרית בית אחאב 2 Chr 22,7 may be derived from V.8".
33 Vgl. R.A.Carson, Elisée - Le Successeur d'Elie 394; H.-Chr.Schmitt, Elisa 21 Anm.22.
34 Vgl. Dietrich, aaO. 47f.
35 Vgl. Veijola, Das Königtum 42.
36 Vgl. Dietrich, aaO. 127-132 sowie Veijola, Die ewige Dynastie 113 Anm.43, 115 mit Anm.59 u.ö.

1 Kön 11,31[37]; 14,7 vor. Die Zusammenstellung von ישראל und עם יהוה findet sich z.B. in 1 Sam 15,1; 1 Kön 14,7; 16,2.

Der Ausdruck בית אחאב אדניך, der in V.7a vorkommt, verdient besondere Beachtung. Hier spiegelt sich die eigentümliche Einstellung des Verfassers. In 10,9bα sagt Jehu:

"Siehe, ich habe mich gegen meinen Herrn verschworen und ihn getötet." Dort ist der in Frage stehende Herr freilich nicht Ahab, sondern Joram ben Ahab. Um ein weiteres Beispiel zu nennen: Der Ausdruck עבדי אדניו kommt in 9,11 vor, wo er die Diener von Jehus Herrn bezeichnet. Auch hier ist mit seinem Herrn einwandfrei kein anderer als Joram gemeint. Für unseren Redaktor aber kommt es ausschließlich auf den Untergang des "Hauses Ahab" an. Nach seiner Vorstellung hat er aus Jehu ohne weiteres den Diener des Repräsentanten des zugrundezurichtenden Herrscherhauses gemacht.

(2) 2 Kön 10,1a

Dieser Halbvers ist Nachtrag[38]: ולאחאב שבעים בנים בשמרון. Die besondere Erwähnung Ahabs ist an dieser Stelle auffällig[39], auch wenn mit den בנים nicht seine leiblichen Söhne, sondern seine Nachkommen überhaupt verstanden werden sollen[40]. Denn mit dem im Brief Jehus (V.2.3) genannten Herrn, der in den Ausdrücken בני אדניכם und בית אדניכם erscheint, ist unverkennbar der gerade gestürzte König Joram gemeint, nicht sein Vater, der vorvorige König Ahab. Von diesem war auch vorher gar keine Rede: 2 Kön 9,7.8.9.25.29, wo sein Name genannt wird, gehören, wie wir festgestellt haben, nicht zum ursprünglichen Bestand der Erzählung.

37 Diese Stelle gehört sicher unserer redaktionellen Schicht an. Vgl. Dietrich, aaO. 15-20; 54f.
38 Darauf hat B.Stade, Miscellen. 10, 275f., als erster hingewiesen und dann mit gutem Recht ein großes Echo gefunden.
39 So O.Eißfeldt, HSAT(K) 557. אחאב in V.1b ist Glosse. Dazu vgl. BHS und Schmitt, aaO. 230 Anm.210.
40 Vgl. Schmitt, aaO. 230 Anm.208 und die dort genannte Literatur.

Es leuchtet andererseits ein, daß die Aussage des Halbverses 10,1a mit der Geschichtsanschauung der in Frage stehenden Bearbeitung übereinstimmt. Für unseren Redaktor macht der hiesigen Massenmord einen Teil vom Untergang des "Hauses Ahab" aus. Nach seiner Auffassung waren die Hingerichteten, siebzig Mann, ohne weiteres die Angehörigen Ahabs.

Die Notiz V.1a ist nicht "als Glossem, und zwar als ein falsches Glossem"[41] zu verstehen, sie ist vielmehr ein redaktionell bewußt geschriebenes Produkt.

(3) 2 Kön 10,11aα.17aβb

Der Erfüllungvermerk, der der göttlichen Ankündigung des Untergangs des Hauses Ahab entspricht, steht in 2 Kön 10,17b: כדבר יהוה אשר דבר אל-אליהו. Die voranstehende Ausrottungsnotiz V.17aβ bildet mit V.11aα ein Paar:

(V.11aα)   ויך יהוא את כל-הנשארים לבית-אחאב ביזרעאל

(V.17aβ)   ויך   את-כל-הנשארים לאחאב   בשמרון   עד-השמידו

Im Hinblick auf die Parallelen 1 Kön 15,29; 16,11.12 ist es unzweifelhaft, daß auch diese Sätze gemeinsam mit dem Erfüllungsvermerk aus der Feder unseres Redaktors geflossen sind[42]:

15,29		16,11a.12
ויהי כמלכו		ויהי במלכו כשבתו על-כסאו
הכה את-כל-בית ירבעם		הכה את-כל-בית בעשא
לא-השאיר כל-נשמה לירבעם		לא-השאיר לו משתין בקיר
עד-השמדו		וישמד זמרי את כל-בית בעשא
כדבר יהוה אשר דבר		כדבר יהוה אשר דבר
ביד-עבדו אחיה השילני		אל-בעשא ביד יהוא הנביא

41 Stade, aaO. 275.
42 Levin, Atalja 86 Anm.8: "die Ausrottungsnotiz V.17aβb ist wie V.11. 14bβ ohnedies redaktionell (dazu Dietrich, Prophetie und Geschichte 83, der diese Stellen freilich noch für quellenhaft hält)". Vgl. auch Würthwein, ATD 11,2, 337-339.

Auffallend sind die sprachlichen Übereinstimmungen: נכה hi, שמד hi, das Adjektiv כל, die Verwendung von שאר und die Nennung des Repräsentanten der jeweiligen Dynastie.

Die Nichtzugehörigkeit der paarigen Notizen zur ursprünglichen Erzählung zeigt sich andererseits bei der Betrachtung unseres Textes selbst. Die Angabe von V.11 kommt zu spät. Ein solches Geschäft, wie es dort beschrieben ist, hätte Jehu vor seinem Essen und Trinken abschließen sollen. Man muß dabei beachten, daß die Jehu-Erzählung die Vorgänge aufs höchste dramatisch und andeutungsvoll darstellt. Das Ende Isebels deutet schon auf den vollständigen Fall der Stadt Jesreel hin. Die Angabe von V.17aβ ist auch überflüssig. V.7aβγ heißt:

"Und sie nahmen die königlichen Prinzen (בני המלך) fest
und schlachteten (sie), siebzig Mann."

Damit ist bereits der vollständige Zusammenbruch des Herrscherhauses in der Stadt Samaria zum Ausdruck gebracht. Denn die Zahl siebzig ist symbolisch; sie bedeutet die Gesamtheit aller Mitglieder einer großen Gruppe[43]. Die Diktion der in Frage stehenden Sätze, die hartnäckig von כל-הנשארים sprechen, stößt sich offenkundig mit der Darstellungsweise der Jehu-Erzählung.

Die besondere Erwähnung der vollständigen Ausrottung der "Angehörigen Ahabs" stammt erst aus der Bearbeitung unseres Redaktors. Die zweiteilige Ausrottungsnotiz rührt von der Anlage der Quelle her. Es versteht sich von selbst, daß der Erfüllungsvermerk an die zweite Notiz, die die letzte Phase der Vernichtung betrifft, angeschlossen werden mußte.

43 Vgl. F.C.Fensham, The Numeral Seventy in the Old Testament and the Family of Jerubaal, Ahab, Panammuwa and Athirat. Schon Burney, aaO. 302 mit Anm.1: "It is remarkable that seventy is the number of the sons of Gideon-Jeruba'al, Judg. 8,30ff., and of the relations of Bar-Cûdi of Ya'di (Panammu inscription, 1.3: D.H.Müller, Die altsemit. Inschr. von Sendschirli), who, in each case as here (sc. 2 Kön 10,1ff.), are massacred to secure succession to the throne. Possibly, therefore, as Müller (op.cit., p.9) suggests, seventy is a round number to denote the whole of the royal kin. In Judg. 12,13f. the descendants of Abdon are seventy; forty sons and thirty grandsons, riding upon seventy asses" Vgl. auch A.Šanda, EHAT 9/2, 105. Auch in der Priesterschrift kommt die Vorstellung von einer Familie aus siebzig Köpfen vor: Gen 46,8-27; Ex 1,5.

Sekundäre Erweiterung gegenüber V.11aα ist V.11aβ, wo als durch Jehu Ermordete noch aufgezählt werden: וכל-גדליו ומידעיו וכהניו [44]. Eine ähnliche Glosse bildet 1 Kön 16,11b[45].

Dem Nachtrag V.11aβ folgt die Notiz V.11b: עד-בלתי השאיר-לו שריד. Sie ist nicht älter als er[46]. Ohne V.11aβ wäre die wiederholte Verwendung von שאר kaum zu erwarten; denn in V.11aα war von der Ausrottung "aller Übriggeblieben (נשארים) vom Hause Ahab" schon die Rede. Die Notiz V.11b ist ihrerseits die Nachahmung der Bannvollstreckungsformel, die in den Erzählungen von der Wüstenwanderungs- und Landnahmezeit vorkommt[47].

---

44 Von גדלים war vorher in 10,6 die Rede. Der Ausdruck מידע, pu.pt. von ידע, ist im Enneateuch nur hier belegt. Was die Priester betrifft, sind sie in unseren zwei Kapiteln sonst nur in 10,18 erwähnt. Dort sind mit כהניו freilich die Baalspriester gemeint. Auch die Priester des Hauses Ahab an dieser Stelle sollen wohl die Baalspriester sein (so z.B. Würthwein, ATD 11,2, 337). Wie dem auch sei, historischen Wert im unmittelbarsten Sinne hat die Aussage V.11aβ natürlich nicht. Wellhausen: "Als ... Jehu das Haus Ahabs stürzte, da erwürgte er nicht bloß alle seine Angehörigen, sondern mit seinem Beamten und Höflingen auch seine Priester; das sind ebenfalls königliche Diener und Vertrauenspersonen" (Prolegomena 127f.). Wellhausen weiter: "Nachdem nun die Krone gewonnen war, erwies der verwegene Spieler den Fanatikern seinen Dank und schickte den Priestern Jahves, die er zusammen mit dem ganzen königlichen Anhange hingeschlachtet hatte (10,11), die Priester und Verehrer Baals nach. Aus der Weise, wie er sie in die Falle lockte (10,18ss.), geht hervor, daß niemand bisher daran gedacht hatte in ihm den Vorkämpfer Jahves zu erblicken; offenbar war auch jetzt der Eifer nur ostensibel (10, 15ss.)" (ebd. 290). Diese Auffassung teilt völlig H.Gunkel, Elisa 87ff. Sie beruht auf dem unkritisch gelesenen Text.

45 Vgl. Dietrich, aaO. 23 Anm.26.

46 Ob V.11aβb in sich einheitlich ist, ist nicht leicht zu bestimmen.

47 Num 21,35aβ; Dtn 3,3b[2]; Jos 10,33bβ lauten: עד-בלתי השאיר-לו שריד. Sie sind deuteronomistisch. Jos 8,22bβ lautet: עד-בלתי השאיר-לו (sic!). Jos 11,8b[2] lautet: עד-בלתי השאיר להם שריד ופליט. Diese zwei Belege sind vordeuteronomistisch (mit Noth, HAT 7, und Dietrich, aaO. 83, gegen Würthwein, ATD 11,2, 337).

(4) 2 Kön 10,14bβ

Auch diese Bemerkung, die die gänzliche Vernichtung der judäischen Prinzen ausdrücklich unterstreicht, ist unserer Bearbeitungsschicht zuzuschreiben[48] (vgl. 1 Kön 15,29aβ; 16,11aβ). Die hiesige Mordszene war ursprünglich mit der Angabe der Gesamtzahl der Getöteten abgeschlossen (vgl. Ri 12,6; 2 Kön 2,24). Die Zahl zweiundvierzig ist die "Totenzahl"[49]. Damit ist der vollständige Untergang der Anwesenden schon eindeutig zu verstehen gegeben.

2. Die gegen Isebel gerichteten Bearbeitungen

2.1. 2 Kön 9,10a[1].36a (ohne לאמר)

Aus derselben Hand, die 1 Kön 21,23 abgefaßt hat, stammt fraglos 2 Kön 9,10a[1]. Diese Aussage, die sich ausschließlich gegen Isebel richtet, ist gegenüber V.7a.8b.9, wo vom Untergang des Hauses Ahab überhaupt die Rede ist, eine noch spätere Hinzufügung.

Das Ende Isebels berichten 2 Kön 9,30-37. Dietrich hat gezeigt, daß V.36.37 nicht mehr zur ursprünglichen Erzählung gehören. Mit V.35 "könnte diese Szene abgeschlossen sein - und es wäre wahrhaft ein diesem Erzähler angemessener, würdiger Schluß. Nun geht es aber mit V.36 weiter, und zwar in einer so blassen Art, wie sie dem Erzähler von V.30-35 kaum zuzutrauen ist: Die Diener kehren zu Jehu zurück und berichten ihm, was geschehen ist (V.36*aα: וישבו ויגידו לו); überdies wirkt das לו ungeschickt, weil es über V.35 hinweg an V.34 anschließt"[50].

Dieser V.36 (ohne das לאמר) ist aus der Feder dessen geflossen, der 1 Kön 21,23: 2 Kön 9,10a[1] zu seiner Vorlage hinzugesetzt hat:

48 S.o. Anm.42.
49 J.Herrmann, Die Zahl zweiundvierzig im Alten Testament.
50 Dietrich, aaO. 60.

"Und sie kehrten zurück und meldeten (es) ihm. Und er (Jehu) sagte: Das war das Wort Jahwes, das er durch seinen Knecht Elija, den Tischbiter, gesprochen hatte."

Der Spruch Jehus steht als Erfüllungsvermerk.

2.2. Die auf Ps 79 basierende Bearbeitung:

2 Kön 9,7b*.8a.10a^2.36b (mit לאמר in V.36a).37

V.36b, eingeführt durch לאמר in V.36a, stellt eine auf 1 Kön 21, 23; 2 Kön 9,10a^1 beruhende Fortschreibung zu V.36a* dar[51].

(1 Kön 21,23b)   הכלבים

                  יאכלו

             יזרעאל   בחל^{52} איזבל   את-

(2 Kön 9,10a^1)   יזרעאל בחלק הכלבים יאכלו איזבל ואת-

(2 Kön 9,36b)   יזרעאל   בחלק

                 הכלבים יאכלו

                 איזבל בשר-את

In V.36b heißt die Beute der Hunde בשר איזבל, während in 1 Kön 21, 23; 2 Kön 9,10a^1 bloß איזבל angegeben ist. Dies kommt daher, daß der Verfasser den Ausdruck בשר חסידיך in Ps 79,2 berücksichtigt. Es handelt sich dabei um eine umgekehrte, wiedervergeltende Anwendung. Isebel in V.36b ist das Äquivalent der in Ps 79 genannten Heiden.

V.36b und V.37 gehören zusammen[53]: der Ausdruck נבלת איזבל in V.37 entspricht deutlich dem נבלת עבדיך in Ps 79,2 im oben genannten Sinne. Der Wortlaut von V.37a beruht jedoch unmittelbar auf Jer 9,21[54]:

---

51 Vgl. Dietrich, aaO. 37f. mit Anm.62. In "2.Kön 9,36 endet ein Erfüllungsvermerk nicht mit dem Rückverweis auf das zugehörige Prophetenwort (V.36a), vielmehr wird danach der Isebel-Spruch Elias nochmals zitiert (V.36b)". Allerdings ist "die nochmalige Wiederholung des Drohwortes gegen Isebel für sich wenig sinnvoll". "Höchstens die Einfügung von בשר vor איזבל könnte man als bewußte Neuerung auffassen". Daraus läßt sich jedoch erschließen, "daß V.36b jünger ist als 1.Kön 21,23; 2.Kön 9,10 und dann auch 9,36a".

52 Sic! Lies בחלק trotz LXX: ἐν τῷ προτειχίσματι.

53 Dietrich, aaO. 37, meint, daß V.36b "lediglich der Anfügung von V.37 dient".

54 Beachtenswert sind ferner Jer 8,2bα^{2}β; 16,4aα^{3}β; 25,33bα^{3}β:

לא יקברו לדמן על-פני האדמה יהיו.

(Jer 9,21αβγ)   ונפלה נבלת האדם כדמן על-פני השדה

(V.37a)   והית[55] נבלת איזבל כדמן על-פני השדה בחלק יזרעאל

Vgl. Dtn 28,26; Jer 7,33; 16,4; 34,20, wo die folgende Wendung sich findet[56]: והיתה נבלה למאכל לעוף השמים ולבהמת הארץ. Der gleichen Wendung
begegnet man in 1 Sam 17,44; Jer 19,7; Ez 29,5, wo das Verbum נתן anstatt היה erscheint. Das ist ebenso in Ps 79,2 der Fall. Es fällt schwer,
bei diesem Psalm nicht an einen Zusammenhang mit den aufgezählten
Stellen zu denken. Darauf muß hier jedoch nicht eingegangen werden. Es
kommt auf die literarischen Abhängigkeiten unserer zwei Kapitel von Ps
79 an.

Dabei müssen weiter 2 Kön 9,7b.10a^2 angeführt werden[57]. V.10a^2
ist Zitat aus Ps 79,3: ואין ק(ו)בר. V.7b gründet sich auf Ps 79,10b. Es
ist leicht zu sehen, daß sowohl V.7b als auch V.10a^2 aus demselben Motiv
wie V.36b.37 abgefaßt worden sind[58]. Die genannten Stellen stammen von
derselben Hand.

Freilich ist der Ausdruck דמי כל-עבדי יהוה in V.7b als Glosse
ad hoc zum voranstehenden דמי עבדי הנביאים zu verstehen[59]: V.6bβ-10a
stellen, eingeleitet durch die Botenformel V.6bα^2, Jahwes eigene Rede
dar.

55 Lies mit Qere: והיתה. In der Siloainschrift Z.3 findet sich die Form
היה. F.M.Cross-D.N.Freedmann, Early Hebrew Orthography 50: "this
is the older form of the 3rd f.s. perfect of lamedh he verbs. Cp.
II Kings 9:37 Kethib". Der Ausdruck והית in V.37 sagt aber über die
Abfassungszeit des Verses nichts aus. Vgl. Burney, aaO. 301.
56 Vgl. Dietrich, aaO. 78.
57 Vgl. Dietrich, aaO. 97f.
58 Dietrich, aaO. 98, vertritt die Auffassung: "es ist ja ... durchaus möglich, daß er (sc. RedP = DtrP) sich das Vorgehen Isebels in Analogie
zu dem der Babylonier im Jahre 587 vorstellte".
59 Den sekundären Charakter dieser Worte hat Klostermann KK A,3,
419, als erster erkannt. Klostermann sagt: "Man soll, wie Naboth
zeigt, nicht bloß die Propheten, sondern auch sonstige Fromme als
unschuldig gemordet denken". Er versteht die עבדי יהוה als die Jahwegläubigen überhaupt, die sich von seinen Propheten unterscheiden
sollen. Diese Auffassung teilen manche. I.Benzinger, KHC IX 150:
"ודמי כל-עבדי יהוה" ist mit Klostermann als Glosse zu betrachten,
wie schon das auffallende עבדי יהוה statt עבדי unmittelbar zuvor
zeigt. Von einer allgemeinen Verfolgung aller Jahwediener wird nichts
berichtet; der Glossator hat wohl die Nabothgeschichte hier auch mit
unterbringen wollen". Vgl. ferner Stade-Schwally, SBOT 9, 221;
Schmitt, aaO. 226 Anm.180. Diese Auffassung geht aber wohl zu weit.

Ebenso wie bei der zugrunde liegenden Aussage Ps 79,10 ist die Rache, von der in V.7b die Rede ist, Sache Jahwes. Der hebräische Text ist beizubehalten[60]: ונקמתי. Sekundär ist ist die Auffassung der LXX: καὶ ἐκδικήσεις. Anstatt ואבד im Anfang von V.8a liest LXX ובֿיד: καὶ ἐκ χειρός. Das ist weit hergeholt. Auch hier ist der hebräische Text beizubehalten[61]. V.8a stellt eine Art Wiederaufnahme von V.7a dar. Für den Verfasser dieser Schicht, zu der auch V.8a gehört, symbolisiert das Ende Isebels als Heimsuchung Jahwes den Untergang des ganzen Hauses Ahab:

7a. Und du sollst das Haus Ahabs, deines Herrn, schlagen.

7b*. Und so will ich das Blut meiner Knechte, der Propheten, an Isebel rächen. 8a. Dadurch soll das ganze Haus Ahab umkommen.

In dieser literarischen Schicht stellt die ausdrücklich als jahwefeindlich bezeichnete Isebel den Inbegriff des Hauses Ahab, der schlechtesten Dynastie des Nordreiches, dar, während von ihr in der ersten dem leitenden Thema des Wortes Jahwes folgenden Bearbeitungsschicht gar nicht die Rede ist. Der Aussage V.7b liegt 1 Kön 18.19 zugrunde[62].

3. 2 Kön 10,10: Jehu als Wortführer eines Deuteronomisten

In 2 Kön 9,36a.36b-37 sind die Geschichtsinterpretationen der Verfasser, wie gesehen, Jehu in den Mund gelegt. Ein weiteres Beispiel da-

---

Der Ausdruck עבדי יהוה kann als Synonym der Jahwepropheten eine Glosse ad hoc zu dem voranstehenden עבדי הנביאים sein.
60 Dietrich, aaO. 97, zählt alle Belege von נקם mit Jahwe als Subjekt auf. Er will ונקמתי in V.7 nicht in der Piel-, sondern in der Qal-Form lesen (aaO. 98 Anm.1).
61 Gegen Klostermann, KK A,3, 419; Stade-Schwally, SBOT 9, 221; A.B. Ehrlich, Randglossen zur hebräischen Bibel VII 298; Schmitt, aaO. 226 Anm.180; u.a.
62 Thenius, KEH 9, 317: "Das Blut meiner Diener, der Propheten) s. I.18,4.13".Klostermann, KK A,3, 419: "zur Sache vgl. 1 K 18,4; 19, 10". Eißfeldt, HSAT(K) 556: "I 18,13; 19,14".

für findet sich in 10,10. Hier nimmt Jehu das Wort "im typisch dtr Predigtstil"[63]:

"Erkennt denn, daß kein Wort Jahwes auf die Erde gefallen ist, das Jahwe gesprochen hat gegen das Haus Ahab: Jahwe hat getan, was er gesprochen hatte durch seinen Knecht Elija."

Bei der Formulierung von V.10a hat als Vorbild im wesentlichen Jos 23,14 gedient. Übrigens geht Jos 23,14 seinerseits auf Jos 21,45 (DtrH) zurück[64].

V.10a	Jos 23,14bα
דעו אפוא	וידעתם בכל-לבבכם ובכל-נפשכם
כי לא יפל	כי לא-נפל
מדבר יהוה ארצה	דבר אחד מכל הדברים הטובים
אשר-דבר יהוה	אשר דבר יהוה אלהיכם
על-בית אחאב	עליכם

Vgl. ferner 1 Sam 3,19bβ: לא-הפיל מכל-דבריו ארצה.

Es ist sicher, daß der Verfasser von V.10 die Tat Jehus gegen das "Haus Ahab" am Verhalten Josuas gegen die fremden Völker gemessen hat; die Rede Josuas von der Erfüllung der Heilsverheißung Jahwes in Jos 23 ist auf die Erfüllung des göttlichen Drohwortes angewandt worden. Freilich ist dabei Jehu sub specie Dei als Werkzeug Gottes aufgefaßt. Das Subjekt des Handelns ist Jahwe (ויהוה עשה ... : V.10b), es handelt sich um sein Werk. Dieser Vorstellung begegnet man schon in der Vorlage. Jos 23,3 lautet:

"Ihr aber habt alles gesehen, was Jahwe, euer Gott, getan hat (אשר עשה יהוה אלהיכם [66]) an allen diesen Völkern vor euch: Jahwe, euer Gott, hat selber für euch gestritten."

63 Dietrich, aaO. 24.
64 Zu Jos 23 vgl. Smend, Das Gesetz und die Völker. Ein bündiges Summarium findet sich in: ders., Die Entstehung des Alten Testaments 114f.
65 Vgl. Dietrich, aaO. 25 Anm.28.
66 Vgl. Ex 14,31; 18,1.8.9; Num 33,4; Dtn 1,30; 3,21; 4,3.34; 7,18; 10,21; 11,3.4.5.6.7; 24,9; 29,1.23; 31,4; Jos 4,23; 9,9.10; 24,17.31; Ri 2,7.10; 11,36; 21,15; 1 Sam 11,13; 12,7; 28,18; 1 Kön 8,66; 9,8; Jer 5,19.

Vielleicht ist der Spruch Jehus V.10 aus Jos 23,14 und 1 Kön 8,56[67] zusammengesetzt. Das Lob Salomos heißt:

"Gepriesen sei Jahwe, der seinem Volk Israel Ruhe gegeben hat, ganz wie er gesprochen hatte. Kein Wort ist gefallen von allen seinen guten Worten, die er gesprochen hat durch seinen Knecht Mose."

Dem Ausdruck אשר דבר ביד עבדו אליהו in 2 Kön 10,10b entspricht 1 Kön 8,56bβγ: אשר דבר ביד משה עבדו.

Aber V.10b vergleiche man vor allem mit 2 Kön 9,36a, wo - ebenfalls durch den Mund Jehus - behauptet wird, es handle sich bei seiner Tat um die Sache Jahwes:

(9,36a*)   דבר-יהוה הוא אשר דבר ביד עבדו אליהו התשבי
(10,10b)   ויהוה עשה את אשר דבר ביד עבדו אליהו

Der Ausdruck אשר דבר ביד עבדו אליהו in V.10b mag möglicherweise von 9,36a abgeleitet sein[68]. Es liegt jedenfalls nahe, daß auch V.10 die erste Bearbeitung nach dem leitenden Thema des Wortes Jahwes vorausgesetzt: "Das Wort Jahwes, das Jahwe gegen das Haus Ahab gesprochen hat" bezieht sich auf 1 Kön 21,17ff.

Bei V.10 sehen wir damit, wie eine grundlegende Konzeption des DtrH sich durchgesetzt und entfaltet hat. DtrH hat die Geschichtsauffassung vertreten, das "Haus Ahab", ein Ausdruck, der von DtrH stammt, sei das schlechteste Königshaus Israels gewesen. Aus dieser Grundvoraussetzung folgt, denjenigen, der das "Haus Ahab" gestürzt hat, als Werkzeug Gottes anzuerkennen und ihm ein Wort in den Mund zu legen, das den Putsch zur Erfüllung der Theodizee erklärt. Dies gilt bereits von 9, 36a.36b-37, von 9,22bβ.25-26; 10,16 aber in stärkerem Maße.

---

67 Zwischen den beiden Stellen muß ein direkter Zusammenhang bestehen.

68 In diesem Zusammenhang sind zwei Ausdrücke beachtenswert: אשר דבר ביד אליהו (1 Kön 17,16bβ) und ואני עבדך (1 Kön 18,36aβ[3]). Zu diesen Stellen vgl. Smend, Das Wort Jahwes an Elia 139f.143.

1. 10,30

Eine positive Einschätzung Jehus, der das "Haus Ahab" gestürzt hat, findet sich auch außerhalb der Erzählung in 2 Kön 10,30. Dort wird er von Jahwe selbst angeredet:

"Und Jahwe sagte zu Jehu: Weil du gut gehandelt hast, das Rechte in meinen Augen zu tun, indem du ganz nach meinem Herzen an dem Hause Ahab getan hast, sollen vier Generationen für dich auf dem Thron Israels sitzen."

Während DtrH den Jehu gemäß der sehr bestimmten religiösen Fragestellung, die bei seiner Geschichtsschreibung leitend war, ausschließlich wegen der Ausrottung des Baalskultes gelobt und über seine Thronbesteigung zumindest expressis verbis kein Urteil abgegeben hat, stellt hier die Tat Jehus gegen das Haus Ahab zugleich den Lohn für ihn dar. Es handelt sich offenbar um eine verallgemeinernde Interpretation der Geschichtsauffassung des DtrH.

Als Lohn für Jehu, der das Rechte in den Augen Jahwes getan hat, wird die Fortsetzung des von ihm begründeten Königtums bis ins vierte Glied genannt: בני רבעים ישבו לך על־כסא ישראל (V.30b). Die Verheißung ist selbstverständlich ein vaticinium ex eventu[69]. V.30 korrespondiert 2 Kön 15,12[70], wo V.12b - anschließend an die wörtliche Wiederholung von 10,30b in V.12aβγ[71] - den Erfüllungsvermerk zu der göttlichen Aussage bildet: ויהי־כן.

---

69 Vgl. Würthwein, ATD 11,2, 343.
70 Vgl. Dietrich, aaO. 34.
71 Der Ausdruck כסא ישראל kommt außer 2 Kön 10,30; 15,12 nur in 1 Kön 2,4; 8,20.25; 9,5; 10,9 vor. Vgl. Noth, BK IX/1, 183 und 198. Mit dem "Thron Israels" in 2 Kön 10,30; 15,12 ist das Königtum im Nordreich gemeint. Der "Thron Israels", von dem bei Salomo die Rede ist, ist Synonym für den "Thron Davids", und zwar bezieht der Ausdruck sich auf die Vorstellung der ewigen Dynastie "unter Bedingung treuen und aufrichtigen Gehorsams gegenüber den göttlichen Geboten nach dem Vorbild Davids" (Noth, aaO. 198).

Diese Entsprechung weist darauf hin, daß 10,31 gegenüber V.30 sekundär ist[72]. Der Verfasser von 10,30; 15,12 scheint sich über die als Ungehorsam zu bezeichnende Seite Jehus keine Gedanken gemacht zu haben. Schlechthin hat er die Auffassung vertreten, Jehu habe bei der Vernichtung des "Hauses Ahab" ganz nach dem Willen Jahwes gehandelt - (V.30aβγ[73]) ככל אשר בלבבי עשית לבית אחאב.

In V.30 steckt die Vorstellung, derjenige, der Gutes stiftet, bringe die späteren Früchte auch über seine Nachkommen. Sie geht auf Dtn 12,25.28[74] zurück.

(Dtn 12,25*)	ייטב לך ולבניך אחריך כי-תעשה הישר בעיני יהוה
(V.30*)	יען אשר-הטיבת לעשות הישר בעיני ... בני רבעים ...

2. 10,31

Die Leistung Jehus, die in V.30 gelobt wird, wird in dem Nachtrag V.31 relativiert, wo sein Verhalten auf dem Thron erwähnt ist:

"Jehu aber beobachtete nicht, mit ganzem Herzen in der Tora Jahwes, des Gottes Israels, zu wandeln" (V.31a[75]).

Als ein konkretes Beispiel dafür ist die "Sünde Jerobeams" anzugeben; V.31b stellt Wiederaufnahme von V.29a dar[76].

---

72 Gegen Dietrich, aaO. 34.
73 Zu diesem Ausdruck sind 1 Sam 2,35; 13,14 in Betracht zu ziehen. Vgl. Veijola, Die ewige Dynastie 56.

(2,35a)	והקימתי לי כהן נאמן כאשר בלבבי ובנפשי יעשה
(13,14bα[1])	בקש יהוה לו איש כלבבו

In den Abschnitten 1 Sam 2,27-35; 13,7b-15 steht jetzt jedoch die Vorstellung von der Ewigkeit anders als in unserer Stelle in Zusammenhang mit der von der Aufrichtigkeit bzw. vom Gehorsam vor Jahwe.
74 Die Aussage 1 Sam 13,13f. stellt wohl eine negative Anwendung von Dtn 12,28 dar. Vgl. die gemeinsamen Begriffe: שמר, צוה, עד-עולם.
75 Bemerkenswert ist, daß der Ausdruck תורת יהוה אלהי-ישראל nur hier belegt ist. Vom "Wandeln (הלך) auf der Tora Jahwes" ist sonst in Ex 16,4; Jer 26,4; 44,10; Ps 78,10; 119,1; Dan 9,10; Neh 10,30 (hier האלהים statt יהוה); 2 Chr 6,16 die Rede.
76 Vgl. Dietrich, aaO. 34 mit Anm.49.

VIII. Die Juda-Bearbeitung der Jehu-Erzählung

Die literarische Geschichte der Jehu-Erzählung beschränkt sich nicht auf den Prozeß der Bearbeitungen innerhalb des deuteronomistischen Geschichtswerks in der exilisch-nachexilischen Zeit. Unsere Erzählung, die einen Bestandteil der Grundschrift des deuteronomistischen Geschichtswerks dargestellt hat, hat auch eine Vorgeschichte in der vordeuteronomistischen Zeit gehabt.

B.Stade[1] hat die Auffassung vertreten, daß 2 Kön 10,12-16, wo "ein Trümmerstück eines zweiten Berichtes über Jehus Empörung und Thronbesteigung erhalten" ist, uneingerechnet "die beiden ersten Worte ויבא ויקם von V.12", nicht "der im Grundstocke von C.9.10 vorliegenden Erzählung" angehört hat. Ursprünglich ist, meint Stade, "die Fortsetzung von ויקם in V.12 der V.17 ויבא שמרון" gewesen. "Was zwischen den beiden ויבא von V.12 und V.17 steht ist als Einschub" anzusehen. "Zur Sache ... ist zu bemerken, dass es wenig wahrscheinlich ist, dass die 42 Davididen einen vollen Tag nach dem Blutbade in Samarien ... sich sollten nördlich von Samarien haben treffen lassen".

Die These, V.12-16* habe nicht von Hause aus zur Jehu-Erzählung gehört, wird sich in modifizierter Weise bestätigen. Ch.Levin[2]: "Stades Hypothese wurde von Benzinger, Kittel und Stade-Schwally übernommen, von Šanda ernstlich erwogen, aber abgelehnt. Sellin, Geschichte des israelitisch-jüdischen Volkes I 226, sah sich gar veranlaßt, den Mord an den 42 judäischen Prinzen für 'ganz unmöglich' zu erklären: 'Und was sollte dann eigentlich noch die Athalja in 11,1 zu töten nötig gehabt haben?' Stades Hypothese kommt m.E. dem tatsächlichen Sachverhalt außerordentlich nahe. ... Da aber dieser Nachtrag sowohl unerfindlich scheint wie zum ganzen Revolutionsbericht vorzüglich paßt, muß erst bewiesen werden, daß er nicht auf zutreffende Information zurückgeht". Durch die

1 Miscellen 10, 276-278.
2 Atalja 86f. Anm.9.

Bestätigung der Existenz einer judäischen Bearbeitungsschicht in der Erzählung über die Revolution des Jehu möchte ich diesen Beweis liefern. Zu der einschlägigen Schicht sind mit großer Wahrscheinlichkeit zu rechnen: 9,15b.16b.21bα[1]* (יהורם מלך-ישראל ואחזיהו מלך-יהודה איש ברכבו). 23b.27; 10,4-6.13-14bα.15.17aα.

Die Machtergreifung Jehus hat sich in Jesreel vollzogen. Nachdem Jehu den König Joram sowie die Königinmutter Isebel zu Blutopfern gemacht hatte und in Jesreel eingezogen war, ist es ihm gelungen, Samaria von Jesreel aus in die Hand zu bekommen. Die männlichen Angehörigen des königlichen Hauses in Samaria wurden dort enthauptet; ihre von dort gebrachten Köpfe hat man am Stadttor von Jesreel auf zwei Haufen gesetzt. Die Omri-Dynastie ging auf diese Weise in der Tat zugrunde.

Erst danach brach Jehu auf und marschierte nach Samaria. 10,12a lautet: ויקם ויבא וילך שמרון. An "ויבא" kann sich aber "וילך", wie Stade bemerkt[3], nicht angeschlossen haben, was schon früh empfunden wurde. Um zu glätten, hat LXX das ויבא ignoriert: Καὶ ἀνέστη καὶ ἐπορεύθη εἰς Σαμάρειαν. Peschitta und Origenes bezeugen aber, daß das ויבא im hebräischen Texte stand. Allerdings sind in der syrischen Übersetzung und bei Origenes die beiden Verben umgestellt. Das ist gewiß ein anderer Versuch der sekundären Glättung. Hier gilt: "Lectio difficilior potior". Deshalb ist dieses וילך nur als Glosse ad hoc zu dem ihm vorangehenden ויבא angesichts der Entfaltung der folgenden Geschichte zu verstehen.

Eine ähnliche Funktion hat auch V.12b: הוא בית-עקד הרעים בדרך. Anschließend daran lautet V.13aα: ויהוא מצא את-אחי אחזיהו מלך-יהודה. Dieser "Wortlaut ... zeugt für einen stattgehabten Eingriff in den Text. Denn 'er' (= הוא) von V.12b ist eben Jehu" (Stade[4]). Nichts anderes als Willkür ist es, statt "ויהוא מצא" am Anfang von V.13 "יהוא מצא" oder "וימצא" lesen zu wollen[5]. Der hebräische Text ist beizubehalten, wie

---

3 AaO. 276. Manche wollen "יהוא" anstatt ויבא lesen. Vgl. z.B. C.F. Burney, Notes on the Hebrew Text of the Books of Kings 303. Eine solche Lesart ist gar nicht belegt.
4 AaO. 276.
5 Gegen R.Kittel, HK I,5, 238; Burney, aaO. 303; H.-Chr.Schmitt, Elisa 232 Anm.215 u.a.

LXX bestätigt: Καὶ Ιου εὖρεν ... "V.12b ist ein späterer Ausgleichsversuch, der aus V.14 schöpft" (Levin[6]). Demzufolge hat V.12 ursprünglich gelautet: ויקם ויבא שמרון. V.17aα aber: ויבא שמרון. V.17aα ist die Wiederaufnahme von V.12a*.

V.13aα, der einführende Narrativ der Szene von der Ermordung der judäischen Prinzen, muß, wie Levin gezeigt hat, im Deutschen plusquamperfektisch übersetzt werden: "Jehu war (zuvor noch) auf die Brüder Ahasjas gestoßen"[7]. Das ist nun aber bei 9,16b auch der Fall, wo Ahasja, der König von Juda, zum erstenmal in der Erzählung in Erscheinung tritt: ואחזיה מלך-יהודה ירד לראות את-יורם. Ein besonderer Grund seines Besuchs ist dabei nicht angegeben. Ebenso verhält es sich bei der Erzählung in 1 Kön 22[8]. 2 Kön 9,16b ist parallel zu 1 Kön 22,2b: וירד יהושפט מלך-יהודה אל-מלך ישראל. Die Angabe über die Verwundung des Joram ben Ahab durch "das Schwert Hasaels" in Ramot Gilead und seine Kur in Jesreel ist eine Erfindung aus späterer Zeit; 2 Kön 9,14b.15a. 16aβ sind insgesamt nachträgliche Ausgestaltung, wie schon gezeigt wurde. V.16b hat im ursprünglichen Zusammenhang an V.16aα angeschlossen. Das Verbum ראה kann den Krankenbesuch bedeuten. Ein Beleg dafür steht in 2 Sam 13,5f. Dort ist von dem Besuch Davids bei seinem Sohn Amnon die Rede; dieser stellt sich krank, weshalb David zu ihm kommt. Aber an unserer Stelle hat sich dieser Sinn nur sekundär ergeben.

6 AaO. 87 Anm.9
7 Ebd. 86f. Anm.9.
8 Hinter der Aussage, der König von Juda habe den König von Israel besucht, postuliert man im allgemeinen irgendeine Historizität; "ob es sich um einen Freundschaftsbesuch handelt oder um eine Hoffahrt, zu der ein Vasall von Zeit zu Zeit verpflichtet war, ist nicht sicher" (E. Würthwein, ATD 11,2, 255). Solche Erwägungen sind aber davon, daß 2 Kön 9,16b einen historischen Bericht darstellt, unabhängig. Wenn Ahasja von Juda in Jesreel gewesen wäre, wäre auch seine Truppe dagewesen. Es wäre für Jehu ein törichter Plan gewesen, unter solchen Umständen den Aufstand zu wagen. Dazu war Jehu, nach allem, was wir über ihn erfahren, zu klug und verschlagen. Von der Darstellung unserer Erzählung in ihrer jetzigen Gestalt empfängt man den Eindruck, daß Ahasja eigens von Juda nach Jesreel gekommen ist, um das Unglück über sich zu bringen. Dies gilt mutatis mutandis auch für 1 Kön 22.

2 Kön 10,13bβ lautet: ‏ונרד לשלום בני-המלך ובני הגבירה‎ . Der In-finitiv ‏לראות‎ in 9,16b entspricht dem Ausdruck ‏לשלום‎ in 10,13bβ. In un-serer Erzählung kommt das Verbum ‏ירד‎ außer 9,16b nur in 10,13bβ. Hier wollen die judäischen Prinzen[9] die israelitischen Prinzen[10] besu-chen; dort besucht der judäische König den israelitischen König. In man-cher Hinsicht ist die Parallelität von 9,16b zu 10,13 evident.

9,16b ist mit Gen 37,14 zu vergleichen:

(9,16b*)   ‏ואחזיה ... ירד לראות את- יורם‎

(Gen 37,14aα*)   ‏לך-נא ראה את-שלום אחיך ...‎

Der Ausdruck ‏לראות את-יורם‎ darf daher, ‏שלום‎ ergänzend, umschrieben werden: ‏לראות את-שלום יורם‎.

10,13bβ ist mit 2 Sam 11,7 zu vergleichen:

(10,13bβ)   ‏ונרד לשלום בני-המלך ובני הגבירה‎

(2 Sam 11,7b*)   ‏וישאל דוד לשלום יואב ...‎

Man darf 10,13bβ unter Ergänzung des Infinitivs ‏לשאל‎ umschreiben: ‏ונרד לשאל לשלום בני-המלך ...‎

Bei den Formulierungen von 2 Kön 9,16b; 10,13bβ handelt es sich möglicherweise um Ellipsen.

Wie ist Ahasja, der König von Juda, ums Leben gekommen? Sein Ende berichtet 2 Kön 9,27. Der hebräische Text von V.27 scheint jedoch etwas verdorben zu sein. C.F.Burney: "27. ‏(גם אתו הכהו‎) It is necessary to follow Pesh. and add wajjikkuhû, which has fallen out through simi-larity to the preceding word (d.h. ‏הכהו // ויכהו‎). So most moderns. Vulg. makes the insertion after ‏אל-מרכבה‎, and LXX, Luc. supply it in place of ‏הכהו‎"[11]. Anders meinen z.B. Stade-Schwally: " MT ‏הכהו‎ is

9 Mit dem Ausdruck ‏אחי אחזיהו‎ in 10,13 sind die ähnlichen Wendungen von ‏אח‎ in den aramäischen Inschriften zu vergleichen; genannt seien Hadad (KAI Nr.214) Z.24.27.28.29 (hier Sing.).30, Panammu (KAI Nr. 215) Z.3, Sefire III (KAI Nr.224) Z.4.9.13.17.18 (hier Sing.).21.
10 Von ‏גבירה‎ in dem Sinne "Königinmutter" ist sonst in 1 Kön 15,10 (→ 2 Chr 15,16); Jer 13,18; 29,2 die Rede. Der Ausdruck ‏בני הגבירה‎ ist nur in 2 Kön 10,13 belegt.
11 AaO. 300.

strange, since the execution of the command is not described. Emend, with Then(ius), in accordance with LXX καί γε αὐτόν· καί ἐπαταξεν αὐτόν, wajjikkēhû"[12]. Dies ist unwahrscheinlich. Denn zwischen 9,27 und 10,14 ist eine Entsprechung anzunehmen. Aufgrund dessen darf man sicher nach der syrischen Übersetzung den ursprünglichen Text der betreffenden Stelle rekonstruieren.

9,27*	10,14*
ויאמר	ויאמר
גם-אתו הכהו	תפשום חיים
ויכהו	ויתפשום חיים

Freilich ist der zu ergänzende Satz ויכהו, entsprechend dem Imperativ 2.pers.pl. הכהו im masoretischen Text, als 3.pers.pl. zu verstehen.

Diese formale und inhaltliche Verwandtschaft ist bedeutungsvoll. Hier ordnet Jehu den Angriff gegen Ahasja von Juda bzw. seine Brüder an, dann führt seine Gefolgschaft seinen Befehl aus.

Das ist bei seinem Sturm gegen die Omriden nicht der Fall. Von der Gefolgschaft Jehus ist dort fast keine Rede. Die betreffende Darstellung stellt vielmehr Jehu allein in den Vordergrund. Zwar kommt "die Menge des Jehu" (שפעת יהוא) in 9,17.18 vor, aber in der Erzählung spielt sie überhaupt keine Rolle. Allerdings wurden sowohl die Prinzen in Samaria als auch Isebel nicht direkt durch die Hand Jehus umgebracht. Doch handelt es sich dabei um Jehus Forderung an diejenigen, die dem omridischen Königshaus untertan sind, ganz ebenso wie Jehu die zwei von Joram gesandten Boten - erfolgreich - um Beteiligung und Unterwerfung angerufen hat mit den Worten: סב אל-אחרי (9,18aβ[3].19b[3]). Für die Mannen, die hinter Jehu stehen, gibt es keinen Spielraum. Es ist Jehu selbst, der Joram, den König von Israel, mit einem Pfeil erschossen hat.

Wie kann und soll nun אל-המרכהה in 9,27 erklärt werden? Die meisten Ausleger vertreten die Auffassung, es sei aus V.28 hierher verstellt worden[13]. Das ist aber falsch.

---

12 SBOT 9, 218f.
13 Statt vieler vgl. BHS.

Wenden wir uns zunächst V.28 (DtrH) zu. V.28a heißt in LXX: καὶ
ἐπεβίβασαν αὐτὸν οἱ παῖδες αὐτοῦ ἐπὶ τὸ ἅρμα καὶ ἤγαγον αὐτὸν εἰς
Ιερουσαλημ. Daraus ist zu rekonstruieren: וירכבו אתו עבדיו על-המרכבה
ויביאוהו ירושלמה[14]. Diese Fassung muß jedoch sekundär sein. Der hebräische Text von V.28a lautet dagegen: וירכבו אתו עבדיו ירושלמה. Man
vergleiche 2 Kön 23,30aαβ (DtrH): וירכבהו עבדיו מת ממגדו ויבאהו
ירושלם. Es ist klar, daß רכב hi als Ortsbewegungsverbum in dem Sinne
"fahren lassen, transportieren" fungiert. Demnach kann V.28a, wie er im
masoretischen Text vorliegt, vollständig sein. "Lectio brevior potior".
Als guter Hinweis dient 2 Kön 14,20 (DtrH): וישאו אתו על-הסוסים ויקבר
בירושלם ... Hier ist das Verbum בוא hi nicht gebraucht.

LXX bestätigt eigentlich das Vorhandensein von אל-המרכבה in V.27.
Während in V.28 "ἐπὶ τὸ ἅρμα" zu lesen ist, findet sich in V.27
"ἐν τῷ ἅρματι". Da LXX in V.27 in ihrer Vorlage den Ausdruck אל-
המרכבה vorgefunden hat, hat sie daraufhin V.28 erweitert formuliert. "Die
Wendung אל-המרכבה in den Wagen hinein (in V.27) ist etwas ungewöhn-
lich, doch nicht unerträglich" (R.Kittel[15]). Die Verwendung von מרכבה als
Bezeichnung des Wagens ist allerdings auffallend[16]; dieses Vokabular
kommt in unseren zwei Kapiteln sonst nur in 10,15 vor.

9,27 beschreibt, wie Ahasja von Juda geflohen ist. Wohin, auf welchem Weg? Wo ist er inzwischen tödlich verwundet worden? Es werden
neben Megiddo noch דרך בית-הגן und מעלה-גור אשר את-יבלעם genannt.
Die topographischen Angaben sind ausführlich. Es ist nicht an den Haaren
herbeigezogen, in dieser Beziehung auf 10,14aα hinzuweisen: וישחטום
אל-בור[17] בית-עקד ... Die Diktion der beiden Stellen, wo die judäischen
Angelegenheiten berichtet werden, fällt in die Augen; in unserer Erzählung finden sich als Ortsnamen sonst nur Ramot Gilead, Jesreel und Samaria.

---

14 Vgl. BHS.
15 HK I,5, 233.
16 Vgl. Stade-Schwally, SBOT 9, 225: "The author elsewhere uses רכב for
chariot, not מרכבה".
17 Stade-Schwally, ebd. 229: "In MT (sic!) אל בור בית עקר the preposition
must not be altered to על; it is a pregnant use as in Jer. 41,7. LXX
erroneously omits בור; but its former existence is confirmed by
LXX(V) εἰς Βαιθακαθ". Vgl. ferner Šanda, EHAT 972, 110; Schmitt,

Wir wollen nun zeigen, daß die Erwähnung Ahasjas, des Königs von Juda, in der Szene vom Ende Jorams, des Königs von Israel, sekundär ist.

9,23b, wo Ahasja von Joram angerufen wird, kann gut entfallen; der Anschluß von V.24 an V.23a ist vorzüglich.

V.21bα[1] heißt: ויצא יהורם מלך-ישראל ואחזיהו מלך-יהודה איש ברכבו. Mit dieser Formulierung stehen 1 Kön 22,29; 2 Kön 3,9aα*[18] unverkennbar in engem Zusammenhang:

(I 22,29) ויעל מלך-ישראל ויהושפט מלך-יהודה רמת גלעד

(II 3,9aα*) וילך מלך-ישראל ומלך-יהודה ( )

Den ursprünglichen Bestand von 2 Kön 9,21bα[1] bildet jedoch wohl nur ויצא. Tatsächlich ist es unerwartet, daß die zwei Könige jeder auf seinem Kampfwagen (איש ברכבו) hinausfahren. Denn vorher war allein von Jorams Wagen die Rede.

In V.21aβ spannt man gemäß dem Befehl Jorams seinen Wagen an: ויאסר רכבו. Diesen Satz hat LXX übersetzt, als ob das Pronominalsuffix von רכב nicht existiert hätte: καὶ ἔζευξεν ἅρμα (Codex Vaticanus[19]). Das Pronominalsuffix im hebräischen Text könnte eine Art Dittographie des Waw sein[20]; der nächste Satz beginnt mit ויצא. Viel wahrscheinlicher ist, daß LXX das Possessivpronomen bewußt hinweggeglättet hat. Denn es ist, nach dem dem LXX-Übersetzer vorliegenden Text, nicht Joram allein, der ausgefahren ist. Noch einmal: "Lectio difficilior potior".

Erst mit der griechischen Übersetzung könnte man das Wort kollektiv verstehen. Zwar übersetzt LXX רכב in diesem Sinne im allgemeinen mit der Pluralform, aber 2 Kön 10,2 bietet innerhalb unserer Erzählung einen Beleg des Kollektivsingulars für רכב: καὶ μεθ' ὑμῶν τὸ ἅρμα καὶ οἱ ἵπποι. V.21bα[1] konnte LXX dank dem Vorhanden sein von איש in der

Elisa 232 Anm.216.

18 Die Erwähnung des Königs von Edom ist sekundär. Vgl. Würthwein, ATD 11,2, 282 Anm.20.

19 Vgl. Stade-Schwally, SBOT 9, 217. Kurz und gut: "it is not right to read, with Klos(termann) and Benz(inger), both words (sc. אסר und ויאסר in unserem Vers) in the plural, following LXX(L) S".

20 Vgl. Stade-Schwally, ebd. 217: "LXX S witness against the suffix of of MT רכבו, which may be due to dittography of the initial ו of the following ויצא or to the influence of the plural forms ויצאו, וימצאהו in the following line".

hebräischen Vorlage wortwörtlich übersetzen[21]: καὶ ἐξῆλθεν Ιωραμ βασιλεὺς Ισραηλ καὶ Οχοζιας βασιλεὺς Ιουδα, ἀνὴρ ἐν τῷ ἅρματι αὐτοῦ.

Wie stirbt aber Joram dann? In V.24b ist er in seinen Wagen gefallen, mit dem er hinausgefahren war. Das hat LXX nicht verstanden;
LXX hat anstatt "ב-רכב" fälschlich ברך gelesen, oder doch ihre Vorlage
unter Einfluß einer idiomatischen Wendung sekundär überarbeitet. Der
Ausdruck "in die Knie sinken" kommt im Alten Testament sonst nicht
selten vor[22]. Es ist aber sicher, daß die hiesige Darstellung im hebräischen Text mit dem Ausdruck רכבו, der den Kampfwagen Jorams bezeichnet, folgerichtig aufgebaut ist.

Aus den oben aufgezählten Gründen kann man schließen, daß die
Ahasja-Szene nicht von vornherein der Jehu-Erzählung angehört hat, und
zwar daß sie literarisch mit 10,13-14*.(15) zusammengehört.

Der Bericht über das Ende Ahasjas von Juda stellt selbstverständlich eine Ergänzung ad hoc zur Vorlage dar. Daraus folgt, daß das Stück
10,13-14*.(15) nicht irgendeine ursprünglich von der Jehu-Erzählung un-
abhängige Quellenschrift ist[23]. 10,14bα stützt sich auf 10,7aγ:

(10,7aγ) שבעים איש וישחטו[24]
(10,14bα) ... ארבעים ושנים איש וישחטום[25]

Ferner ist der Spruch der judäischen Prinzen in 10,13b noch einmal
zu beachten:

"Sie sagten: wir sind die Brüder Ahasjas und ziehen hinab, um die
Söhne des Königs und die Söhne der Königinmutter zu begrüßen."
Warum wollen sie nicht bei dem König und der Königinmutter selbst vor-
sprechen? Die Darstellung verrät, wie unser Ergänzer auf seine Vorlage

21 Auf unsere Stelle stützt sich die Formulierung von 1 Kön 22,10: ומלך
    ישראל ויהושפט מלך-יהודה ישבים איש על-כסאו.
22 Gen 30,3; Dtn 28,35; Ri 7,5.6; 16,19; 2 Sam 2,13; 4,12; 1 Kön 8,54;
    2 Kön 1,13; 4,20; Jes 66,12; Esr 9,5; 2 Chr 6,13.
23 Gegen Stade, aaO. 277.
24 LXX: καὶ ἔσφαξαν αὐτούς. "Although MT is not exactly impossible,
    the suffix is to be expected here" (Stade-Schwally, SBOT 9, 227).
25 Stade-Schwally, ebd. 228: "MT וישחטום, LXX καὶ ἔσφαξαν αὐτούς; but
    MT השאיר makes it necessary to read, with Klost(ermann), וישחטם".
    Das ist falsch. Wie gezeigt wurde, ist V.14bβ ein späterer Zusatz,
    der seinerseits eine geprägte Wendung darstellt.

74

Rücksicht nimmt. Bei der Abfassung von 10,13-14bα setzt er unwillkürlich und unbewußt voraus, daß Joram von Israel und Isebel der Handlungsfolge nach schon tot sind.

Es ergibt sich nun, daß auch 10,4 kein ursprünglicher Bestandteil der Erzählung ist. Denn hier ist von den zwei Königen (שני המלכים) die Rede. Aber nicht allein V.4 hat als Zusatz zu gelten. In V.4 wechselt innerhalb der Szene die Handlung. In V.4.5 ist die Reaktion der Aristokraten in Samaria auf den aus Jesreel an sie gesandten Brief dargestellt. - Aber wann im Erzählablauf hat der Brief sie erreicht? Das ist nicht angegeben, sondern stillschweigend vorausgesetzt. - V.4.5 gehören auf jeden Fall zusammen. Die unmittelbare Verbindung von V.5 mit V.3 ist ausgeschlossen. Ohne V.5, der die Willensäußerung der Adligen in Samaria zum Inhalt hat, ist wiederum V.6a, wo von dem zweiten Brief Jehus die Rede ist, von vornherein undenkbar. V.6b ist eine vorwegnehmende Erläuterung von V.7a[26]. V.4-6 stellen insgesamt einen Einschub dar.

In der Tat finden 10,1b*.2.3 in V.7 eine gute Fortsetzung. Mit 10, 1b* beginnt die Szene vom Vorgehen Jehus gegen die Stadt Samaria. V.2aα, der Anfang von Jehus Brief, entspricht formal V.7aα, der eigentlichen Schilderung der Reaktion der dortigen Adligen:

(V.2aα)　　ועתה כבא הספר הזה אליכם

(V.7aα)　　אליהם　　הספר　　ויהי כבא

Jehu hat bei dieser Gelegenheit nur einen einzigen Brief geschrieben[27].

26　　(V.6bα)　שבעים איש　　ובני המלך
　　(V.7aβγ)　ויקחו את-בני המלך וישחטו(ם) שבעים איש
Gunkel, Elisa 85 mit Anm.44, vermutet: "es muß ein Brauch der Könige Israels gewesen sein, die jungen Prinzen bei besonderen Vertrauenspersonen, denen man dadurch hohe Ehre erwies, aufziehen zu lassen (Ein anderes Beispiel II. Sam. 12,25)". Zum Verständnis der Vorstellung von V.6bβ trägt ferner - mutatis mutandis - auch 2 Sam 9 bei (vgl. besonders V.4). Im allgemeinen gilt V.6b als isolierte Glosse. Statt vieler vgl. Wellhausen, Die Composition des Hexateuchs 287. Zwischen V.4-6a und V.6b sehe ich jedoch keinen Riß.

27　10,1bα[1] lautet: ויכתב יהוא ספרים. Dies besagt natürlich nicht, daß Jehu zweimal zur Feder gegriffen hat. "Da er an mehrere Gruppen schrieb, kann die Pluralform im Unterschiede von dem nachher gebrauchten Sing. fügl. die Mehrheit der Exemplare bezeichnen" (Klostermann, KK A,3, 423). LXX: καὶ ἔγραψεν Ιου βιβλίου. Ein gleiches

Den Nachtragscharakter von V.4-6 deutet der Ausdruck שנית in V.6 an. An diesem Adverb läßt sich die literarische Interpolation manchmal erkennen. Als Belege von שנית als Zeichen der Naht zählt J.Wellhausen Gen 22,15; Jos 5,2; Sach 4,12 und 1 Makk 15,25 (ἐν τῇ δευτέρᾳ) auf[28]. Dem ist unsere Stelle hinzuzurechnen[29]. Statt שנית setzt LXX שני voraus: καὶ ἔγραψεν πρὸς αὐτοὺς βιβλίον δεύτερον. Diese Fassung ist aber nicht ursprünglich. Die Glättung beruht möglicherweise auf 9,19aα[1] : וישלח רכב סוס שני.

Der Inhalt des Briefes in V.2.3 ist eine Variation von 9,18aβ[3]19b[3] sowie 9,32aβ[2]: "Wende um, folge mir!" oder "Wer hält's mit mir, wer?". Die Antwort der Briefempfänger besteht in der Handlung von 10,7aβγb.

In 1 Sam 29,4b sagen die Obersten der Philister:

"Womit könnte er sich bei seinem Herrn in Gunst setzen? Nur mit den Köpfen dieser Männer, nicht wahr?"

Es ist solch ein Gedanke, so darf man wohl zwischen den Zeilen lesen, der den Würdenträgern in Samaria beim Empfang des Briefes in den Sinn gekommen ist. Allerdings tritt er in unserer Erzählung nicht expressis verbis zutage. So heißt V.7aβγb anschließend an V.7aα:

"Als nun der Brief zu ihnen kam, ergriffen sie die königlichen Prinzen und schlachteten (sie)[30], siebzig Mann, und legten ihre Köpfe in Körbe und sandten sie ihm nach Jesreel."

V.9b lautet:

"Siehe, ich habe mich gegen meinen Herrn verschworen und ihn getötet. Wer aber hat diese alle erschlagen?"

"V.9b klingt so, als hätte er den Tod der Prinzen nicht verlangt: dies ist auch in Betreff des ersten Briefes der Fall" (Kittel[31]). Läßt man

---

bietet 1 Kön 21,8. Vgl. Šanda, EHAT 9/2, 105 und R.Bohlen, Der Fall Nabot 61 Anm.44. In V.9.11 entspricht jedoch der Ausdruck בספרים MT dem ἐν τοῖς βιβλίοις LXX. Freilich handelt es sich dabei um Briefe von ein und demselben Inhalt.

28 Vgl. Die Composition des Hexateuchs 18, 120 mit Anm.1; Israelitische und jüdische Geschichte 257 Anm.3.
29 Und zwar ist sie unter den genannten Belegen der älteste.
30 S.o. Anm.24.
31 HK I,5, 237. Für Gunkel ist der erste Brief Jehus "ein ritterliches Zeichen" (Elisa 85), während Šanda, EHAT 9/2, 105, auch dort einen Sarkasmus lesen will.

V.4-6 weg, dann wird dieser Spruch Jehus verständlich.

H.Greßmann: "Jehu übernimmt zynisch dem Volk gegenüber die Verantwortung für die Ermordung des Königs, wälzt aber die Schuld für die Tötung der Prinzen heuchlerisch von sich ab"[32]. Eine solche Psychologie hat mit der Urfassung der Erzählung nichts zu tun. Ursprünglich geht es nicht um "Jehus makabres Spiel"[33].

Was V.9bβ ursprünglich besagt hat, ist schlicht und einfach: die Adligen in Samaria haben durch die Hinrichtung der omridischen Prinzen mit eigener Hand ihre Stellungnahme für Jehu erklärt und ihm beigestanden. Die rhetorische Frage Jehus ist - im ursprünglichen Kontext - als Siegesschrei zu verstehen. Davon wird später eingehend die Rede sein.

Die Heterogenität von 10,4-6 zeigt sich wohl auch am Wechsel der Adligen in Samaria zwischen V.1 und V.5. Bemerkenswert ist ferner, daß der Affekt der Personen innerhalb von 2 Kön 9-10 nur in 10,4 mit dem Verbum ירא ausgesprochen ist. Sonst ist ein Verbum, das ein Gefühl ausdrückt, überhaupt nicht gebraucht. Anschließend an den Satz ויראו מאד מאד (V.4aα) heißt V.4aβ: ויאמרו. Das Verbum אמר betrifft, wie E.Würthwein zeigt[34], die Überlegung der Empfänger des Briefs. Auch sie ist unserer Erzählung fremd.

Der Gebrauch des Wortes ירא verrät die kritische Tendenz des Bearbeiters gegen den Inhalt der ihm vorliegenden Erzählung. Unverkennbar ist seine Antipathie gegen das von ihm betrachtete Bild Jehus: ein ungestüm und rücksichtslos auf den Thron zustrebender Usurpator. Diese Vorstellung des Bearbeiters spiegelt sich in V.6a, der aufgrund von V.7 formuliert ist, wo der Plan der Ermordung der Prinzen ausdrücklich Jehu in den Mund gelegt wird.

32 SAT II,1, 312. Ähnlicher Meinung sind Kittel, HK I,5, 237 und Gunkel, Elisa 87.
33 Dietrich, Prophetie und Geschichte 24. Freilich hat der Verfasser von V.10 die Aussage von V.9bβ, wie Dietrich meint, "mißverstanden", oder vielmehr, wie gezeigt wurde, völlig auf seine Weise interpretiert.
34 ATD 11,2, 336.

Ist es richtig, im zweiten Brief Jehus einen doppelten Sinn zu erblicken? Ein Vertreter dieser Meinung ist H.Gunkel. Er übersetzt und interpretiert den Befehl Jehus in 10,6 folgendermaßen: "Nehmet die Häupter ( ) der Söhne eures Herrn und 'bringet' sie mir morgen um diese Zeit nach Jisreel. Das Wort ist mit Willen doppeldeutig; es kann heißen, daß sie die bedeutendsten unter den Prinzen ausliefern oder daß sie die Prinzen töten und ihre Köpfe als Beweis der geschehenen Hinrichtung übersenden sollen. Solche Zweideutigkeit wählt ein antiker König, der ein Verbrechen wünscht, aber nicht die öffentliche Verantwortung dafür übernehmen will. Ebenso zweideutig ist der bekannte Uriasbrief"[35]. Das Hauptmotiv des sogenannten Urijasbriefs ist aber: "Wer einen Brief zu überbringen hat, genießt das Vertrauen des Absenders und kann seiner guten Meinung sicher sein. Daher kann Arglist und Arglosigkeit nicht besser gegenübergestellt werden, als wenn ein Bote einen Brief mitnehmen muß, in dem sein eigener Tod befohlen wird" (Gunkel[36]). Wird 2 Sam 11, 15bβ gestrichen, dann kann V.15bα - wenn man will - doppelsinnig verstanden werden; übrigens ist V.15bα auch dabei nicht deshalb schillernd, weil die List aufgrund der Mehrdeutigkeit eines Wortes angewandt wird[37]. Es geht wahrscheinlich zu weit, dem Wortlaut des Urijasbriefs eine Zweideutigkeit entnehmen zu wollen. Dieser "Brief" ist, wie auch die Briefe Jehus[38], kein historisches Dokument, das auf den König David zurückgeht, sondern eine schriftstellerische Erfindung. Es ist schwer vorstellbar, daß der Autor der Thronfolgegeschichte, selbst wenn er anti-

35 Elisa 86.
36 Das Märchen im Alten Testament 132.
37 Über die Zweideutigkeit vom Wortlaut des zweiten Briefs Jehus gibt es verschiedene Auffassungen. Vgl. Greßmann, SAT II,1, 312; Šanda, EHAT 9/2, 106; Schmitt, Elisa 231 Anm.212.
38 Zum ersten Brief Jehus sagt Gunkel, Elisa 85: "Vom Inhalt des Briefes wird ... nur der Schluß mitgeteilt, da der Leser ja den Anfang, Jehus Thronbesteigung und den Tod des Königs, leicht erraten kann". Er glaubt, daß das Folgende (sc. V.2.3) im Wortlaut getreu und nicht eine Erfindung des ... Erzählers ist" (ebd.). Vgl. ferner z.B. Benzinger, KHC IX 152; Kittel, HK I,5, 236. Das kommt aber nicht in Frage. "Natürlich handelt es sich bei dem Brief selber um ein literarisches Gebilde" (Würthwein, ATD 11,2, 336). Auch für den Inhalt des zweiten Briefs ist Jehu selbst - natürlich - nicht verantwortlich.

davidisch gewesen ist[39], so kleinliche Kniffe gebraucht hat. Auch den zweiten Brief Jehus darf man wohl ohne solchen Hintersinn lesen.

Auf jeden Fall tritt das tückische Bild Jehus mit seinem zweiten Brief stark hervor. Man achte auf den Ton: אם-לי אתם ולקלי אתם שמעים. Wegen derselben Tendenz kann man sicherlich auch 9,15b in diese Bearbeitungsschicht einreihen. Ursprünglich hat V.16aα an V.13 angegrenzt. Den ursprünglichen Erzählfaden, nach dem Jehu sich im Anschluß an die Proklamation seines Königsantritts durch seine Amtsgenossen in Ramot Gilead sofort in Marsch auf Jesreel setzt, will V.15b unterbrechen. V.15bα² lautet: אם-יש נפשכם[40]. Damit ist inhaltlich dasselbe gesagt, was der Dornbusch in Ri 9,15aα² äußert:

"Wenn ihr mich in Wahrheit zum König über euch salben wollt."

Wo ist der historische Ort der Bearbeitung zu suchen? Es ist ausgeschlossen, daß sie erst von dem "Gegner des Königtums" überhaupt, "DtrN" in dem Veijolaschen Sinne[41], herzuleiten ist. Schon sprachlich ist keine deuteronomistische Spur zu finden, und sachlich ist deuteronomistische Herkunft in dem betreffenden Kontext keineswegs zwingend. Veijola: "Wir sind ... in der Lage, die älteren königtumskritischen Dokumente vorweisen zu können"[42]: die Jotamfabel in Ri 9 und das sogenannte Königsrecht in 1 Sam 8[43]. Anders als die beiden Texte ist die in Frage stehende literarische Größe selbstverständlich kein ursprünglich selbständiges Überlieferungsstück gewesen; sie stellt eine Bearbeitungs-

39 Vgl. vor allem Würthwein, Die Erzählung von der Thronfolge Davids.
40 V.15bα¹ ist textlich problematisch. Nach Thenius, KEH 9,318 und Burney, aaO. 298 ist der hebräische Ausdruck beizubehalten. Nach Benzinger, KHC IX 151; Šanda, EHAT 9/2, 95 und HAL 423 ist die Präposition את (entsprechend Gen 23,8) einzusetzen. Vgl. ferner Stade-Schwally, SBOT 9, 222 und Kittel, HK I,5, 231. Was mit der Phrase gesagt ist, ist aber eindeutig. Allein Würthwein vertritt eine eigene Meinung (vgl. ATD 11,2, 325 und 332 mit Anm.18).
41 Vgl. vor allem: Das Königtum in der Beurteilung der deuteronomistischen Historiographie - Eine redaktionsgeschichtliche Untersuchung.
42 Das Königtum 120.
43 Zur Auslegung s. Veijola, aaO. 53-72 und 100-114; vgl. ferner Levin, Die Verheißung des neuen Bundes 118. Zur Deutung des Königsrechts s. Smend, Der Ort des Staates im Alten Testament 191f. mit Anm. 36.

schicht ad hoc der dem Bearbeiter vorliegenden Erzählung dar. In welchem Milieu konnte das Interesse an einer solchen Bearbeitung entstehen? Veijola weist darauf hin, "dass עבד im politischen Bereich ein formelhaftes Element der Vertragsterminologie ist", und ferner "dass man in Nordisrael einen Königsvertrag, der das Verhältnis zwischen König und Volk regelte, gekannt hat und dass der Terminus עבד ... ein formelhafter Bestandteil dieser Gattung ist"[44]. Selbst wenn Veijola recht hätte, würde dies nicht bestätigen, daß unsere Bearbeitungsschicht aus dem Nordreich stammt. Das nachgetragene Stück 10,4-6 - ebensowenig wie dessen Vorlage - beabsichtigt nicht die Darstellung einer Vertragsverhandlung[45]. Es will vielmehr zeigen, wie Jehu seine Gewalt einseitig und rücksichtslos zur Geltung gebracht hat[46]. Die Adligen in Samaria legen dar: הנה שני המלכים לא עמדו לפניו (V.4aγδ), sie meinen aufgrund dieser Tatsache: ואיך נעמד אנחנו (V.4b)[47]. Ihre Stellungnahme gegenüber Jehu beginnt mit dem Satz עבדיך אנחנו in V.5. Dieser Ausdruck ist, wie Veijola bemerkt[48], eine idiomatische Wendung. Der Satz לא-נמליך איש (V.5bα) ist dagegen sehr auffällig; er gilt für eine den Willen der Adligen absichtlich akzentuierende Umschreibung von עבדיך אנחנו. Freilich kommt מלך hi oft im Alten Testament vor[49], um so auffallender ist die Formulierung לא- נמליך איש. Auch הטוב בעיניך עשה (V.5bβ) ist eine gewöhnliche Redensart[50]; V.5aβ stellt eine ebenfalls den Willen der Adligen betonende Phrase dar: וכל אשר-תאמר אלינו נעשה. Diesem Ausdruck entspricht die Anordnung Jehus in V.6, die ihrerseits durch אם-לי אתם ולקלי אתם שמעים nachdrücklich eingeführt ist. Dann steht hier neben dem gegen Jehu gerichteten Haß,

---

44 AaO.62.
45 Gegen Veijola, aaO. 62.
46 Vom Volk ist dabei gar nicht die Rede.
47 In V.4 ist das Verbum עמד zweimal gebraucht, und zwar in demselben Sinne. Die gleiche Wendung findet sich z.B. in Jos 10,8; 21,44 (→ 23,9); Ri 2,14; Est 9,2; Dan 8,4.7. Aufgrund der Nuance des hiesigen עמד vermutet Würthwein, ATD 11,2, 336, unsere Stelle "könnte auf eine andere Version von der Tötung der Könige hinweisen als die" in Kap. 9 stehende Darstellung. Zwar ist seine Mutmaßung als solche nicht zutreffend, nähert sich aber dem Richtigen an.
48 AaO. 61.
49 Vgl. Levin, Atalja 91 Anm.4.
50 Vgl. Gen 16,6; 19,8 (→ Ri 19,24); Jos 9,25; Ri 10,25; 1 Sam 1,23; 11, 10; 14,36.40; 24,5; 2 Sam 19,28.38; 2 Kön 20,3 (→ Jes 38,3).

der den Grundtenor darstellt, auch ein gewisser Vorwurf gegen das Verhalten der Adligen in Samaria. Der Abscheu bezieht sich nicht nur auf die Person des Jehu selbst, sondern gleichzeitig auf den durch den Aufstand Jehus verursachten Tatbestand als solchen. Hier klingt eine scharfe Kritik am Vorgang des Dynastiewechsels an.

Die Meinung unseres Bearbeiters über den Dynastiewechsel faßt der Terminus מרמה in 9,23b zusammen. Das Wort מרמה gebraucht die aramäische Vertragsinschrift Sefire III (8. Jh. v.Chr.) von dem Standpunkt des Herrschers aus[51]:

ולתשלח לשן .. (21)	.. Und du sollst nicht die Zunge lösen
בביתי ובני בני	in meinem Haus und unter meinen Söhnen
ובני א(ח)י ובני	und unter (meinen) Br(üdern und unter)
(ע)קרי	meiner (N)achkommenschaft
ובני עמי	und unter meinem Volk,
ותאמר להם	indem du ihnen sagst:
קתלו מרא(22)כם	"Tötet euren Herrn
והוי חלפה	und sei an seiner Statt!
כי לטב הא מך[52]	Denn er ist nicht besser als du".
ויקם חד (דמי)	Dann rächt irgendeiner (mein Blut.
והן ת(עבד מרמת[53]	Und wenn du) Betrug begeh(st)
עלי או על בני	gegen mich oder gegen meine Söhne
או על עקר(י)	oder gegen (meine) Nachkommenschaft,
(ש)קרתם (23)	so seid ihr (t)reubrüchig
לכל אלהי עדיא	gegenüber allen Vertragsgöttern,
זי בספרא זנ(ה)	die in (d)ieser Inschrift sind.

---

51 Der aramäische Text richtet sich nach KAI Nr.224.
52 Lies מנך. Es handelt sich um einen Schreibfehler. Vgl. z.B. R.Degen, Altaramäische Grammatik 22 Anm.89; J.C.L.Gibson, Textbook of Syrian Semitic Inscriptions, Vol.2, 55.
53 Gibson, aaO. 55: "מרמת = (mirmāt); fem. plur. abs.; Dan xi 23; Ps x 7".

ותלאי)ם וכפריה	(Tal'aji)m und seine Dörfer
ובעליה וגבלה	und seine Bürger und sein Gebiet
לאבי	gehören meinem Vater
ול)24( )ביתה	und (seinem Haus
)עד(עלם ..	auf) ewig. ..

Die Vorstellung, die Empörung gegen das Herrscherhaus sei ein politisch verderblicher Frevel, ist hier mit aller Deutlichkeit zum Ausdruck gebracht. Wo wurde die Jehu-Erzählung gerade unter diesem Gesichtswinkel bearbeitet? Der Ort der Bearbeitung ist wahrscheinlich im Südreich zu finden. Mit der judäischen Ideologie hängt die kritische Einstellung des Bearbeiters gegenüber der Machtergreifung Jehus zusammen.

Der Bearbeiter, der mit 9,15b.23b; 10,4-6 seine durchaus negative Einstellung gegenüber Jehu und seinem erfolgreichen Aufstand zur Darstellung gebracht hat, ist allem Anschein nach derselbe, der seiner Vorlage die Einzelheiten über Ahasja von Juda und seine Brüder hinzugefügt hat. Es geht um eine Redigierung der Jehu-Erzählung aus dem judäischen Blickwinkel.

Tatsächlich spiegelt sich der Abscheu gegen Jehu außer an den genannten Stellen auch noch in 10,14a. Dieser Halbvers beruht auf 1 Kön 20,18; 2 Kön 7,12. Es handelt sich um den Ausdruck "lebendig einfangen" (תפש חיים[54]).

(10,14a)	תפשום חיים ויתפשום חיים	ויאמר
(1 Kön 20,18)	ויאמר אם-לשלום יצאו תפשום חיים	
	ואם למלחמה יצאו חיים תפשום	

Es ist klar, daß Jehu in 2 Kön 10,14a mit dem aramäischen König auf eine Stufe gestellt worden ist.

In diesem Zusammenhang ist hinzuzufügen, daß 2 Kön 10,6aβ unter Berücksichtigung von 1 Kön 20,6 formuliert ist. In beiden Stellen ist der Ausdruck כעת מחר verwendet[55]:

(2 Kön 10,6aα)	ובאו אלי כעת מחר יזרעאלה
(1 Kön 20,6aα)	כי אם-כעת מחר אשלח את-עבדי אליך

54 Der Ausdruck תפש חי ist noch in Jos 8,23; 1 Sam 15,8 belegt.
55 Er ist noch in Ex 9,18; 1 Sam 9,16; 20,12; 1 Kön 19,2; 2 Kön 7,1.18

Auch hier wird das freche und hochmütige Image des aramäischen Königs auf Jehu angewandt. Diese Tatsache gilt als Indiz dafür, daß 2 Kön 10, 4-6.13-14bα aus ein und derselben Feder geflossen sind.

Die Entstehungszeit der in Frage stehenden literarischen Schicht ist nicht genau festzulegen. Nach der Thronbesteigung Jehus, die den theoretischen terminus a quo bildet, ist Hasael von Aram in das Südreich eingedrungen (2 Kön 12). Joasch ben Jehoahas ben Jehu hat dann Amazja von Juda gefangengenommen und Jerusalem beschädigt (2 Kön 14). Im 8. Jh. muß der Abscheu gegen Israel und Aram ein allgemeines Gefühl in Juda gewesen sein. Die Feindschaft hat zuletzt im syrisch-ephraimitischen Krieg ihren Gipfel erreicht (2 Kön 15.16; vgl. bes. Jes). Möglicherweise stand die Bearbeitung der Jehu-Erzählung in Juda mit diesem Ereignis in Zusammenhang, wie dies bei der Entstehung von Hos 1, ebenfalls im Südreich, möglicherweise der Fall war[56].

Die Datierung ins 7. Jh. ist nicht von vornherein ausgeschlossen. Aber man bedenke, daß für "Juda unter Assur in der Sargonidenzeit"[57] das politische Verhältnis zu Israel schon nicht mehr aktuell war; damals war das Nordreich überhaupt nicht mehr vorhanden.

Die judäische Herkunft der in Frage stehenden Bearbeitungsschicht dürfte auch in den Formulierungen von 9,16b.22bα[1]; 10,13bβ erkennbar sein. Wie gezeigt wurde, sind sie parallel zu 1 Kön 22,2b.29; 2 Kön 3,9aα*.

---

belegt. Vgl. ferner Jos 11,6. Zu 1 Sam 20,12 und in Zusammenhang damit zu unserer Stelle vgl. Wellhausen, Der Text der Bücher Samuelis 116. Der masoretische Text in unserer Stelle ist gegen Wellhausen wegen der Tatsache ihrer Abhängigkeit von 1 Kön 20,6 beizubehalten.

56 Vgl. Levin, Die Verheißung des neuen Bundes 235-240. Es ist interessant, daß in Hos 1 der erste Sohn des Propheten nicht etwa "Samaria", sondern wissentlich "Jesreel" genannt ist; "noch hundert Jahre später war der Schauder über die Bluttat von Jesreel lebendig" (Wellhausen, Israelitische und jüdische Geschichte 77). Es scheint gut möglich, daß der Verfasser von Hos 1 die Jehu-Erzählung, und zwar die in Juda bearbeitete, in der erstmals Ahasja von Juda und seine Brüder auftreten, vor Augen hatte.

57 H.Spieckermann, FRLANT 129.

H.-Chr.Schmitt[58] meint, die Kriegserzählungen[59] in 1 Kön 22; 2 Kön 3 seien von Hause aus judäisch gewesen. Die Frage dürfte noch offen sein. Von dem König von Juda ist in den zwei Erzählungen möglicherweise nicht ursprünglich die Rede gewesen, ebenso wie dies von der Jehu-Erzählung gilt. Wenn dies so ist, ist es schwer vorstellbar, daß sie sui generis judäisch waren.

In 1 Kön 22,3.4a nimmt der König von Israel zweimal hintereinander das Wort. Das ist merkwürdig. V.4a und in Zusammenhang damit V.2b können sekundär sein[60]. Bei der letzten Szene der Erzählung darf man fragen: "Wo bleibt Josaphat" (Kittel[61])? Was 2 Kön 3 betrifft, fallen V.24. 25 in die Augen: bei Kampf und Sieg gegen Moab ist nur von Israel die Rede[62]. Es ist möglich, daß in den beiden Erzählungen ursprünglich ausschließlich die Sache des israelitischen Königs behandelt worden ist.

Wie dem auch sei, es läßt sich nicht verleugnen, daß die Kriegserzählung in 1 Kön 22, die in V.1-4.29-37 zu finden ist[63], judäisches Gepräge trägt. V.35aβ lautet:

58 Elisa 45. Vgl. die dort in Anm.51 genannte Literatur und F.Stolz, Jahwes und Israels Kriege 149.
59 Smend, Die Entstehung des Alten Testaments 134: "Propheten konnten auch in Erzählungen, die von polit. Vorgängen handelten, nachträglich eingeführt werden und dann deren eigentliche Aussagen bestimmen (vgl. 1 Kön 20; 22; 2 Kön 3,4-27; 6,24-7,20)". Ein lehrreiches Beispiel für die literarische Analyse der betreffenden Erzählungskomplexe bietet neuerdings Würthwein, ATD 11,2. Dort vertritt er die Auffassung, daß die Erzählung in 1 Kön 22 ihrer Tendenz nach in Juda beheimatet war (257).
60 "Klostermann (KK A,3, 386) hat richtig erkannt, dass 2b das Zusammengehörige auseinanderreisst" (Benzinger, KHC IX 122).
61 HK I,5, 178.
62 Vgl. Würthwein, ATD 11,2, 283.
63 V.37aβb gehört nicht mehr zur alten Erzählung, sondern ist aus der Feder des Redaktors DtrH geflossen. In V.37aβ ist, wie z.B. BHS vorschlägt, ויבאו statt ויבא zu lesen (entsprechend LXX: καὶ ἦλθον). Demzufolge lautet der redaktionelle Anteil des DtrH: ויבאו שמרון ויקברו את-המלך בשמרון (vgl. diese Diktion mit 2 Kön 9,28; 14,20; 23, 30a). Das Subjekt der beiden Sätze ist 3.pl., was auffällig ist: "Die Erzählung ist ganz konzentriert auf das, was sich zwischen den beiden Königen abspielt" (Würthwein, ATD 11,2, 256). In der Vorlage ist von der Gefolgschaft des israelitischen Königs, abgesehen von V.3, keine Rede; die Heterogenität von V.37aβb liegt auf der Hand. In V.37aα ist כי מת המלך statt וימת המלך zu lesen (entsprechend LXX: ὅτι τέθνηκεν

"Der König aber 'war gestellt' (מעמד[64]) auf dem Königswagen gegen Aram."

Nach der herrschenden Meinung[65] drückt dieser Satz die Tapferkeit des Königs von Israel aus. Dem Kontext nach wirkt er jedoch – so scheint es – fast schadenfroh[66]: der Schwerverletzte habe nicht anders handeln können, als im Felde bis zum Tode dazubleiben. Dies mag möglicherweise eine zu weit hergeholte Ansicht sein. Die Verkleidung, von der in V.30 die Rede ist, gilt aber auf alle Fälle kaum als Zeichen der Tapferkeit des israelitischen Königs; vielmehr ist die gerade entgegengesetzte Auffassung

ὁ βασιλεύς). Vgl. dazu z.B. Wellhausen, Die Composition des Hexateuchs 283 Anm.2. Die Erzählung, wie sie DtrH vorlag, endet mit dem Ausruf V.36b.37aα: איש אל-עירו ואיש אל-ארצו כי מת המלך. V.36b entspricht 2 Kön 3,27bβ, mit dem die dortige Erzählung schließt: וישבו לארץ. Es ist oft behauptet worden, die Erzählung in 1 Kön 22 habe wegen der Konkurrenz zu V.40a nicht der Urfassung des deuteronomistischen Geschichtswerks angehört (vgl. statt vieler Dietrich, Prophetie und Geschichte 135 und die dort genannte Literatur). V.40.41 stammen nicht erst von DtrH, sondern liegen seiner Quelle zugrunde. Man muß, so scheint mir, annehmen, daß DtrH die beiden Quellen – die Erzählung einerseits, das Tagebuch der Könige von Israel andererseits - zusammengestellt hat, ohne einen Widerspruch zu empfinden. Es sollte nicht außer acht gelassen werden, daß das Verbum שכב in 2 Kön 14, 22 für den König Amazja von Juda, der eines gewaltsamen Todes gestorben ist, gebraucht ist, wenn diese Stelle auch jünger als DtrH ist.

64 Die Nuance von עמד ho ist wegen des Mangels der Belege nicht leicht zu bestimmen. Thenius, KEH 9, 260: "(היה מעמד) war aufrecht gestellt, nämlich durch eigene Willenskraft ..., indem er sich Gewalt anthat, um den Muth der Seinen nicht zu lähmen (so nun auch Keil 2.); nicht: wurde stehend erhalten (de Wette, Keil 1.)". Der Auffassung von Thenius folgen z.B. Gesenius-Buhl 599: "der König war gestellt, d.h. hielt sich aufrecht"; Kittel, HK I,5, 178. Stade-Schwally, SBOT 9, 174: "MT מעמד, LXX ἑστηκώς, T S קאם; 2 Chr. מעמיד is meanigless". Dagegen wendet P.Haupt ebd. ein: "The Hif. would seem to be preferable; the passive מעמד would convey the idea that the King was stayed up ... while the Hif. מעמיד ... implies that he remained unsubdued (he did not lie down ...)". Šanda, EHAT 9/1, 500: "מעמד Hofal ersetzt 2 Chr 18,34 durch Hifil ... Doch ist auch Hofal in der Bedeutung 'sich aufrecht erhalten' möglich".
65 S.o. Anm.64. Vgl. ferner vor allem die Auffassung Wellhausens. Seine freie Übersetzung von 1 Kön 22,35* lautet: "Ahab war verwundet und wollte umwenden, aber das Gefecht rückte vor und er war gezwungen, im Wagen stehn zu bleiben den Syrern gegenüber" (Die Composition des Hexateuchs 283 Anm.2). Und er meint: "Er ist ein Mensch 20,31 und ein Mann 22,34s." (ebd. 284).
66 Vgl. Würthwein, ATD 11,2, 257.

von ihm zur Darstellung gebracht[67]. Die betreffende Erzählung besagt, daß der israelitische König trotz seiner List schließlich durch einen verirrten Pfeil ums Leben gekommen ist und der judäische König, der an dem Kampf des israelitischen Königs teilgenommen hat, inzwischen in Gefahr geraten ist. Sie ist dem König von Israel nicht gewogen, dementsprechend auch nicht dem freundschaftlichen Verhältnis des Königs Joschafat von Juda zu ihm. Die aus ihr abzulesende Tendenz, deretwegen Joschafat überhaupt erwähnt wird, ist: "Juda soll vor einem Bündnis mit Israel gewarnt werden" (Schmitt[68]). Diese Ermahnung, die ihrem Wesen nach ausschließlich judäisch sein kann, steckt sicher auch hinter den Formulierungen von V.2b.29. Sie gründen sich auf judäische Ideologie. Fraglos sind die Aussagen von 2 Kön 9,16b.21bα^1; 10,13bβ in derselben geistigen Heimat entstanden.

Die Unglücksfälle der Davididen bei dem Aufstand Jehus gegen die Omriden teilt erst die in Frage stehende Bearbeitungsschicht, d.h. die Juda-Bearbeitung, mit. Der betreffende Bericht ist aber nicht aus der Luft gegriffen. Die Historizität der Tötung des Königs Ahasja von Juda durch Jehu ist zweifelsfrei. Als indirekten Zeugen darf man sich auf DtrH berufen. DtrH besaß die Jehu-Erzählung einschließlich der Juda-Bearbeitung; ferner standen ihm die Tagebücher der Könige von Israel und Juda zur Verfügung. Zwischen den Angaben dieser beiden Quellen kann DtrH keinen wesentlichen Widerspruch gefunden haben. Darum konnte er sie miteinander verbinden[69]. Nach Analogie des Todes Ahasjas läßt sich erschließen, daß die Ermordung der judäischen Prinzen durch Jehu im Zuge seiner Machtergreifung ebenfalls historisch ist.

"Gelingt es, die dem Ereignis zeitlich am nächsten stehende Aussage einigermaßen sicher festzustellen, dann hat sie natürlich für den Historiker ein sehr großes Gewicht. Trotzdem wäre es gefährlich, wollte er sich allein auf sie verlassen. Einmal darf er unter keinem Umständen auf die

67 Anders z.B. Klostermann, KK,A,3, 390; Kittel, HK I,5. 176f.; Šanda, EHAT 9/1, 497f.
68 Elisa 45.
69 Vgl. Levin, Atalja 79-82, besonders 79f.

Erkenntnisquellen verzichten, die ihm Analogie und Rückschluß bieten. Sodann können auch zeitlich ferner stehende Aussagen, in deren Ensemble jene älteren ja meist aufbewahrt sind, Wichtiges über ein Ereignis enthalten" (R.Smend[70]).

Es erregt keine Verwunderung, daß die Urfassung der Jehu-Erzählung die betreffenden Vorfälle nicht berührt hat. Dem Schweigen liegt ihre Gesamtkonzeption zugrunde. Noch einmal soll Smend das Wort haben. Es gilt als Grundprinzip, "daß die Erzählung in Israel ... 'nicht an den geschichtlichen Vorgängen als solchen interessiert (ist), sondern am Wirken Gottes in der Geschichte'[71]. Vielleicht klingt eine derart präzise inhaltliche Definition des waltenden Interesses zunächst etwas hart. So mag denn für den Augenblick die Feststellung genügen, daß ein wie auch immer beschaffenes Interesse über das an der Faktizität hinaus vorhanden ist. Es bestimmt jede Erzählung von vornherein mit, bestimmt sie oft – und nicht selten, von uns aus gesehen, im Streit mit der Faktizität – überwiegend oder sogar ganz. Gäbe es dieses Interesse nicht, gäbe es die Erzählung nicht. ... Ausschließlich um seiner selbst willen wird wahrscheinlich nie und nirgends ein Vorgang erzählt ...

Das Interesse ist bereits beim ersten Erfassen ... eines Ereignisses beteiligt, ebenso wie die vorhandenen Kategorien des Verstehens und des Ausdrucks"[72].

Was ist dann das eigentümliche Interesse der Urgestalt der Jehu-Erzählung, wo alles sich mit Windeseile entfaltet und vollzieht? Davon wird später die Rede sein. Es liegt allerdings nahe, daß die Morde an den Davididen wegen des der Erzählung zugrunde liegenden Interesses, mit dem ihre bewunderswerte "Dynamik der Vorgänge und der Darstellung"[73] zusammenhängen muß, nicht erwähnt worden sind.

Freilich stellt die Juda-Bearbeitung ihrerseits in Anbetracht der betreffenden Morde gar kein protokollartiges Dokument dar, was wir schon festgestellt haben. Es herrschen Dichtung und Wahrheit. Die historische Frage, wie das Südreich sich mit Jehu im Laufe seiner Empörung und

70 Überlieferung und Geschichte 15f.
71 M.Noth, Art.: Geschichtsschreibung, biblische, im AT, RGG^3 1499.
72 AaO. 17.
73 Smend, Die Entstehung des Alten Testaments 134.

Machtergreifung befaßt hat, ist höchst spannend. Hypothetisch rekonstru-
iere ich den wirklichen Geschichtsverlauf folgendermaßen.

Jehu eroberte die Stadt Jesreel, indem er den König Joram und die
Königinmutter Isebel umbrachte. Aber seine Machtergreifung über ganz
Israel vollzog sich nicht so einfach und glatt, wie die Erzählung mitteilt.
In der Tat muß es mit einigem Vorbehalt aufgenommen werden, daß die
unter vier Königen für drei Generationen fortbestandene Dynastie von
heute auf morgen ohne weiteres vernichtet worden sei, wenn es auch an-
dererseits wahrscheinlich ist, daß der Putsch Jehus sich in ziemlich kurzer
Zeit durchgesetzt hat.

Die sogenannte Aufstiegsgeschichte Davids berichtet, daß das Königshaus Sauls nach seinem Tode nicht leicht zusammengefallen ist; sie
erzählt ausführlich, wie David mit diesem Haus, dem er gedient hatte,
für lange Zeit in Fehde lag (vgl. 2 Sam 2-5).

Den Schlüssel bietet der "Brief Jehus" in 2 Kön 10,2.3:

"Und nun, wenn dieser Brief zu euch kommt, - da bei euch die
Söhne eures Herrn sind, und bei euch die Wagen und Rosse und die 'Fe-
stungsstädte' und die Rüstung sind - erseht den besten und tüchtigsten
unter den Söhnen eures Herrn, und setzt (ihn) auf den Thron seines Vaters, und kämpft für das Haus eures Herrn."

Kein Rauch ohne Feuer. Der Wortlaut des "Briefes" läßt die ver-
steckte Wahrheit der Geschichte erraten: das Königshaus in Samaria - womöglich indem es einen neuen König sogleich ernannte - griff zu den
Waffen gegen Jehu, der zeitweilig Jesreel als Stützpunkt genommen hatte. Samaria versuchte, den Aufstand niederzuschlagen. An dieser Gegenrevolution nahm das Südreich teil; die Verbindung der Davididen mit den
Omriden ist bekannt[74]. Die Verbündeten aber unterlagen Jehu. Vor ihm
fielen der König Ahasja von Juda und die Prinzen seines Hauses. In solchen Kriegsverhältnissen verrieten die Aristokraten in Samaria ihr Herrscherhaus und gingen zu Jehu über, indem sie die königlichen Prinzen
schlachteten und ihm die abgeschlagenen Köpfe darbrachten, ähnlich wie
zwei Häuptlinge - gerade im letzten Stadium des Konflikts zwischen dem
Hause Sauls und dem Davids - Ischbaal ben Saul töteten und seinen Kopf

74 1 Kön 22,45; 2 Kön 8,26.

David zu Füßen legten. - Auf diese Weise wurde der Weg nach Samaria dem glücklichen Usurpator Jehu gebahnt.

Die Vermutung liegt nahe, daß Jehu den verbündeten Truppen zwischen Jesreel und Samaria entgegengetreten ist. Vielleicht sind die Spuren dieses Kriegs an den in der Juda-Bearbeitung aufgezählten Ortsnamen erkennbar. Der in 9,27 angegebene Fluchtweg Ahasjas mag nicht bloß erfunden worden sein[75]. Der in 10,14 genannte Sterbeort der Brüder Ahasjas könnte nicht nur eine Erfindung am grünen Tische sein: das judäische Heer erlitt möglicherweise bei Bet-Eqed[76] katastrophale Verluste[77]. Ohne-

[75] Kittel, HK I,5, 233: "Bêt Haggān ist schwerlich Nomen appell. = Gartenhaus, was doch recht unbestimmt wäre. Vielleicht wird dasselbe gemeint sein, was Jos 19,1 `En Gannim heisst, heute Dschenîn; es liegt am Südende der Ebene Jesreel, also in der Richtung auf Jerusalem und an der Strasse dorthin, ungefähr 10 Kilom. von Jesreel entfernt ... . Die Lage von Jibleam ist durch die Nebenform Bileam I Chr 6,55 gesichert. Der Name Bileam haftet noch an einem Ort Bel`ame, wenig südlich von Dschenîn. Die Steige von Gûr selbst ist nicht näher zu bestimmen".Zu גור, dem heutigen Gurra, vgl. HAL 177 und die dort genannte Literatur. Würthwein, ATD 11,2, 332 Anm.20: "Daß Ahasja nach Megiddo, also in nordwestlicher Richtung von Jibleam flieht, ist etwas rätselhaft und hat verschiedene Erklärungen gefunden: Jehu habe den Weg nach Süden versperrt (Stade, G.I.1, 542), Ahasja habe sich den Schutz der Garnison (Gray) bzw. des Statthalters (Kittel) von Megiddo erhofft". Man darf wohl vermuten, daß die Stadt Megiddo im einschlägigen Zeitpunkt noch unter Kontrolle der Omriden stand. Megiddo scheint damals einer der wichtigsten militärischen Stützpunkte im Nordreich gewesen zu sein. Dazu vgl. z.B. BHH 1161 mit Taf.36b.

[76] Dieser Ort ist wahrscheinlich mit Bet Qād östlich von Genîn zu identifizieren (vgl. HAL 123 und die dort genannte Literatur). Thenius, KEH 9, 325: "Beit-Kâd, über zwei Stunden östlich von Jenîn auf der Ebene Jisreel, welches mit dem Βειθακάδ des Euseb. (eine κώμη 15 röm. Meilen von Legio, Lejjûn, Megiddo, auf der Ebene Jisr.) genau zusammentrifft, hat mit unserem Orte nur den Namen gemein, denn dorthin konnte Jehu auf dem Wege nach Samaria, der über Jenîn führt, nicht füglich gelangen". Ähnlicher Meinung sind Benzinger, KHC IX 153; Kittel, HK I,5, 238; Šanda, EHAT 9/2, 108. Vgl. ferner Schmitt, Elisa 232 Anm.214 und die dort genannte Literatur. Doch man muß beachten, daß die in der betreffenden Szene vorausgesetzte Situation als solche eine Fiktion ist. Ist es andererseits denkbar, daß Ahasja von Juda sich vielleicht gerade von Bet-Eqed aus in Richtung auf Bet-Haggan (דרך בית-הגן: 9,27) auf die Flucht begab? Dies muß aber eine Vermutung bleiben.

[77] Levin, Atalja 86: "Welche Überlieferung ist im Recht? War Jehu oder war Atalja der Mörder der Brüder des Ahasja? Die Frage war zeit-

hin enthält die Juda-Bearbeitung der Hauptsache nach bestimmte Nachrichten von der Geschichte[78], während man dort "die vorhandenen Kategorien des Verstehens und des Ausdrucks"[79] sehr deutlich beobachten kann.

Was besagt dann 10,15? Es unterliegt keinem Zweifel, daß er der
Juda-Bearbeitung angehört. Durch וילך משם steht die Angabe von V.15 der
Handlung nach mit der Darstellung von V.13-14bα in unmittelbarer Verbindung[80]; sowohl in V.13 als auch in V.15 erscheint das Verbum מצא, wobei
das Subjekt ebenfalls Jehu ist[81]. Wie V.14a sich auf 1 Kön 20,18; 2 Kön

weilig durchaus umstritten". Die eindeutige Beantwortung scheint mir,
gegen Levin, zu weit zu gehen. Es ist nicht undenkbar, daß alle judäischen Prinzen, die am Krieg gegen Jehu teilgenommen haben, zu Tode
kamen. Es ist aber nicht wahrscheinlich, daß alle Prinzen des Süd-
reiches samt und sonders (einschließlich der Kinder!) ins Feld zogen.
Auf jeden Fall kann man sich schwer vorstellen, daß alle männlichen
Angehörigen des davidischen Hauses mit der einzigen Ausnahme des
Säuglings Joasch ben Ahasja durch Jehu umgebracht wurden. Das vorläufige Regiment der Königinmutter Atalja mag gerecht gewesen sein.
Vermutlich war sie aber nicht ohne innere Feinde. Jedenfalls entfaltet
sich die Geschichte nicht immer verfassungmäßig. In diesem Zusammenhang dürfen wir mutatis mutandis an die Thronfolgegeschichte Davids erinnern, insbesondere an 1 Kön 1-2. Es ist wohl nicht willkürlich,
einen Machtkampf innerhalb des Hofes nach dem Tode des Königs
Ahasja anzunehmen. Der Machtkampf verlangt immer Opfer. Wahrscheinlich enthalten sowohl 11,1 als auch 10,13-14 einen historischen
Kern; wahrscheinlich sind die beiden Aussagen literarisch übertrieben
worden (כל-זרע המלכה einerseits, ארבעים ושנים איש in 10,14 andererseits).

78 Seiner Ideologie nach gehörte unser Bearbeiter sicher der oberen Sozi-
alschicht im Südreich an. Möglicherweise kannte er die am Hofe vorhandenen Dokumente. Aber unabhängig von dergleichen muß eine Katastrophe wie das Ende des Königs Ahasjas und der Prinzen allbekannt
gewesen sein.

79 S.o. Anm.72.

80 Vgl. z.B. Kittel, HK I,5, 238.

81 Anders als in V,13 verbindet sich das Verbum מצא in V.15 mit dem
Ausdruck לקראתו und enthält in sich nicht den Aspekt des zufälligen
Zusammentreffens. Dies bedeutet aber keinen Spalt, der sich für die
Literarkritik nutzen ließe. Der Gebrauch von מצא in V.15 ist im genannten Sinne mutatis mutandis mit dem in 9,21bα²β zu vergleichen:
ויצאו לקראת יהוא וימצאהו. Diese Formulierung mag möglicherweise auf
unserer Stelle beruht haben. Übrigens stimmt der Einsatz unseres Verses mit dem von 1 Kön 19,19 überein: וילך משם וימצא את-. Ein litera-
rischer Zusammenhang zwischen den beiden Stellen ist jedoch kaum
denkbar.

7,12 stützt, stellt V.15bβ Zitat von 1 Kön 20,33bβ dar:

(V.15bβ)   ויעלהו אליו אל-המרכבה

(I 20,33bβ)   ויעלהו   על-המרכבה

In der LXX lauten diese beiden Sätze:

καὶ ἀνεβίβασεν   αὐτὸν πρὸς αὐτὸν ἐπὶ τὸ ἅρμα   (V.15bβ)

καὶ ἀναβιβάζουσιν αὐτὸν πρὸς αὐτὸν ἐπὶ τὸ ἅρμα   (I 20,33bβ)

LXX muß bei ihrer Übersetzung von 1 Kön 20,33bβ die Vorlage mißverstanden haben. Die pluralische Form des Verbums kommt nicht in Frage[82]. Es ist klar, daß nicht die Diener des Ben-Hadad ihn auf den Wagen des israelitischen Königs haben hinaufsteigen lassen. Das Subjekt der betreffenden Handlung ist sicher der König von Israel. Die Geste zeigt die Versöhnung zwischen den beiden Königen. Mithin deutet V.15bβ ein politisches Abkommen zwischen Jehu und einem gewissen Jonadab ben Rekab an. Dies gilt für den ganzen Vers. Der Ausdruck נתן יד stellt das Gelöbnis vor; die Belege dafür im politischen Bereich finden sich neben unserer Stelle z.B. in Ez 17,18; 1 Chr 29,24[83].

Dem Handschlag zwischen Jehu und Jonadab geht ihr Zwiegespräch voraus:

    :

ויברכהו   καὶ εὐλόγησεν αὐτον.

ויאמר אליו   καὶ εἶπεν πρὸς αὐτὸν Ιου[84]

היש את-לבבך   Εἰ ἔστιν καρδία σου

    μετὰ καρδίας μου

ישר   εὐθεῖα

כאשר לבבי   καθὼς ἡ καρδία μου

עם-לבבך   μετὰ τῆς καρδίας σου;

---

82 "On the other hand, ב, 10,15 makes it probable that πρὸς αυτόν ... should be inserted in the text" (Stade-Schwally, SBOT 9, 162). Vgl. auch Thenius, KEH 9, 241.

83 Vgl. Gesenius-Buhl 284 und die dort genannte Literatur.

84 Dieses Ιου ist Zusatz, der freilich kontextgemäß ist. Das ἐν τῇ ὁδῷ in V.15 in LXX beruht ebenfalls nicht auf hebräischer Vorlage. Es stellt eine Erweiterung aufgrund desselben Ausdrucks in V.12 (בדרך) dar.

ויאמר יהונדב	καὶ εἶπεν Ιωναδαβ
יש	Ἔστιν.
	καὶ εἶπεν Ιου
ויש	Καὶ εἰ ἔστιν,
תנה את-ידך	δὸς τὴν χεῖρά σου.
ויתן ידו	καὶ ἔδωκεν τὴν χεῖρα αὐτοῦ,

:

Der hebräische Text scheint verdorben zu sein. Vor ויש ist wohl nach LXX "ויאמר יהוא" einzusetzen[85]. Jedenfalls ist die Interpretation der LXX im Recht[86]. Schwer zu verstehen ist der Hauptsatz der von Jehu an Jonadab gerichteten Frage: היש את-לבבך ישר. Es gibt manche verschiedene Vorschläge der Textretusche. Die meisten wollen den Text nach LXX korrigieren und dadurch einen Parallelismus mit dem folgenden Nebensatz herstellen[87]. Es ist jedoch denkbar, daß LXX hier keine möglichst wörtliche Wiedergabe ihrer Vorlage beabsichtigt, sondern ihre eigene paraphrasierende Übersetzung angefertigt hat[88]. Jedenfalls - unabhängig von der genauen Rekonstruktion des Textes - handelt es sich dabei gewiß um die Aufforderung Jehus zum vollständigen Einvernehmen Jonadabs mit ihm. "In ישר liegt hier die aufrichtige Uebereinstimmung in der Gesinnung" (O.Thenius[89]).

---

85 Dies ist nahezu communis opinio. Vgl. z.B. Thenius, KEH 9, 327.

86 Vgl. Schmitt, Elisa 232 Anm.218 und in Zusammenhang damit auch 195 Anm.25 und die dort genannte Literatur.

87 Burney, aaO. 304: "Doubtless we ought to follow LXX, Luc. in reading היש לבבך את-לבבי ישר, thus securing a perfect parallelism with the following clause. So Th(enius), Klo(stermann), Benz(inger), Oort. Kamp(hausen), Kit(tel) adopt the less probable order היש לבבך ישר את- לבבי". An der im heutigen hebräischen Texte stehenden Präposition את hält das Wörterbuch von Gesenius-Buhl (322) nicht fest; seine Rekonstruktion heißt: היש לבבך ישר עם-לבבי. Dazu vgl. Stade-Schwally, SBOT 9, 229.

88 Schmitt, Elisa 232 Anm.215: "Lies אתי statt M את! Dies ist die einfachste Emendation des in seiner jetzigen Form schwierigen Textes. Vgl. BHK". Dieser Meinung begegnet man schon bei Stade-Schwally, SBOT 9, 229 und Šanda, EHAT 9/2, 110. Zu den anderen Möglichkeiten der Emendation vgl. z.B. Thenius, KEH 9, 326f.; Kittel, HK I,5, 240; Stade-Schwally, SBOT 9, 229f.; HAL 429.

89 KEH 9, 327.

Es ist beachtenswert, daß LXX auch 2 Kön 9,15bα[1] in unserer Erzählung sowie 1 Sam 14,7bβ, wo es um נפש bzw. לבב geht, kommentierend übersetzt hat[90]:

הנני עמך כלבבך (1 Sam 14,7bβ)

- ἰδοὺ ἐγὼ μετὰ σοῦ, ὡς ἡ καρδία σου <u>καρδία μοῦ</u>.

אם-יש נפשכם (2 Kön 9,15b*)

- Εἰ ἔστιν ἡ ψυχὴ ὑμῶν <u>μετ' ἐμοῦ</u>,

Der Spruch Jehus in 2 Kön 9,15bα[1] besagt, wie gezeigt wurde, inhaltlich dasselbe, was der Dornbusch in Ri 9,15aα[2] äußert:

"Wenn ihr mich in Wahrheit (באמת) zum König über euch salben wollt." Dieser Wendung באמת in der Jotam-Fabel entspricht der Ausdruck ישר in 2 Kön 10,15. Es hat mit den religiösen Dingen nichts zu tun[91]. 2 Kön 9, 15b; 10,15 stammen von ein und derselben Hand, und zwar ist dieselbe Aussage Jehu in den Mund gelegt. Auch in 1 Sam 14,7bβ ist von der Aufrichtigkeit eines Dieners gegen seinen Herrn die Rede. Und in diesem Zusammenhang hat die Aussage von 2 Kön 10,15 - cum grano salis - ihren Platz.

Wer war Jonadab, den die Juda-Bearbeitung eigens erwähnt? Sicher ist, "dass es sich um einen Mann handelte, der (Jehu versicherte sich seiner Zustimmung) in hohem Ansehen stand" (Thenius[92]). Vielleicht war er einer der wichtigsten Dienstmannen im Hause Omris, ein Abner für Jehu (vgl. 2 Sam 3). Oder er war vielleicht Jehus Konkurrent um die Hegemonie. Man kann in dieser Beziehung an die Situation zwischen Simri und Omri sowie die zwischen Omri und Tibni erinnern (vgl. 1 Kön 16). Darüber läßt sich freilich nur spekulieren. Auf jeden Fall war der betreffende Kompromiß als eine für die Festigung der Macht Jehus wichtige Begebenheit unserem Bearbeiter bekannt.

Solch eine politische Nuance war, wie gesehen, dem Interesse dessen völlig fremd, der V.16 im Anschluß an V.15 nachgetragen hat. Dort ist

---

90 Vgl. ferner Gen 23,8.
91 HAL 491: "(לבבך ישר) אתי du meinst es aufrichtig mit mir 2K 10, 15", vgl. Würthwein, ATD 11,2, 327. Diese Auffassung entspricht nicht der ursprünglichen Aussageintention des Verses.
92 KEH 9, 326.

von Jehus Eifer für Jahwe die Rede; Jonadab nimmt hauptsächlich die Rolle ein, in Vertretung der Leser die Erklärung Jehus anzuhören. Aber die Darstellung von V.16 ist gewiß der Nährboden der Vorstellung geworden, Jonadab ben Rekab müsse ein entschlossener Gegner der Verehrung des Baal gewesen sein[93]. Es ist leicht nachvollziehbar, wie aus diesem Jonadab ein Verleugner der kanaanäischen Kultur überhaupt gemacht wurde. Bekanntlich kommt Jonadab ben Rekab als Ahnherr einer dem nomadischen Ideal strikt folgenden Sippe in Jer 35 vor. Die dortige Gestalt ist keine andere als ein literarisch konstruiertes Bild. Jer 35 in seinem jetzigen Umfang setzt 2 Kön 10,16 voraus[94].

Wir haben oben festgestellt, daß 2 Kön 10,16 in Rücksicht auf 1 Kön 19,10.14 formuliert worden ist. In welchem Verhältnis steht nun 2 Kön 10,14 zu 1 Kön 18,40? Die Parallelität der beiden Stellen ist augenscheinlich:

1 Kön 18,40*	2 Kön 10,14*
ויאמר אליהו להם	ויאמר
תפשו את-נביאי הבעל	תפשום חיים
ויתפשום	ויתפשום חיים
וישחטם שם	וישחטום

"Jehu befiehlt 2 Reg. x 14, die judäischen Königsbrüder zu ergreifen (תפש), ganz wie es Elia 1 Reg. xviii 40 in bezug auf die Baalspropheten tut; beide Male wird anschließend die Ausführung des Befehls mit demselben Wort erzählt, und beide Male werden die Ergriffenen dann 'abgeschlachtet'(שחט, vgl. 2 Reg. x 7)" (Smend[95]).

Es ist ausgeschlossen, daß unser Bearbeiter Jehu mit Elija und die Baalspropheten mit den judäischen Prinzen gleichgesetzt hat. Fraglos hängt 1 Kön 18,40 von 2 Kön 10,14 ab und nicht umgekehrt.

Demjenigen, der 1 Kön 18,40 abgefaßt hat, lag die in Juda bearbeitete Jehu-Erzählung also vor. Die eigentümliche Tendenz der Juda-Be-

---

93 Es ist fast ausgeschlossen, daß der Jonadab, den die Juda-Bearbeitung in V.15 nennt, ein durch besondere Religiösität gekennzeichneter Mensch war.
94 Ich verzichte hier auf die Analyse von Jer 35.
95 Das Wort Jahwes an Elia 149.

arbeitung war ihm aber nicht mehr bekannt; die Ausdrücke aus 2 Kön 10,14 sind in 1 Kön 18,40 selbstverständlich im positiven Sinne benutzt worden. Der dortige Ergänzer hat das in 2 Kön 10,14 Erzählte stillschweigend als die gerechte Bestrafung der judäischen Königsbrüder durch Jehu wegen der Baalsverehrung aufgefaßt[96]. 1 Kön 18,40 ist jünger als DtrH; denn es ist DtrH, der die Baalsverehrung in Juda unter den Königen Joram ben Joschafat und Ahasja ben Joram erdichtet hat[97].

Es ist klar, daß der Satz איש אל-ימלט מהם in 1 Kön 18,40 im Rückblick auf 2 Kön 10,24.25 formuliert worden ist[98]. In V.24 kommt der Ausdruck האיש אשר-ימלט מן- [99] vor, in V.25 begegnet man dem Imperativsatz איש אל-יצא [100]. Derjenige, der 1 Kön 18,40 abgefaßt hat, hat die Jehu-Geschichte, wie sie ihm vorlag, sicher für eine Geschichte von der Ausrottung des Baal gehalten.

Ist unsere Erzählung dies von Hause aus gewesen? Ist die Urgestalt der Jehu-Erzählung sozusagen die Geschichte von der Ausrottung des Baal mit langer Einleitung gewesen? Auf diese Frage wollen wir im nächsten Kapitel antworten, indem wir die letzte Szene unserer Erzählung, die von der Abschaffung des Baalskults durch Jehu berichtet, eingehend untersuchen.

---

96 Wir haben oben gesehen, daß die Vorstellung von der Bestrafung des judäischen Königshauses durch Jehu als den Beauftragten Jahwes in der Chronik ausdrücklich zur Darstellung gebracht worden ist, obschon der Grund der Sünde, d.h. die Baalsverehrung, dort nicht mehr expressis verbis angegeben worden ist.
97 Damit wird nicht behauptet, daß es in Juda keinen Baalskult gegeben habe. Darüber haben wir keine Geschichtsquelle. Vgl. Levin, Atalja 62-64.
98 Vgl. z.B. O.H.Steck, Überlieferung und Zeitgeschichte in den Elia-Erzählungen 88 Anm.3; Smend, aaO. 149.
99 Zwar muß man hier pi anstatt ni lesen, was als communis opinio gilt (vgl. vor allem Thenius, KEH 9, 328); doch ist die Parallelität der betreffenden beiden Stellen unstreitig.
100 In V.19 findet sich der Satz איש אל-יפקד. Davon wird später die Rede sein.

IX. Die Ausrottung des Baalskults durch Jehu: die ätiologische Legende in 2 Kön 10,18-27 als Anhang zur ursprünglichen Jehu-Erzählung

(1) Die Nichtzugehörigkeit des Abschnitts V.18-27 zur ursprünglichen Jehu-Erzählung

"Die Szene von der Zerstörung des Baalstempels V.18-27 ist ein völlig andersgearteter Anhang" (Ch.Levin[1]). Woraus ergibt sich dieser Schluß? Als entscheidendes Argument ist vor allem die thematische Geschlossenheit des Abschnitts zu nennen. Vom Baal ist innerhalb des uns vorliegenden Erzählungsganzen, abgesehen von nachträglichen Andeutungen, ausschließlich in 10,18-27 die Rede. Zwar spielt das religiöse Element auch im vorangehenden Revolutionsbericht von vornherein eine große Rolle; kein Geringerer als der Prophet Elischa tritt zu Anfang auf und nimmt das Wort (9,1ff.). Seine Rede erstreckt sich allerdings nicht auf die Angelegenheit unseres Abschnitts, sondern betrifft ausschließlich die Sanktionierung des Königsantritts Jehus durch Jahwe. Sicher ist, "daß der Revolutionsbericht mit dem Einzug Jehus nach Samaria ... seinen Kulminationspunkt und zugleich sein Ende erreicht" (Levin[2]). Es besteht keine notwendige Verbindung zwischen dem Bericht von der Königwerdung Jehus und dem vom Ende des Baalskults. Und auch umgekehrt hebt sich dieser vom Vorangegangenen ab. Der Unterschied betrifft auch den Charakter der Darstellung. In 10,18-27 ist Jehu allein maßgebend. Kein Wort ist den anderen Personen in den Mund gelegt. Als Gegenspieler Jehus treten die עבדי הבעל auf. Als die zu Verderbenden sind

---

1 Atalja 86 Anm.9.
2 Ebd. E.Würthwein, ATD 11,2, 324.340-342, vertritt auf seine Weise die Auffassung, "die Darstellung über die Vernichtung der Baalsanhänger (10,18-27)" (324) sei kein Bestandteil der alten Erzählung gewesen. Sie sei durch das ganze Stück "dtr konzipiert" (342). Wir haben oben festgestellt, daß V.28 das redaktionelle Frömmigkeitsurteil des DtrH ist. V.28 setzt aber V.18-27* voraus. Der Abschnitt muß vordeuteronomistisch sein.

sie so gut wie zum Schlachthof getriebene Schafe. Freilich ist Jehu auch im vorangehenden Teil der Held der Erzählung. Wie die anderen Personen sich ihm gegenüber verhalten, ist aber dort mit dramatischer Spannung zur Darstellung gebracht. Kraft der schriftstellerischen Virtuosität des Autors macht die Erzählung über die Revolution des Jehu den Eindruck, als ob sie eine Art Reportage wäre. Das ist bei 10,18-27 nicht der Fall. Der Gesichtspunkt des hiesigen Verfassers ist durch eine ätiologische Schlußnotiz deutlich von dem berichteten Geschehen abgerückt: עד-היום [3]. Wie wir noch näherhin sehen werden, lassen sich die Einzelzüge der hiesigen Darstellung sämtlich diesem ätiologischen Skopus unterordnen und von dorther zu verstehen.

Die Szene von der Ausrottung des Baalskults durch Jehu ist keine ursprünglich selbständige Geschichte, sondern stellt eine Ergänzung ad hoc zur vorgegebenen Jehu-Erzählung dar. Dies wird dadurch erwiesen, daß der Einsatz unseres Abschnitts dem Schlußteil des Revolutionsberichtes seine Formulierung verdankt:

(10,9aαβ)   ויהי בבקר ויצא ויעמד ויאמר אל-כל-העם

(10,18aαβ)   ויקבץ יהוא את-כל-העם ויאמר אלהם

(2) Die späteren Erweiterungen

(i) ויהונדב בן-רכב und פה in V.23

Literarisch ist der Text von V.18-27 nicht einheitlich. Unser Abschnitt ist voll "von zahlreichen späten Erweiterungen" (Levin[4]). Zuerst

---

3 J.Wellhausen beachtet, daß hier der Ausdruck עד היום statt des stereotypen עד היום הזה vorkommt (Die Composition des Hexateuchs 287). Das hiesige עד היום im masoretischen Text ist beizubehalten. Dazu vgl. Stade-Schwally, SBOT 9, 233. Zwischen עד היום und עד היום הזה besteht dem Begriff nach kein wesentlicher Unterschied. Der Ausdruck עד היום als ätiologische Schlußnotiz findet sich sonst in Gen 19,37.38; 35,20; 2 Chr 20,26; 35,25.
4 Die Verheißung des neuen Bundes 240 Anm.158.

liegt es nahe, daß ויהונדב בן-רכב in V.23 ein Nachtrag ist. Die Sekundarität der Erwähnung des Jonadab verrät der Satz ויאמר לעבדי הבעל in V.23b: "the special subject יהוא is not repeated after ויאמר" (Stade-Schwally[5]). Die Anmerkung von A.Šanda ist kurz und treffend: "Jonadab ist hier späterer Zusatz. Daher ויבא Sing. Auch müßte sonst hinter ויאמר Jehu als Subjekt wiederholt werden"[6]. Selbstverständlich läßt sich das hiesige ויהונדב בן-רכב von V.16 ableiten[7].

Den Abschnitt V.18-27 darf man der Handlung nach in zwei Teile zerlegen. Während in V.18-22 dargestellt wird, wie Jehu die Ausrottung des Baalskults vorbereitet, ist in V.23-27 die Ausführung dargestellt. V.23 entspricht V.18:

V.23a*.bα[1]	V.18aαβ
ויבא יהוא ( ) בית הבעל	ויקבץ יהוא את-כל-העם
ויאמר לעבדי הבעל	ויאמר אלהם

Die Meinung, V.23 sei als solcher sekundär, ist unhaltbar[8]. Allerdings scheint das Adverb פה Glosse zu sein: "MT פה is not found in LXX; and since it is redundant beside עמכם, it is probably to be regarded as scribal expansion" (Stade-Schwally[9]).

(ii) V.19a.20.22.24a

Die genannten Stellen gehören nicht dem ursprünglichen Bestand des Abschnitts an, sondern stellen Nachträge dar. Die erste Bearbeitungsschicht bilden V.19aα[1·2](ohne כל-עבדיו).20.22.24a. Einer weiteren Fortschreibung begegnet man in V.19aα[3]β.

5 SBOT 9, 231f.
6 EHAT 9/2, 115.
7 I.Benzinger, KHC IX, 154: "Jonadab ist hier zweifellos aus V.15f. nachgetragen". Ähnlich Würthwein, ATD 11,2, 340 Anm.4.
8 Gegen z.B. H.-Chr.Schmitt, Elisa 25 und die dort in Anm.49 genannte Literatur.
9 SBOT 9, 232.

Im vorliegenden Text wird das hinterlistige Opferfest Jehus merkwürdigerweise dreimal nacheinander angekündigt: V.19a anschließend an
V.18; V.20; V.21aα.

Das erste Aufgebot ist das umfassendste: alle Propheten des Baal,
all seine Anhänger und all seine Priester (‏כל-נביאי הבעל כל-עבדיו וכל-‏
‏כהניו‏) sollen bis auf den letzten Mann zu Jehu kommen, denn er will
ein großes Schlachtopfer für den Baal veranstalten; jeder Fehlende soll
mit dem Leben bezahlen (V.19a).

Doch kann man leicht erkennen, daß V.19aβ eine Art Wiederaufnahme von V.19aα^2 darstellt:

(V.19aα^2)   ‏איש לא-יפקד‏

(V.19aβ)   ‏כל אשר יפקד לא יחיה‏

V.19aα^{3}β ist sekundär. V.19aα^3 verdankt Ri 16,23 seine Formulierung[10]:

‏וסרני פלשתים נאספו‏

(Ri 16,23a*)   ‏לזבח זבח-גדול   לדגון אלהיהם‏

(V.19aα^3)   ‏כי   זבח גדול לי לבעל‏

Hier ist eine nachträgliche Auslegung in Zusammenhang mit der Simson-
Geschichte zum Ausdruck gebracht: ebenso wie Simson den Philistern bei
ihrem großen Schlachtopfer für Dagon seinen letzten, aber größten Schlag
versetzt hat, hat Jehu die Baalsverehrer vernichtet, indem er - zu diesem Zweck - ein großes Schlachtopfer für den Baal veranstaltet hat.

Nun ergeht der zweiten Befehl Jehus, eine heilige Versammlung für
den Baal anzusetzen, und sie wird ausgerufen[11]:

‏ויאמר יהוא קדשו עצרה לבעל‏

‏ויקראו‏

In V.20 wird eine Zwischeninstanz mit der Ausrichtung des Baalsfestes
beauftragt. Wer ist gemeint? Es kann niemand anderes sein als jene
Geistlichkeit, die Jehu im vorangehenden Befehl herbeizitiert hat: ‏כל-‏
‏נביאי הבעל וכל-כהניו‏[12].

---

10 Der Ausdruck "Gottheit + ‏זבח גדול ל‏" ist innerhalb des Alten Testaments nur in den genannten zwei Stellen belegt.
11 Zu den hier gebrauchten Verben ‏קדש‏ pi und ‏קרא‏ vgl. H.W.Wolff, BK
XIV/2 37f. Zu dem Terminus ‏עצרה‏ vgl. E.Kutsch, Die Wurzel ‏עצר‏ im
Hebräischen 65f.
12 Vgl. A.Klostermann, KK A,3, 425; I.Benzinger, KHC IX 153f.; R.Kit-

Das asyndetische כל־עבדיו in V.19 ist zu streichen[13]: "MT כל עבדיו
... separates in an objectional manner the prophets and priests of Baal,
who should go together. It must therefore be regarded as an awkward
scribal expansion" (Stade-Schwally[14]). Es ist "Glosse, die die Propheten
und Priester des Baal fälschlicherweise mit den Verehrern Baals von
v.21ff. gleichsetzen will und die etwas ungeschickt in den Text geraten
ist" (H.-Chr.Schmitt[15]).

Läßt man das כל־עבדיו sowie den Nachtrag V.19aα[3]β weg, so
bleibt die Einheit der Handlung zwischen dem ersten und dem zweiten
Befehl Jehus gewahrt: Jehu habe zunächst das ganze Volk aufgerufen,
alle Propheten und Priester des Baal ohne Ausnahme herbeizubringen, sodann[16] sei die zu ihm berufene Geistlichkeit ihrerseits mit der Durch-
führung des Baalsfestes beauftragt worden, und sie, die Propheten und
Priester des Baal, seien sogleich dem Auftrag Jehus nachgekommen.
Wellhausen: "V.20 sagt mit kürzeren Worten noch einmal, was weitläu-
figer schon in v.19 gestanden hat; denn man kann nicht annehmen, dass
in v.19 Jehu nur die Priester und Propheten des Baal entbietet und ihnen
dann v.20 aufträgt, eine allgemeine Feier anzustellen"[17]. Das ist falsch.
Man muß es annehmen.

So verstanden ist es recht erstaunlich, daß Jehu anschließend noch
einmal persönlich in ganz Israel umhersenden läßt (V.21aα).

Offenkundig gehören V.21aα und V.19aα*.20 nicht zusammen. Und
offenkundig ist die Erwähnung der Zwischeninstanz sekundär gegenüber
der Beschreibung des persönlichen Handelns Jehus; und zwar stellt sie
eine nachträgliche Ausdeutung dar. In einer späteren Zeit konnte sich
derjenige, der V.19aα*.20 eingeschaltet hat, den kultischen Betrieb nur
noch derart institutionalisiert vorstellen.

---

tel, HK I,5, 240f.; C.F.Burney, Notes on the Text of the Books of
Kings 304f.; H.Gunkel, Elisa 90f.; A.Šanda, EHAT 9/2, 113f.
13 Dies gilt fast als communis opinio seit Klostermann, KK A,3, 425.
14 SBOT 9, 230.
15 Elisa 233 Anm.221.
16 Vgl. die in Anm.12 genannte Literatur. Klostermann, KK A,3, 425:
"Im Interesse der Kürze ist die Notiz, daß sie (sc. die berufenen Propheten und Priester) erschienen, weggelassen".
17 Die Composition des Hexateuchs 373.

Die Formulierung von V.20 stützt sich vornehmlich auf Joel 1,14aα ; 2,15b: קראו עצרה קדשו-צום. Anschließend an Joel 1,14aα lautet V.14aβγ : אספו זקנים כל ישבי הארץ בית יהוה אלהיכם. In 2 Kön 10,21 findet sich der Satz ויבאו כל-עבדי הבעל (V.21aβ), sowie ויבאו בית הבעל (V.21bα). Es ist zu vermuten, daß unser Verfasser in den genannten Stellen eine Par-allalität gesehen hat. Joel 2,16aα[3] lautet: קבצו זקנים. 2 Kön 10, 18aα heißt: ויקבץ יהוא את-כל-העם. Es ist unzweifelhaft, daß der Verfasser von V.19aα*.20 bei seiner Bearbeitung unserer Überlieferung die Perikopen des Joelbuches im Sinne behalten und sie benutzt hat.

Die Verwendung der Verben קדש pi und קרא in unserer Stelle ist deshalb nicht verwunderlich, weil sie sich nach der Vorlage richtet. Stade-Schwally[18]: "In MT we should expect ויקדשו (statt ויקראו, ent-sprechend dem Imperativ קדשו). Das trifft nicht zu. Wellhausen geht noch weiter: "Wenn mit ויקראו nur die Ausführung des Befehls קדשו er-zählt werden sollte, so würde der Ausdruck nicht wechseln. Vielleicht ist das Niphal zu sprechen und mit ויבאו v.21 zu verbinden"[19]. Diese ge-zwungene Auffassung beruht darauf, daß Wellhausen V.21aα irrigerweise für sekundär hält. "In dem ursprünglichen Bericht hat jedenfalls nicht ge-standen, dass Jehu Boten durch ganz Israel gesandt habe, um alle Baals-diener aus dem ganzen Land zusammen zu bringen. Denn das verdirbt Alles; er muss mit überraschender Eile verfahren und sich auf die Haupt-stadt, Samarien, beschränken"[20]. Eine vorschnelle Historisierung.

Der Text von V.21 ist in LXX erweitert[21]:

	18	
ויקבץ יהוא את-כל-העם		Καὶ συνήθροισεν Ιου πάντα τὸν λαὸν
ויאמר אלהם		καὶ εἶπεν πρὸς αὐτούς
⋮		⋮

18 SBOT 9, 231.
19 AaO. 372 Anm.4.
20 Ebd. 373. Wellhausens Auffassung folgt Gunkel, Elisa 90f.: "Über-treibend fügt ein Späterer hinzu, Jehu selber habe durch ganz Israel gesandt, um sie (sc. die Baal-Verehrer) alle zusammenzubringen".
21 Vgl. Stade-Schwally, SBOT 9, 231.

ועתה	19	καὶ νῦν,
כל-נביאי הבעל		πάντες οἱ προφῆται τοῦ Βααλ,
כל-עבדיו		πάντας τοὺς δούλους αὐτοῦ
וכל-כהניו		καὶ τοὺς ἱερεῖς αὐτοῦ
קראו אלי		καλέσατε πρός με,
איש אל-יפקד		ἀνὴρ μὴ ἐπισκεπήτω,
כי זבח גדול לי לבעל		ὅτι θυσία μεγάλη μοι τῷ Βααλ·
כל אשר-יפקד לא יחיה		πᾶς, ὅς ἐὰν ἐπισκεπῇ, οὐ ζήσεται.
ויהוא עשה בעקבה		Καὶ Ιου ἐποίησεν ἐν πτερνισμῷ,
למען האביד		ἵνα ἀπολέσῃ
את-עבדי הבעל		τοὺς δούλους τοῦ Βααλ.
ויאמר יהוא	20	καὶ εἶπεν Ιου
קדשו עצרה לבעל		Ἁγιάσατε ἱερείαν τῷ Βααλ·
ויקראו		καὶ ἐκήρυξαν.
וישלח יהוא בכל-ישראל	21	καὶ ἀπέστειλεν Ιου ἐν παντὶ Ισραηλ
		λέγων
		Καὶ νῦν
		πάντες οἱ δοῦλοι τοῦ Βααλ
		καὶ πάντες οἱ ἱερεῖς αὐτοῦ
		καὶ πάντες οἱ προφῆται αὐτοῦ,
		μηδεὶς ἀπολειπέσθω,
		ὅτι θυσίαν μεγάλην ποιῶ·
		ὃς ἂν ἀπολειφθῇ, οὐ ζήσεται.
ויבאו		καὶ ἦλθον
כל-עבדי הבעל		πάντες οἱ δοῦλοι τοῦ Βααλ
		καὶ πάντες οἱ ἱερεῖς αὐτοῦ
		καὶ πάντες οἱ προφῆται αὐτοῦ·
ולא-נשאר איש		οὐ κατελείφθη ἀνήρ,
אשר לא-בא		ὃς οὐ παρεγένετο.
ויבאו		καὶ εἰσῆλθον
בית-הבעל		εἰς τὸν οἶκον τοῦ Βααλ,
וימלא בית-הבעל		καὶ ἐπλήσθη ὁ οἶκος τοῦ Βααλ
פה לפה		στόμα εἰς στόμα.

Im hebräischen Text sind die Propheten und Priester des Baal nur einmal

in V.19 ausdrücklich genannt. Es sind - nach V.21 - allein die עבדי הבעל ,
die in den Baalstempel eintreten; von den Propheten und Priestern ist
nicht die Rede. LXX hat diese Schwierigkeit auszugleichen versucht, indem sie Jehu in V.21 noch einmal V.19a wiederholen läßt und den Anhängern des Baal die Priester und Propheten hinzufügt. Das ist aber offenbar eine sekundäre Erweiterung[22]. Der erweiterte Teil des griechischen Textes ist möglicherweise innerhalb der LXX selbst sekundär. Denn
er dient nicht nur zur Glättung der hebräischen Vorlage, sondern gilt zugleich auch als inhaltliche und sprachliche Berichtigung der griechischen
Übersetzung des dem hebräischen Text entsprechenden Teils. Der erste
Satz von V.19 heißt in LXX: "Und jetzt, alle ihr Propheten des Baal,
ruft all seine Anhänger und Priester herbei zu mir". Diese gekünstelte
Fassung, die ja auf ihre Weise das asyndetische כל-עבדיו berücksichtigt[23], kommt nicht in Frage. In V.21 findet sich die freie, aber sinn-
gemäße Übersetzung: "Und jetzt, alle Anhänger des Baal und alle seine
Propheten (sollen kommen), niemand soll ausbleiben". Der Gebrauch von
ἐπισκεπέω[24] für פקד ni in V.19 ist - in diesem Kontext - völlig sinnlos.
Die Übersetzung ist falsch. Im Gegensatz dazu trifft die Verwendung von
ἀπολείπω in V.21 auf die hebräische Aussage zu. In V.19 ist versucht,
den hebräischen Text wortwörtlich ins Griechische zu übersetzen. Deswegen ist die Übersetzung, abgesehen von den genannten Mißdeutungen,
im Griechischen außergewöhnlich. Vgl. die Formulierung ἀνὴρ μὴ .... [25]
mit μηδεὶς ἀπολειπέσθω. Ferner sind die folgenden zwei Fassungen einander gegenüberzustellen:

V.19a*	V.21*
ὅτι θυσία μεγάλη μοι τῷ Βααλ·	ὅτι θυσίαν μεγάλην ποιῶ·
πᾶς, ὃς ἐὰν ...	ὃς ἂν ...

Auch hier handelt es sich um eine stilistische Verbesserung. Jedenfalls

---

22 Gegen Klostermann, KK A,3, 425: Das in Frage stehende Stück sei
   "im H weggelassen".
23 Der Sinn der Glosse כל-עבדיו in V.19 ist LXX nicht mehr bekannt. S.o.
   Anm.15.
24 ἐπισκεπέω = ἐπισκοπέω = ἐπισκέπτομαι.
25 Dieser Formulierung begegnen wir auch in V.25: ἀνὴρ μὴ ἐξελθάτω ἐξ
   αὐτῶν. Das ἐξ αὐτῶν stellt dabei eine freie Ergänzung dar. MT heißt:

setzt der erweiterte Teil von V.21 in LXX irgendeine hebräische Vorlage nicht voraus. Er stützt sich auf V.19a.

Wie festgestellt wurde, gehört V.19a, wo von den Propheten und Priestern des Baal die Rede ist, nicht zur ursprünglichen Gestalt unseres Abschnittes. Ursprünglich war lediglich von den Anhängern des Baal (עבדי הבעל) die Rede.

Es fällt nun V.24a auf: ויבאו לעשות זבחים ועלות. Wer kommt jetzt in den Baalstempel hinein, um zu opfern? Jehu, der Veranstalter des Festes, ist schon da (V.23). Vom Eintritt der עבדי הבעל in den Baals-tempel war in V.21bα die Rede. Wie in V.20[2] (ויקראו), ist auch hier der Klerus des Baal gemeint: die in V.19aα* erwähnten נביאי הבעל וכל- כהניו. V.24a ist ein nachträglicher Kommentar zu V.25aα[1]: ויהי ככלתו לעשות העלה. Darin spiegelt sich die Vorstellung aus späterer Zeit, die praktische Ausführung des Opfers sei Sache der Geistlichkeit. Wellhausen: "Wegen ככלתו ist auch hier (sc. V.24a) der Singular ויבא zu lesen"[26]. Das ist falsch. Die lectio difficilior muß bleiben[27]. V.24a verhält sich zu V.25aα[1] wie V.19aα*.20 zu V.21aα. Diese beiden Nachträge stammen fraglos aus ein und derselben Feder. Der betreffende Bearbeiter hält die in seiner Vorlage stehenden עבדי הבעל für die Laien[28].

Zu derselben Bearbeitungsschicht gehört wahrscheinlich V.22[29]. Es handelt sich auch hier um ein Detail der kultischen Begehung. Die Struktur des Verses ist gleich der von V.20: der Befehl Jehus ergeht, dann folgt die Ausführung:

איש אל-יצא. In 1 Kön 18,40 findet sich die sozusagen normale grie-chische Fassung:

איש אל-ימלט מהם - μηθεὶς σωθήτω ἐξ αὐτῶν.

26 AaO. 372 Anm.6. Ähnlich z.B. Klostermann, KK A,3, 426; Benzinger, KHC IX, 154; Kittel, HK I,5, 241; Burney, aaO. 305; Šanda, EHAT 9/2, 115; Schmitt, Elisa 25 Anm.50. B.Stade sagt: "Zu 10,24 ויבאו l. ויבא nach LXX καὶ εἰσῆλθε. Es wird durch V.19 זבח לי לבעל und V.25 ככלתו gefordert. Jehu opfert dem Baal eigenhändig" (Miscellen. 10, 278). Diese Meinung ist wiederholt in Stade-Schwally, SBOT 9, 232. Es ist aber klar, daß V.19aα[3] nicht als Argument gelten kann.

27 LXX hat eine Glättung versucht.

28 Vgl. die in Anm.12 genannten Literatur.

29 "Der Vers 23 setzt seinen Vorgänger nicht voraus; denn dort ist Jehu schon da, hier kommt er erst. Ausserdem deckt sich, wie es scheint, der Inhalt der beiden Verse, die Jahvediener werden nach v.22 eben

ויאמר לאשר על־המלתחה הוצא לבוש לכל עבדי הבעל
ויצא להם המלבוש

"Die zwei ersten Buchstaben von המלבוש sind aus dem vorhergehenden להם irrig wiederholt" (Wellhausen[30]), "lies dem Befehle entsprechend לבוש" (Klostermann[31]). Ähnlich meinen Stade-Schwally: "MT המלבש
(sic!) after the preceding הוצא לבוש is strange ... Emend לבוש"[32]. Jedoch
ist beachtenswert, daß die Nomina לבוש und מלבוש - zusammen mit
dem בגד - in Jes 63,1-3 nebeneinander gebraucht worden sind. Ferner
scheint es nicht unmöglich, daß המלבוש in unserer Stelle mit dem Ausdruck מלבוש נכרי כל־הלבשים in Zef 1,8 zusammenhängt. Der uns vorliegende Text von 2 Kön 10,22 dürfte wohl beizubehalten sein. LXX lautet:

καὶ εἶπεν Ιου[33] τῷ ἐπὶ τοῦ οἴκου μεσθααλ·
'Εξάγαγε ἐνδύματα πᾶσι τοῖς δούλοις τοῦ Βααλ·
καὶ ἐξήνεγκεν αὐτοῖς ὁ στολιστής.

Der Ausdruck στολιστής setzt המלבוש voraus[34]. Dies deutet darauf hin,
daß das Wort לבוש in der hebräischen Vorlage nicht zweimal gebraucht
worden ist. Wie die Transkription μεσθααλ erkennen läßt, mag LXX vielleicht keinen genauen Bescheid über מלתחה gewußt haben[35]. Allerdings
ist ὁ στολιστής sicher als Synonym für ὁ ἐπὶ τοῦ οἴκου μεσθααλ gebraucht[36]. Es scheint, daß LXX sich mit אשר על־המלתחה einen für das
heidnische Festkleid Zuständigen vorgestellt hat. Wie der Gebrauch von
οἶκος zeigt, hat LXX das מלתחה für eine Art Kleiderkammer gehalten.

dadurch ausgeschlossen, dass nur solche Leute Einlass finden, die ein
besonderes Festkleid bekommen haben" (Wellhausen, aaO. 373).
30 AaO. 372 Anm.5.
31 KK A,3, 425.
32 SBOT 9, 231. Schmitt, Elisa 233 Anm.223, vertritt neuerdings dieselbe
Meinung.
33 Eine erläuternde Glosse.
34 Statt vieler vgl. BHS.
35 מלתחה ist wohl Lehnwort aus dem assyrischen maltaku. Vgl. P.Haupt
in Stade-Schwally, SBOT 9, 231; HAL 563. Andere beachtenswerte
Meinungen sind aufgezählt in HAL 563 sowie in Schmitt, Elisa 233
Anm.222.
36 στολιστής "= ἱερόστολος, Lxx 4Ki. 10,22, Plu. 2.366f, ..." (H.G.
Liddle & R.Scott, A Greek-English Lexicon 1648). ἱερόστολος: "an
Egyptian priest who had charge of the sacred vestments, = στολιστής,
Plu. 2.352b" (ebd. 822).

"המלבוש" heißt das bei der Feier vorgeschriebene oder gebräuchliche Gewand. Doch kann man auch לבוש lesen und הם als Dittographie zum Vorhergehenden auffassen. Daß man bei einer Festfeier religiösen Charakters nicht in den gewöhnlichen Kleidern erscheint, ergibt sich Ex 19, 10; Gen 35,2. Vielleicht trug man an Ba^{C}alfesten besonders geformte Gewänder. ... Bei den heidnischen Arabern wurden gewisse religiöse Handlungen nackt oder in Kleidern vollzogen, die man vom Tempel entlehnte (We(llhausen)), Reste arab. Heidentums[2] 56.110"[37]; "wer der Gottheit nahen will, darf nicht im Alltagsgewand, das durch vielfache Berührung mit Unreinem profaniert ist, nahen, sondern im reinen Festgewand"[38]. Es ist auf alle Fälle sicher, daß die Vorstellung von מלבוש/לבוש in V.22 mit der Wendung קדש עצרה (pi) in V.20 in engem Zusammenhang steht. Dies kann als ein Argument dafür gelten, daß V.20 und V.22 zusammengehören.

Wie gezeigt wurde, stützt sich V.20 auf seine Weise auf Joel 1,14; 2,15. "Joel hat offensichtlich einem geordneten Kultus vor sich, wie er seit den Reformen Esras und Nehemias bestand. ... Das Buch mag um 400 entstanden sein" (Smend[39]). Man geht vielleicht nicht fehl, die in Frage stehende Bearbeitungsschicht, die aus V.19aα$^{1*.2}$.20.22.24a besteht, ins 4. Jh. zu datieren.

Noch ein Wort zu V.24a. Durch den Nachtrag dieses Halbverses hat sich eine Nuance ergeben: die Vernichtung der Baalsverehrer durch Jehu geschieht nach dem Brandopfer, bevor das Gemeinschaftsmahl gehalten wird. Ein ähnlicher Vorgang findet sich mutatis mutandis sonst nur in 1 Sam 10,8; 13,7b-15[40]:

2 Kön 10,24a.25aα*	1 Sam 10,8aα^{2}β; 13,10a
ויבאו	והנה אנכי ירד אליך
לעשות זבחים ועלות	להעלות עלות לזבח זבחי שלמים
⋮	⋮

37 Šanda, EHAT 9/2, 115.
38 Kittel, HK I,5, 241.
39 Die Entstehung des Alten Testaments 172.
40 Zu diesem Stück vgl. Wellhausen, aaO. 245f.; Veijola, Das Königtum 48f.; Smend, aaO. 130.

ויהי ככלתו לעשות העלה   ויהי ככלתו להעלות העלה

ויאמר יהוא   והנה שמואל בא

.   .
.   .
.   .

Diese Parallele ist wohl nicht zufällig. Ich denke dabei aber nicht an irgendeine literarische Beziehung zwischen den beiden Stellen, sondern an die Sitte des Schlacht- bzw. Heilsopferdienstes, die das gemeinsame Mahl der Beteiligten einschließt. Darauf weisen Ex 18,12; Ri 20,26; 21,4; 1 Sam 6,17-19 hin. Vgl. ferner z.B. Num 25,2, wo ein Schlachtopfer allein, ohne עלה vorkommt; hier ist von der Verehrung eines fremden Gottes die Rede. In deuteronomisch-deuteronomistischen Texten ist dieser Charakter des Dankopfers, das neben dem Brandopfer stattfindet, ausdrücklich formuliert[41]: Dtn 12,13.14.17; 12,11f.; 12,6[42]; 27,6f.; Jos 8, 31[43]; vgl. ferner 1 Kön 3,4.15[44] einerseits, Ex 32,6 andererseits. Das ist der Priesterschrift fremd[45]. Unser Bearbeiter, der wahrscheinlich im 4. Jh. lebte, scheint der Theologie von P ziemlich fern zu stehen[46].

Dieser Bearbeiter hat die Elija-Erzählung in 1 Kön 17-19 vor Augen. Im Alten Testament ist von den Propheten des Baal außer an unserer Stelle nur dort die Rede; der Ausdruck נביאי הבעל kommt außer 2 Kön 10,19 in 1 Kön 18,19.22.25.40 vor, in 1 Kön 18,20; 19,1 findet sich הנביאים, womit die Propheten des Baal gemeint sind. Von der Elija-

41 Vgl. Smend, Essen und Trinken 209.
42 Zur Literarkritik von Dtn 12 s. Smend, Die Entstehung des Alten Testaments 72f.
43 "Eine dtr Neubildung im Zusammenhang mit Dtn 27 ist der Passus über den Altarbau auf dem Berg bei Sichem Jos 8,30-35" (Smend, aaO. 114). Vgl. M.Noth, HAT 7, 9.
44 Wellhausen, Prolegomena 68 Anm.1: "Die Angabe 1.Reg. 3,4 gehört vielleicht mit 3,15 zusammen". Das ist richtig. Vgl. Würthwein, ATD 11,1, 31. Die Würthweinsche Literarkritik von 1 Kön 3,4-15 kann ich allerdings nicht teilen. Dazu vgl. Veijola, Das Königtum 48 Anm.61 und die dort genannte Literatur. Nachzutragen ist: A.Jepsen, Die Quellen des Königsbuches 19.
45 Wellhausen, Prolegomena 53-79.
46 Vgl. Smend, Die Entstehung des Alten Testaments 54: "Gewiß bietet uns das Jerusalem jener Zeit Rätsel, z.B. durch das Nebeneinander der dt-dtr Tradition und der von P".

Erzählung hat unser Bearbeiter die Propheten des Baal als Zwischen-instanz bei der Begehung des Baalsfestes entliehen. In 2 Kön 10,19 sind neben den Propheten des Baal auch seine Priester erwähnt. Diese Erwei-terung ist ein Indiz dafür, daß unsere Bearbeitungsschicht jünger ist als die Elija-Erzählung[47]. Die Formulierung von 2 Kön 10,19aα[1] gründet sich auf 1 Kön 18,19: ועתה + imp + אלי. Was 2 Kön 10,19aα[2] betrifft[48], ist dieser Satz in Hinsicht auf V.25 formuliert:

$$\text{(V.19aα}^2\text{)} \qquad \text{איש אל-יפקד}$$

$$\text{(V.25aα*)} \qquad \text{איש אל-יצא}$$

Es besteht eine literarische Berührung zwischen der Jehu-Erzählung und der Elija-Erzählung in 1 Kön 17-19. Wir haben oben gesehen, daß 1 Kön 18,40 aus 2 Kön 10,14.24.25 entstanden ist, und gerade eben fest-gestellt, daß 2 Kön 10,19aα* auf 1 Kön 18,19 beruht. Vergleichen wir unseren Abschnitt mit der Elija-Erzählung noch weiter in dieser Hinsicht. Wie bekannt[49], finden sich auffallende Parallelen in 1 Kön 18,19.20:

1 Kön 18,19a.b*	2 Kön 10,19aα[1]*
ועתה	ועתה כל-נביאי הבעל וכל-כהניו
שלח קבץ אלי את-כל-ישראל	קראו אלי
אל-הר הכרמל	
ואת-נביאי הבעל ...	

1 Kön 18,20a	2 Kön 10,21aα
וישלח אחאב בכל-בני ישראל	וישלח יהוא בכל-ישראל

1 Kön 18,20b	2 Kön 10,18aα
ויקבץ את-הנביאים אל-הר הכרמל	ויקבץ יהוא את-כל-העם

Wie A.Alt gezeigt hat[50], sind 1 Kön 18,19.20 nicht aus einem Guß. Der älteste Kern in diesen zwei Versen ist V.19a. Dem Satzbau von V.19

---

47 Es ist leicht zu vermuten, daß die Priester des Baal nach Analogie von Joel 1,14; 2,15 erfunden worden sind. In 2 Kön 11,18 ist von ei-nem Baalspriester die Rede. Dazu vgl. Levin, Atalja 61f. mit Anm.9 und H.Spieckermann, Juda unter Assur in der Sargonidenzeit 178 mit Anm.43.
48 Wellhausen, Die Composition des Hexateuchs 373, bemerkt, daß hier das Verbum פקד ni statt des שאר ni in V.21aγ gebraucht ist. Die beiden Sätze stammen in der Tat nicht von ein und derselben Hand.
49 Vgl. O.H.Steck, Überlieferung und Zeitgeschichte in den Elia-Erzäh-lungen 88 Anm.3; Smend, Das Wort Jahwes an Elia 149.
50 Das Gottesurteil auf dem Karmel 137 mit Anm.1. Vgl. Steck, aaO.16f.

nach ist es unverkennbar, daß V.19b Nachtrag ist. V.20 bezieht sich aber auf V.19a.b*[51]. V.19b*.20, wo von der Einberufung der Baalspropheten die Rede ist, stellen eine Fortschreibung von V.19a dar. In V.19a ist von der Einberufung von ganz Israel die Rede. Ohne direkten Einfluß von 2 Kön 10,18aα.21aα wäre die Formulierung von 1 Kön 18,20 undenkbar[52]. Aber auch V.19a, der das Substrat von V.20 ist, ist seinerseits sicher in Hinblick auf 2 Kön 10,18aα.21aα formuliert worden. - Unter Hinweis auf die Jehu-Erzählungen haben die Ergänzer von 1 Kön 18 zur Feder gegriffen, nicht ein einziger[53]. - Nach O.H.Steck "liegt in 1 Kön 18,19a keine Bezugnahme auf die Jehuerzählung vor (s. 2Kön 10,18); die Wendungen stimmen nicht genau überein und sind auch sonst öfter belegt"[54]. Doch muß man einerseits darauf achten, daß es sich auch bei der Formulierung von 1 Kön 18,40 nicht um mechanische Zusammensetzung von Zitaten aus der Jehu-Erzählung handelt. Andererseits ist es auffällig, daß die Verben שלח und קבץ nur in 1 Kön 18,19a zusammen gebraucht sind.

ויקבץ יהוא את־כל־העם

} → ... ועתה שלח קבץ את־כל־ישראל אלי

וישלח יהוא בכל־ישראל

Mit 1 Kön 18,19a wird ausdrücklich betont, daß es sich bei der Opferprobe des Elija um eine Angelegenheit von "ganz Israel" handelt. Der Ausdruck כל־ישראל entspricht nach der Absicht des Verfassers dem (כל־) העם in der Hauptszene der Opferprobe V.21ff.: כל־ישראל gilt als Erläuterung von (כל־)העם [55].

"Auf ein traditionelles Moment soll wahrscheinlich V.19 verwiesen werden, wenn an Ahab die Aufforderung ergeht: קבץ אלי את־כל־ישראל, vgl.

51 Die Erwähnung der Aschera-Propheten ist eine weitere Fortschreibung. Ihre Isoliertheit liegt auf der Hand. Darauf hat schon Wellhausen, aaO. 279 Anm.1 hingewiesen.
52 Steck, aaO. 88 Anm.3, nimmt an, 1 Kön 18,20b sei von 2 Kön 10, 21aα abhängig. Nebenbei bemerkt: 1 Kön 18,45b und 2 Kön 9,16aα stimmen mutatis mutandis wortwörtlich überein: וילך יזרעאלה N.N. וירכב. Das kann kaum zufällig sein.
53 Gegen Steck, der aaO. die Meinung vertritt, allein sein "Redaktor" habe die Jehu-Erzählung berücksichtigt.
54 AaO. 88 Anm.3.
55 V.19a setzt selbstverständlich die Überlieferung von V.21ff. voraus. Dazu vgl. Würthwein, Die Erzählung vom Gottesurteil auf dem Karmel 132.134.

1Sam 28,4; 2Sam 3,21; 10,17" (Steck[56]). Das trifft nicht zu. Die genannten Belege haben mit der Einberufung einer Kultversammlung von
"ganz Israel" nichts zu tun. 2 Sam 3,21 ist cum grano salis in Verbindung
mit 1 Kön 12 zu verstehen. 1 Sam 28,4 und 2 Sam 10,17 meinen allgemeines Aufgebot. Dahinter steht kein religiös-institutioneller Grund. Der
Gebrauch von קבץ bzw. אסף für die Einberufung eines Heeres ist üb-
lich. Man vergleiche 1 Kön 18,19a vielmehr mit 1 Sam 7,5aβ: ‑קבצו את
כל-ישראל המצפתה. Allerdings geht diese Stelle nicht auf eine alte Quelle
zurück[57]. Die Entstehung von 1 Kön 18,19a beruht ausschließlich auf
2 Kön 10,18aα.21aα, die die ursprünglichen Bestandteile unseres Abschnitts darstellen. In der Szene von der Ausrottung des Baalskults durch
Jehu ist die Sache von Hause aus als Staatsakt im Rahmen ganz Israels
aufgefaßt worden[58].

(iii) V.25b-26 und V.27a

Zum Grundbestand unseres Abschnitts gehören V.25b.26.27a wahrscheinlich nicht. Ursprünglich scheint V.27b an V.25a angegrenzt zu haben. Die Mannschaft Jehus schlägt die Baalsanhänger (V.25aβ)   und zerstört den Baalstempel (V.27bα). Die dazwischen stehenden umständlichen
Angaben sind Nachträge.

Der Text von V.25bα ist verdorben[59]: וישלכו הרצים והשלשים. Stade-
Schwally: "MT הרצים והשלשים is a correct specification of the subject,
but is unnecessary and mars the context"[60]. Darum ist das הרצים והשלשים
zu streichen. Stade-Schwally setzen fort[61]: "After MT וישלכו some
words, giving the object[63] ... and the place where the slain were cast[63],

56 AaO. 82 Anm.3.
57 Vgl. Veijola, Das Königtum 30-38.
58 Es ist deutlich, daß V.28 (DtrH) auf V.21a beruht.
59 "Die Übersetzungen leisten keine Hilfe, da sie Hebr wörtlich wieder-
   geben" (Šanda, EHAT 9/2, 116).
60 SBOT 9, 232.
61 Ebd. 232.
62 Vgl. BHS.
63 Vgl. Jos 8,29; 10,27; 2 Sam 18,17; 2 Kön 9,25.26; Jer 26,23; 41,9;
   Am 8,3.

have dropped out". Wellhausen ist derselben Meinung: "Objekt und Orts-
angabe fehlen. Etwa: sie warfen die Leichen in den heiligen Brunnen,
oder in die heilige Höhe des Baal"[64]. Die Vermutung Wellhausens dürfte
den Sachverhalt beinahe getroffen haben, wenn die genaue Rekonstruktion des Textes auch von vornherein unmöglich ist[65]. Auf alle Fälle
scheint V.25bα eine Fortschreibung zu V.25aβ darzustellen. Die Beschreibung der Hinrichtung der Baalsanhänger hat mit V.25aβ ein Ende gefunden: ויכום לפי-חרב. Oft belegt ist der Ausdruck לפי חרב in Verbindung mit נכה hi bzw. einem ähnlichen Verbum[66]. Dieser Wendung
folgt - außer an unserer Stelle - nirgends eine weitere Darstellung über
die Behandlung der Leiche(n).

V.25bβ und V.26 gehören zusammen; וילכו und ויצאו entsprechen
einander. - Die Textverhältnisse sind schwierig.

Zuerst ist das עיר in V.25bβ nicht leicht verständlich. Wellhausen:
"עד עיר? Gemeint ist: in das Adyton"[67]. Klostermann liest דביר statt
עיר[68]. Stade-Schwally[69]: "the place here meant is doubtless the most
inaccessible portion of the temple of Baal (Ewald), and the one farthest
from the entrance; it is, therefore, very probable that עיר is a
transcriptional error for דבר (Klost.). ... It is quite possible that LXX[L]
represents the original text, and that עיר is merely dittography of
עד"[70].

V.26 lautet: ויצאו את-מצבות בית-הבעל וישרפוה. "Es ist מצבות wegen
וישרפוה zweifellos Schreibfehler für מצבת LXX τὴν στήλην" (Stade[71]).

64 Die Composition des Hexateuchs 372 Anm.7.
65 Vgl. Schmitt, Elisa 234 Anm.226.
66 Gen 34,26; Ex 17,13; Num 21,24; Dtn 13,16(bis); 20,13; Jos 6,21; 8,
   24(bis); 10,28.30.32.35.37.39; 11,11.12.14; 19,47; Ri 1,8.25; 4,15.16;
   18,27; 20,37.48; 21,10; 1 Sam 15,8; 22,19(bis); 2 Sam 15,14; 2 Kön
   10,25; Jer 21,7; Ijob 1,15.17.
67 AaO. 373 Anm.2.
68 KK A,3, 426. Dazu vgl. z.B. Kittel, HK I,5, 241f.; Burney, aaO. 306.
69 SBOT 9, 232.
70 Diese Auffassung vertritt neuerdings z.B. Würthwein, ATD 11,2, 341
   mit Anm.7. Aber seine Bemerkung "ʿir, das in LXX fehlt" ist ein
   Irrtum. LXX hat das עיר im hebräischen Text vor Augen gehabt
   und es mechanisch ins Griechische übertragen.
71 AaO. 278.

Diese Folgerungen sind einwandfrei. Doch geht Stade noch weiter: "Aber auch das ist nicht richtig, da man eine Massebe nicht verbrennt. Lies nach 1 Kö. 16,33 ויעש אחאב את-אשרה statt מצבת vielmehr אשרת. Diese führt man hinaus, um sie draußen zu verbrennen, vgl. 2 Kö. 23,6 ... und weiter Dt. 12,3. 1 Kö. 15,13. 2 Kö. 23,15"[72]. Diese These, die ein großes Echo gefunden hat[73], ist schon deshalb fragwürdig, weil die vorgeschlagene Lesart nirgends belegt ist. Ferner ist 2 Kön 13,6b in Betracht zu ziehen:

"Und auch die Aschera blieb in Samaria stehen."

Man dürfte vermuten, daß der Verfasser unserer Stelle in Hinblick auf die Entsprechung in 1 Kön 16,33a; 2 Kön 13,6b[74] ein Kultobjekt מצבת בית הבעל[75] erfunden hat[76].

Es scheint, daß 2 Kön 3,2b unter Hinweis auf unsere Stelle abgefaßt worden ist: ויסר את-מצבת הבעל אשר עשה אביו. Auch hier ist wohl wegen der Entsprechung von 1 Kön 16,33a; 2 Kön 13,6b die Erwähnung der Aschera vermieden. Gegen den masoretischen Text ist der Ausdruck מצבת הבעל pluralisch zu verstehen, wie LXX zeigt: καὶ μετέστησεν τὰς στήλας τοῦ Βααλ. Es handelt sich um die Mazzeben im ganzen Nordreich (vgl. 2 Kön 17,10), während an unserer Stelle von einer Mazzebe im Baalstempel in der Stadt Samaria die Rede ist. Für denjenigen, der 2 Kön 3, 2b abgefaßt hat, widerspricht seine Aussage nicht der von 2 Kön 10,26. Nach 2 Kön 10 "stand die Massebe (Singular) im Ba^{c}altempel zu Samaria noch unter Jehu. Dort wurde sie also von Joram nicht entfernt, wohl in Rückblick auf Izebel. Die Nachricht (sc. 2 Kön 3,2b) bezieht sich demnach auf die Kassierung anderweitiger Malsteine ... Vielleicht geschah dies unter dem Einfluß des Ereignisses 1,2ff." (Šanda[78]). Dies muß unge-

---

72 Ebd. 278.
73 Ein Einwand gegen die herrschende Meinung findet sich in Schmitt, Elisa 234 Anm.228. Vgl. auch die dort genannte Literatur.
74 2 Kön 13,6b ist nicht älter als 1 Kön 16,33a.
75 Überflüssig ist die Diskussion, ob dieser Gegenstand sich verbrennen läßt. Vgl. 2 Kön 23,4.
76 Die Angabe von 1 Kön 16,33a ihrerseits ist, wie gesehen, kein historischer Bericht.
77 Vgl. vor allem Šanda, EHAT 9/2, 17.
78 AaO. 17. Vgl. Smend, Der biblische und der historische Elia 235.

fähr die Geschichtsvorstellung des Verfassers von 2 Kön 3,2b gewesen sein, die allerdings historisch nicht glaubwürdig ist.

Es ist falsch, 2 Kön 10,27a mit 1 Kön 16,32 in Verbindung zu setzen und dessenthalben den in V.27a stehenden Ausdruck מצבת הבעל durch מזבח הבעל zu ersetzen[79]. Zwar "ist נתץ der technische Ausdruck vom Einreissen eines Altares Ex. 34,13. Dt. 7,5. 12,3. Ri. 2,2. 6,28ff."[80], und für die Zerstörung einer Mazzebe wird im allgemeinen שבר pi gebraucht: Ex 23,24; 34,13; Dtn 7,5; 12,3; 2 Kön 18,4; 23,14; Jer 43,13; 2 Chr 14,2; 31,1. Dies kann aber nicht als Argument für die Emendation des Textes gelten. Es ist leicht zu sehen, daß V.27a Nachahmung von V.27bα ist:

(V.27bα)   ויתצו את-בית הבעל

(V.27a)   ויתצו את מצבת הבעל

Die Verwendung von נתץ in V.27a rührt von V.27bα her. V.27a ist wohl eine Art Glosse ad hoc zu V.26[81]. Wahrscheinlich sind V.25b.26 aus ein und derselben Feder geflossen; V.27a ist Nachtrag dazu. Jedenfalls ist das Stück V.25b-27a sehr wahrscheinlich jünger als DtrH, der 1 Kön 16, 30-32 anhand von 2 Kön 10,18-27* formuliert hat. Denn dort spiegeln sich die Angaben dieses Stücks gar nicht wider.

(3) Urgestalt

Die Urgestalt unseres Abschnitts, die DtrH als Schlußszene der Jehu-Erzählung vorlag, läßt sich nach Abzug der Ergänzungen mit großer Wahrscheinlichkeit folgendermaßen rekonstruieren:

18. Und Jehu versammelte das ganze Volk, und er sagte zu ihnen: Ahab hat dem Baal ein wenig gedient, Jehu will ihm mehr dienen. 19b. Doch Jehu tat (das) mit Hinterlist, um die Anhänger des Baal auszurotten.

---

79 Gegen Stade, aaO. 278f. Vgl. Stade-Schwally, SBOT 9, 232f. Für Stades Vorschlag spricht sich auch noch z.B. HAL 587 aus.
80 Stade aaO. 278. Aber vgl. Hos 10,2.
81 LXX lautet: καὶ κατέσπασαν τὰς στήλας τοῦ Βααλ. Jedoch ist die singularische Lesart des masoretischen Textes wohl beizubehalten.

21. Und Jehu sandte in ganz Israel umher. Und alle Anhänger des Baal kamen; keiner blieb übrig, der nicht gekommen wäre. Und sie gingen in den Baalstempel hinein; er wurde voll von einem Ende bis zum anderen[82]. 23*. Und Jehu ging in den Baalstempel hinein, und er sagte zu den Anhängern des Baal: Sucht und seht nach, daß keine Anhänger Jahwes[83] unter euch sind, sondern allein Anhänger des Baal. 24b. Doch Jehu hatte sich draußen achtzig Mann aufgestellt und gesagt: Wer einen von den Männern entrinnen läßt[84], die ich euch in die Hände bringe: sein Leben für dessen Leben! 25a. Und es geschah, als er vollendet hatte, das Brandopfer darzubringen, sagte Jehu zu den Trabanten und Adjutanten: Hinein, schlagt sie, keiner darf entkommen. Und sie schlugen sie mit der Schärfe des Schwerts. 27b. Und sie rissen den Baalstempel nieder und machten daraus Kloaken[85] bis auf den heutigen Tag.

Der Schauplatz ist Samaria[86]. Zwar ist es nirgends innerhalb unserer Szene ausdrücklich angegeben. Für den Verfasser unseres Abschnitts ist es aber von vornherein vorausgesetzt. Die Erzählung von der Ausrot-

---

82 Der Ausdruck פה לפה ist noch in 2 Kön 21,16 belegt. Er ist mit מפה אל-פה in Esr 9,11 gleichzusetzen. Anders z.B. O.Thenius, KEH 9, 327; O.Eißfeldt, HSAT(K) 558.

83 Zur Punktation von עבדי יהוה und עבדי הביל im masoretischen Text vgl. z.B. Stade-Schwally, SBOT 9, 231; Šanda, EHAT 9/2, 113. Es gibt viele Belege für den Ausdruck עבדי יהוה und die dasselbe besagenden anderen Ausdrucksweisen. Im allgemeinen bedeuten sie entweder die Propheten Jahwes oder das ganze Volk Israels oder die Menschheit überhaupt. Die Wendung עבדי יהוה in unserer Stelle ist aber etwas Spezifisches. Sie ist als Gegenbegriff von עבדי הבעל gebraucht. Der Ausdruck עבדי הבעל ist Sondergut unseres Abschnitts.

84 Wie schon erwähnt, lies ימלט pi statt ni.

85 "מחראות, jedenfalls mit חרי* 'Kot, Unrat' zusammenhängend" (Kittel, HK I,5, 242), muß sicher ein derber Ausdruck sein. "Die Masora setzt dafür ein anständiger klingendes Wort ein: ... מוצאות" (Kittel, ebd. 242). Das Ketib ist trotz Qere beizubehalten; "it is attested by the Ancient Versions" (Stade-Schwally, SBOT 9, 233). "Das anständigere מוצאות bedeutet etwa Ausflüsse, d.i. Abzugskanäle für Fäkalien. Aber מחראות ist stärker. Es ist die Düngerstätte, wo man die Notdurft zu verrichten pflegt. An eigentliche Bedürfnisanstalten ist nicht zu denken. Solche existieren zum öffentlichen Gebrauch im Orient nicht" (Šanda, EHAT 9/2, 117).

86 Wie V.21aα ausdrücklich zeigt, beschränkt sich das Gesichtsfeld des Verfassers nicht auf die Stadt Samaria.

tung des Baalskults durch Jehu beginnt erst nach seinem Einzug nach Samaria.

Unsere Szene hat einen klaren Aufbau. Wir haben oben gezeigt, daß V.18 und V.23 sich entsprechen. Darüber hinaus entsprechen sich auch V.19b und V.24 (vgl. die Voranstellung des Subjekts Jehu). V.19b erläutert die wahre Absicht der Erklärung Jehus in V.18. Wie V.19b zu V.18, verhält sich V.24b zu V.23. Auch hier handelt es sich um die Darlegung der List.

V.18.19b	V.23*.24
ויקבץ יהוא את-כל-העם	ויבא יהוא בית הבעל
ויאמר אלהם	ויאמר לעבדי הבעל
...	...
ויהוא עשה בעקבה	ויהוא שם-לו בחוץ שמנים איש
למען ...	ויאמר ...

Auch zwischen V.21 und V.25a.27b darf man eine Entsprechung bemerken. Auf das Aufgebot Jehus hin kommen alle Anhänger des Baal zusammen und treten in den Baalstempel ein (V.21). Man vernichtet diese Anhänger des Baal auf Befehl Jehus und verwüstet den Baalstempel (V.25a. 27b). Auf solche Weise ist die Urgestalt unseres Abschnitts in sich wohlgeordnet[87].

In stilistischer Hinsicht füge ich ein paar Bemerkungen hinzu.

V.21bβ lautet: וימלא בית-הבעל פה לפה. Damit ist die große Anzahl der Baalsanhänger, die vernichtet werden sollen, eindrucksvoll zur Darstellung gebracht. Eine ähnliche Aussage findet sich in Ri 16,27aα: והבית מלא האנשים והנשים. Aber anders als bei 2 Kön 10,19aα[3] im Verhältnis zu Ri 16,23 ist hier keine literarische Berührung zu postulieren. Die ähnliche Redeweise ist der ähnlichen Vorstellung zuzuschreiben. Es gibt noch ein Beispiel. V.21aγ lautet: ולא-נשאר איש אשר לא-בא. Dieser Wortlaut ist noch einmal in Jos 8,17 belegt: ולא-נשאר איש בעי ( ) אשר לא-יצאו אחרי ישראל

---

87 Wellhausen, Die Composition des Hexateuchs 373, bemerkt: "Die achtzig von Jehu draussen postirten Männer v.24 stimmen formell nicht zu den Trabanten und Knappen, die in v.25 eindringen". Dies kann aber nicht als Anhaltspunkt für die Literarkritik gelten (gegen Würthwein, ATD 11,2, 341). Zu den Trabanten (רצים) vgl. Levin, Atalja 38 Anm.20. In 2 Sam 15,1; 1 Kön 1,5 ist von fünfzig Mann die Rede.

(V.17a*). Auch in diesem Fall fällt es schwer, zwischen den beiden Stellen an einen näheren Zusammenhang zu denken. Die gemeinsame Diktion rührt vielmehr bloß von derselben Absicht der Schilderung her: es geht um die Betonung der Vernichtung. Laut V.21aα verbreitet Jehu sein lügenhaftes Manifest in ganz Israel (בכל-ישראל). Dementsprechend kommen alle Baalsanhänger (כל-עבדי הבעל) zusammen (V.21aβ). - Daran schließt sich V.21aγ an. In unserem Abschnitt ist die vollständige Vernichtung der Baalsanhänger durchaus betont. In V.25 findet sich der Imperativ: איש אל- יצא.

Die Anweisung Jehus an seine Mannschaft, die in V.24b vorhergeht, ist rigoros. Dort kommt der Ausdruck נפשו תחת נפשו vor[88]. Die Wendung נפש תחת נפש, oder verallgemeinert die Wendung "X תחת X", die im Bundesbuch belegt ist[89], muß in der damaligen Welt wohl bekannt gewesen sein. Im allgemeinen darf die Maxime נפש תחת נפש, wenn man sich auf die Formulierung im Bundesbuch beruft, wohl im Sinne von Ex 21,12 verstanden werden:
"Wer einen Menschen schlägt, daß er stirbt, der soll des Todes sterben."
Die Verordnung Jehus in 2 Kön 10,24bβγ heißt allerdings: Wer einen Hinzurichtenden nicht schlägt, daß er lebendig davonläuft, der soll - wegen seines fehlenden Diensteifers - des Todes sterben.

In V.19b ist das Wort עקבה in der Form בעקבה gebraucht. Es ist Hapax legomenon. Grammatisch gesehen ist es ein Derivat der Wurzel עקב. Das Verbum עקב ist in Gen 27,36; Jer 9,3; Hos 12,4 belegt. עקבה bedeutet sicher "Hinterlist". Man muß aber darauf achten, daß dieses Wort schlechterdings nicht im negativen Sinne angewandt wird. Das Gegenteil ist der Fall. Der Ausdruck בעקבה ist mit dem בערמה in Jos 9,4 zu vergleichen:

(V.19bα)	בעקבה	עשה ויהוא
(Jos 9,4aα)	בערמה גם-המה ויעשו	

Ferner ist die Wendung במרמה in Gen 34,13 in Betracht zu ziehen. Sowohl in Gen 34 als auch in Jos 9 ist die Hinterlist - ursprünglich - zustimmend erzählt. Von 2 Kön 10,19b ist das Lob für die Klugheit Jehus

88 Vgl. 1 Kön 20,39.42.
89 Ex 21,23-25.

116

abzulesen. V.18.19b stellen offenbar mit Freude die geschickte Taktik Jehus dar, wie dies freilich bei V.23*.24b auch der Fall ist. Es handelt sich um die aufrichtige Behauptung des Verfassers, nicht um irgendeine Apologetik[90].

In V.19b wird das Ziel Jehus expressis verbis geäußert. Auch V.24b deutet im voraus auf den nächsten Fortgang hin. Eine solche Redeweise ist keineswegs unschön und spannungslos[91]. Man erinnere sich an die merkwürdige Geschichte in Gen 19,30-38, die wie unser Abschnitt mit der Schlußnotiz עד היום endet. Der Plan der Töchter Lots ist dort von vornherein ausdrücklich genannt.

Um 2 Kön 10,18-27 zu charakterisieren, empfiehlt es sich, den Abschnitt mit der Erzählung von der Opferprobe des Elija in 1 Kön 18,21-39 zu vergleichen. Diese ist Paradigma[92]. Sie handelt von der Entscheidung zwischen Jahwe und Baal. Zu Anfang sagt Elija zu dem Volk:

"Wie lange wollt ihr auf beiden Seiten hinken? Ist Jahwe Gott, so wandelt ihm nach; ist's aber der Baal, so wandelt ihm nach" (V.21*). Die Erzählung endet mit dem Bekenntnis des Volkes: יהוה הוא האלהים יהוה הוא האלהים (V.39bβγ). Dies ist die Entscheidung, um die es geht. Elija, "die grandioseste Heldengestalt in der Bibel"[93], spielt seine Rolle als Knecht Jahwes, wie dies im späten Zusatz zutreffend zum Ausdruck gebracht worden ist (vgl. Elijas Gebet in V.36[94]). Er ruft Jahwe an: ענני יהוה ענני (V.37aα). Ein übernatürliches Geschehen beweist, daß Jahwe, und nicht der Baal, Gott ist. Übrigens ist von einem Abschlachten der Baalsverehrer nicht die Rede.

Ganz anders in unserem Abschnitt. Das Verhalten des Volkes ist kein Gegenstand der Darstellung. Was das Volk betrifft, wird es im An-

---

90. Gegen Schmitt, Elisa 24f. Gunkel: "Ein ängstlicher Leser setzt hinzu, daß er (sc. Jehu) dies nur aus Hinterlist getan habe, und zerstört damit die Spannung des folgenden" (Elisa 90). Für H.Greßmann ist "der Hinweis auf die Hinterlist Jehus eine plumpe Erklärung" (SAT II,1, Textkritische Anmerkungen 12). Sie sind kaum in Recht.
91 Gegen Gunkel und Greßmann, s.o. Anm.90.
92 Vgl. Smend, Elemente alttestamentlichen Geschichtsdenkens; ders., Überlieferung und Geschichte.
93 Wellhausen, Israelitische und jüdische Geschichte 73.
94 Dazu vgl. Smend, Das Wort Jahwes an Elia 139f.

fang - in Vertretung der Leser - als Adressat der listigen Erklärung Jehus erwähnt, dann aber völlig außer acht gelassen. Die Alternative zwischen Jahwe und Baal steht außer Frage, so daß auch die Gotteswahl kein Thema ist. Wie V.19b ausdrücklich angibt, sind die Anhänger des Baal von vornherein als Hinzurichtende aufgefaßt. Sie werden ohne weiteres zu Blutopfern gemacht. Kein übernatürliches Element tritt dazwischen. Jehu, der Mann voller List und Ränke, bringt seine Absicht aus eigenen Stücken zum Ziel: er rottet den Baalskult aus. Am Schluß wird bemerkt, daß die Kloaken, die aus dem zerstörten Baalstempel gemacht worden sind, noch zu finden sind (עד-היום). Unser Abschnitt darf daher als Ätiologie bezeichnet werden[95]. Und zwar ist er dem Hauptmotiv nach die Ätiologie von der Abschaffung des Baalskults. Es versteht sich von selbst, daß nicht die Ätiologie der am Schluß genannten Kloaken für den Verfasser unseres Abschnitts der Skopus ist. Nicht um diesen Ort als explicandum geht es in erster Linie. Die Aussage, Jehu habe anschließend an seine Herrschaftsergreifung den Baalskult ausgerottet, könnte fast auch ohne das explicandum existieren. Sie dient nicht ihm, sondern wird von ihm bedient. Es fungiert als Zeichen und Zeugnis des berichteten Geschehens[96]. Unser Abschnitt stellt eine ätiologische Legende um Jehu dar.

Es ist klar, daß der Verfasser uneingeschränkt das Lob der Ausrottung des Baalskults durch Jehu singt; die Baalsverehrung wird von ihm ohne weiteres für schlechterdings negativ gehalten. Unsere Ätiologie ist zum Ruhme Jehus abgefaßt worden.

Dabei schildert der Verfasser den Vorgang, über den Charakter einer Lokalätiologie hinaus, sichtlich als Staatsakt von gesamtisraelitischer Bedeutung. In unserem Abschnitt verhält sich Jehu nicht mehr als Prätendent, sondern bereits als König. V.21aα lautet: וישלח יהוא בכל-ישראל. Die Angelegenheit betrifft das ganze Land.

---

95 Freilich: "Ein Beweis dafür, daß man eine Ätiologie vor sich hat, ist die Wendung nicht" (Smend, Überlieferung und Geschichte 20 Anm.31).
96 Vgl. Smend, Elemente alttestamentlichen Geschichtsdenkens 169f.

In unserem Abschnitt finden sich zwei Eigennamen: Jehu und Ahab. Ahab ist im Vergleich mit Jehu in der hinterlistigen Erklärung V.18aγb[97] erwähnt. Wahrscheinlich ist er nicht so sehr als Individuum, sondern vielmehr als Repräsentant der früheren Dynastie genannt[98]. Indem unser Verfasser die Abschaffung des Baalskults durch Jehu als Anhang der Erzählung über die Königwerdung Jehus darstellt, bringt er zwei Königtümer in Hinsicht auf die Einstellung gegenüber dem Baalskult in Gegensatz: das neue, von Jehu gegründete, und das alte, von Jehu gestürzte. In dieser Gegenüberstellung liegt die Pointe. Unsere Ätiologie will als Nachweis der Entstehung des gerechten Königtums gelten. Sie dient zu Rechtfertigung und Verherrlichung des Königtums Jehus.

Aus dem oben Gesagten erschließt sich, daß der historische Ort der Ausgestaltung unserer Ätiologie kein anderer als das höfische Milieu der Jehu-Dynastie ist[99]. Die genaue Datierung ist von vornherein schwierig. "Die ätiologische Legende steht zu dem berichteten Geschehen in großem Abstand" (Levin[100]). Das steht jedenfalls fest. Demnach wird man mit Levin vermuten dürften: "Man geht vielleicht nicht fehl, sie in die Re-

97 Diese Rede Jehus als neuen Königs an das Volk erinnert an die Rede Rehabeams in 1 Kön 12. Jehu vergleicht sich mit Ahab, Rehabeam stellt sich seinem königlichen Vater gegenüber. Freilich handelt es sich dabei beide Male um künstlerische Erdichtung. Gunkel, Elisa 90, bemerkt: "In jener alten Zeit war es Sitte, die Grundsätze der neuen Regierung in kurzem Schlagwort zusammenzufassen". Aber außer den zwei Stellen ist eine solche Sitte im Alten Testament nicht belegt.
98 Es ist bemerkenswert, daß der Name Ahab in der Urfassung der Jehu-Erzählung, die in 2 Kön 9,1-10,12 steckt, überhaupt nicht vorkommt. - Der Aufstand Jehus hatte mit Ahab, der schon lange tot war, zumindest direkt nichts zu tun.
99 Es ist nicht verwunderlich, daß Ahab für unseren Verfasser der Repräsentant des vorigen Königshauses war. Daß Omri ein mächtiger König war, bezeugt ausdrücklich die Inschrift des Mescha von Moab. Darauf deutet auch die assyrische Bezeichnung Bīt-Humri hin.   Was die inneren Staatsangelegenheiten betrifft, hat aber auch Ahab ben Omri, der Nachfolger des Dynastiegründers, viel geleistet. Die Stadt Samaria, die Omri erbaut hatte, hat er erweitert (vgl. BHH 1657f. Abb.1). DtrH erwähnt anhand der Quelle besonders seine umfangreiche Bautätigkeit (1 Kön 22,39). Die großartigen Bauwerke Ahabs standen unserem Verfasser vor Augen.
100 Die Verheißung des neuen Bundes 240 Anm.158.

gierungzeit Jerobeams II. (787-747), das bedeutet: in die Zeit des Propheten Hosea zu datieren"[101].

Unser Autor, der mit der Jehu-Dynastie sympathisiert[102], stützt sich seinerseits fraglos auf die Jahwereligion. Jahwe war also damals sicher der Reichsgott, der Gott, den der Königshof verehrte. Tatsächlich ist es von vornherein ausgeschlossen, daß das Heiligtum in Bet-El, das in Am 7,13 מקדש-מלך ובית ממלכה genannt ist, ein Heiligtum für irgendeine andere Gottheit als Jahwe war. Von dem Standpunkt des Jahweglaubens als Staatsreligion der Jehu-Dynastie[103] ist unsere ätiologische Legende zur Darstellung gebracht worden.

"Ausgangspunkt der Ätiologie ist in der Regel das explicandum, der zu erklärende Tatbestand. Ihn wird der Historiker im allgemeinen als Realität in der Zeit der Erzählung betrachten können. Dagegen ist die explicatio, die Ätiologie dem Verdacht der Fiktion ausgesetzt" (Smend[104]).

Was unseren Fall betrifft, darf es als sicher angenommen werden, daß eine für äußerst unrein geltende Trümmerstätte in der Zeit der Jehu-Dynastie in der Stadt Samaria vorhanden war[105]. Von dieser Stätte er-

---

101 Ebd.
102 Er muß einer der Herren der "Baschankühe auf dem Berge Samaria" (Am 4,1) gewesen sein. Vgl. auch Am 3,9f.
103 Daß Amos aus dem Reichsheiligtum in Bet-El ausgewiesen wurde (Am 7,10-17), war nicht anders als natürlich; "auch zu gleichen Zeiten hat man selbst auf der Basis des Jahweglaubens nicht gleich gedacht und gehandelt" (Smend, Der Ort des Staates im Alten Testament 186). Zur Stellung des Amos in der Geschichte bzw. Religionsgeschichte Israels vgl. vor allem Wellhausen, Israelitische und jüdische Geschichte 104-110. - Dort unterscheidet Wellhausen das Herrscherhaus und seine Umgebung nicht von dem Volk überhaupt. "Wellhausen dachte und arbeitete weit weniger soziologisch als wir es heute tun, obwohl ihm diese Phänomene nicht unbekannt waren" (Smend, Vorwort zu: Wellhausen, Grundrisse 7).
104 Überlieferung und Geschichte 18.
105 Für diese Stätte haben wir kein weiteres Zeugnis. Der in V.27 vorkommende Ausdruck מחראות, die Pluralform von מחראה*, ist Hapax legomenon. Kann man dieses Wort auch in Am 4,3 in der Form המחראה - statt ההרמונה im masoretischen Text - finden? Dazu vgl. HAL 541 und die dort genannte Literatur. Selbst wenn die Emendation richtig wäre, wäre es unwahrscheinlich, daß 2 Kön 10,27 und Am 4,3 ein und denselben Ort meinen.

120

zählte man sich, daß dort einst der Baalstempel gestanden habe, der durch Jehu im Zuge seiner Herrschaftsergreifung zerstört worden sei. Dieses Motiv selbst stammt vielleicht nicht erst von unserem Verfasser. Sicher ist jedenfalls, daß unser Abschnitt, der eine Ergänzung ad hoc zur vorgegebenen Jehu-Erzählung darstellt, keine selbständige literarische Vorgeschichte gehabt hat.

Die Historizität des Erzählten als solchen kommt selbstverständlich nicht in Frage. In der Tat ist es von vornherein unvorstellbar, daß das Ende des Baalskults sich so schlagartig und vollständig - mit einem Schlag mit Stumpf und Stiel in ganz Israel - vollzogen hat, wie der Verfasser es will.

Levin vertritt die Meinung: "Historisch an der Ätiologie ist das, was sie erklären will: Daß zur Zeit des Verfassers der Kult des Baal in Israel vollständig verschwunden war"[106]. Das ist fragwürdig, wenn man die Ostraka von Samaria aus der ersten Hälfte des 8. Jh.s (d.h. aus der Zeit der Jehu-Dynastie) in Betracht zieht. Dort sind, neben vielen mit "Jahwe" komponierten Eigennamen, manche mit "Baal" zusammengesetzte Namen belegt[107]. Demnach muß man sicher "eine gewisse Theokrasie, eine Mischung zwischen dem Baal und Jahve"[108] unter dem Volk annehmen[109].

Unsere Ätiologie spiegelt also auch die allgemeinen religiösen Verhältnisse der Abfassungszeit nicht genau wider. Sie stellt eine ideologische Aussage dar, und zwar die Ideologie des Königshofes der Jehu-Dynastie.

---

106 AaO. 240 Anm.158.
107 Eine Übersicht findet sich in: Y.Aharoni, Das Land der Bibel 374-376. Noth, Die israelitischen Personennamen im Rahmen der gemeinsemitischen Namengebung, hat die Personennamen in den Ostraka von Samaria vollständig behandelt.
108 Wellhausen, Israelitische und jüdische Geschichte 48.
109 Wellhausen ist der Auffassung: "Der wichtigste Vorgang in der Richterperiode ging geräuschlos vor sich. Die alte Bevölkerung des Landes sollte zwar - nach dem Deuteronomium - ausgerottet werden, in Wirklichkeit aber verschmolz sie mit der neuen. ...
Damit wuchsen .. die Hebräer .. in die Kultur der Kanaaniter hinein, überall traten sie als glückliche Erben in den Genuß der Arbeit ihrer Vorgänger. Vom Hirtenleben gingen sie zum Feldbau über, Korn und Wein, Öl und Feigen wurden die selbstverständliche Grundlage

Es ist anzunehmen, daß das omridische Königshaus sich "einigermaßen" dem Baalsglauben hingegeben hat: אחאב עבד את-הבעל מעט [109]. Die Aussage stützt sich wohl auf eine gewisse Geschichtskenntnis. Die Umstände liegen aber außerhalb dessen, was wir wissen. Wellhausen ist der Auffassung[111]: "Seiner tyrischen Gemahlin Izebel zu lieb hatte Ahab dem tyrischen Baal einen Tempel und einen reichen Kultus zu Samarien gestiftet"; dabei war "von Einführung des fremden Gottesdienstes außerhalb der Hauptstadt" keine Rede. - Hier ist äußerste Vorsicht geboten. Die Verbindung des Baalskults mit Isebel rührt, wie gezeigt, erst von der Geschichtsvorstellung des DtrH her. Isebels Herkunft aus Tyrus ist außer Zweifel, die des Baal dagegen, selbst wenn sehr gut möglich[112], nicht positiv bezeugt. Hat Isebel Einfluß auf die Religionspolitik der Omriden ausgeübt? Darüber läßt sich nur spekulieren[113]. Unser Abschnitt nennt

ihres Lebens. Es war natürlich, daß diese Veränderung des Lebens auch ihre religiösen Folgen nach sich zog. ...
Es lag nahe, daß die Hebräer auch den Gott übernahmen, der von den kanaanitischen Bauern als Spender von Korn, Wein und Öl verehrt wurde, den Baal, den die Griechen mit Dionysus gleichsetzen. ... Es entstand dadurch ein gewisser Synkretismus zwischen dem Baal und Jahve, der noch in der Zeit des Propheten Hosea nicht überwunden war" (Grundrisse 24f. Vgl. ferner Israelitische und jüdische Geschichte 44-48; Grundrisse 82-84). Dieser Umriß muß im wesentlichen zutreffend sein, obschon wir innerhalb des Alten Testaments wenig genuine Geschichtsquellen haben. Ein Hinweis auf "eine gewisse Theokrasie, eine Mischung zwischen dem Baal und Jahve" (s.o. Anm.108) unter dem Volk ist der Spruch Elijas in 1 Kön 18,21.

110 V.18aγ. Wir haben oben gesehen, wie einflußreich diese Formulierung gewesen ist. Darauf gründet sich 1 Kön 16,31bβ² (DtrH). DtrH nennt die Omri-Dynastie בית אחאב.

111 Israelitische und jüdische Geschichte 72.

112 Daß Melqart-Verehrung im 9. Jh. über Phönizien hinaus verbreitet war, bezeugt die Inschrift von Bar-Hadad von Aram (KAI Nr.201). J.C.L.Gibson meint: "The veneration by an Aramaean monarch of a Tyrian deity is not surprising when we recall events in contemporary Israel, where Ahab contracted a marriage with Jezebel and introduced the cult of the Tyrian Baal into his capital; I Kgs. xvi 31-2. The primary reason in both cases would be the fostering of commercial relations with the rich mercantile cities of the coast. No doubt this led in Damascus as in Israel to Canaanite religious practices becoming even more than usual, but it is unlikely that the official worship of Hadad or Yahweh was modified" (Textbook of Semitic Inscriptions, Vol.2, 2).

113 Vgl. vor allem Steck, aaO. 53-71.

Isebel nicht. In der ihm vorgegebenen Jehu-Erzählung ist ihr Bild sehr eindrucksvoll zur Darstellung gebracht; dort ist vom Baal aber nicht die Rede. Unsere Ätiologie erzählt die Ausrottung des Baalskults aus ganz Israel. Die These, daß die Stadt Samaria in der Zeit der Omriden - auch religionspolitisch gesehen - ein Sonderbezirk gewesen sei[114], hält nicht stand. Wie dem auch sei, eine Vernachlässigung des Jahweglaubens durch die Einführung des Baalskults unter den Omriden fand nicht statt; "Jahve blieb der Reichsgott, nach welchem er (sc. Ahab) auch seine Söhne Ahazja und Joram benannte" (Wellhausen[115]). Er hatte eine Schwester namens Atalja[116]. Die Religionspolitik der Omriden "scheint im Zusammenhang mit deren allgemeiner Politik im ganzen darauf angelegt gewesen zu sein, dem Baal zu geben, was des Baal war, und Jahwe zu geben, was Jahwes war" (Smend[117]). Es besteht kein Zweifel, daß dieses Königshaus - zumindest auch - Jahwe verehrte[118]. Andererseits darf man aus unserer Ätiologie auch nicht schließen, daß das Königtum Jehus den Baalskult unter dem Volk staatlich unterdrückte. "Der Baal ist es nicht gewesen, der das Haus Ahab zu Fall gebracht hat" (Wellhausen[119]).

Wenden wir uns nun der unserer Ätiologie vorgegebenen Erzählung zu. Es ist Zeit, daß wir die Urfassung der Jehu-Erzählung eingehend untersuchen.

---

114 Alt, Der Stadtstaat Samaria, besonders 265-270.
115 AaO. 72.
116 Vgl. Levin, Atalja 83 Anm.3.
117 Der biblische und der historische Elia 235.
118 Ich vermute, daß auch Isebel sich vielleicht - zumindest auch - vor Jahwe niedergeworfen hat. Dies ist zwar nicht nachweisbar, aber gar nicht ausgeschlossen. Bei weitem unglaubhaft ist die Behauptung einer Verfolgung der Jahwe-Propheten durch Isebel in 1 Kön 18,13 (→ V.4; vgl. 1 Kön 19). Dazu vgl. Wellhausen, aaO.72.
119 AaO. 77.

X. Die ursprüngliche Jehu-Erzählung

Durch Abzug der verschiedenartigen Zusätze und Glossen wird die vermutliche Urgestalt der Erzählung in 2 Kön 9.10 so wiederhergestellt, wie sie sich in der nachstehenden Übersetzung darbietet.

1. Der Prophet Elischa rief einen der Prophetenjünger und sagte zu ihm: Gürte deine Lenden und nimm diese Ölflasche in deine Hand und geh nach Ramot Gilead! 2. Wenn du dahin kommst, wirst du dort Jehu sehen, ( ) den Sohn Nimschis. Und du sollst hineingehen und ihn aus der Mitte seiner Gefährten aufstehen lassen und ihn ins innerste Gemach führen. 3. Dann sollst du die Ölflasche nehmen und (das Öl) auf sein Haupt gießen. Und du sollst sagen: So spricht Jahwe: Ich salbe dich zum König über Israel. Danach mach die Tür auf und flieh unverweilt!
4. Da ging der Jünger ( )[1] nach Ramot Gilead. 5. Und er kam. Und siehe, die Heeresobersten saßen beisammen. Da sagte er: Ich habe dir etwas mitzuteilen, Oberst. Und Jehu sagte: Wem von uns allen? Und er sagte: Dir, Oberst. 6. Da stand er auf und ging ins Haus hinein. Und jener goß das Öl auf sein Haupt und sagte zu ihm: So spricht Jahwe ( ): Ich salbe dich zum König über Israel ( ). ( ) 10. ( ) Dann machte er die Tür auf und entfloh.
11. Jehu aber ging hinaus zu den Gefolgsleuten seines Herrn. Da sagte(n

---

1 Der Ausdruck הנער הנער הנביא fällt auf. Ursprünglich ist nur das erste הנער ; das הנער הנביא ist Glosse. Mit Recht vertreten Stade-Schwally, SBOT 9, 220, die Auffassung: "The original text probably had הנער only, to which הנער הנביא was added as a gloss in order to call attention to the fact that this נער was the same as the אחד מבני הנביאים". Vgl. ferner z.B. A.Klostermann, KK A,3, 419; I. Benzinger, KHC IX, 150; R.Kittel, HK I,5, 229; A.Šanda, EHAT 9/2, 93. LXX setzt die Glosse voraus und glättet die Vorlage auf ihre Weise: τὸ παιδάριον ὁ προφήτης.

sie)[2] zu ihm: Ist alles in Ordnung?[3] Warum ist jener Kauz[4] zu dir ge-kommen? Und er sagte zu ihnen: Ihr ihrerseits kennt den Kerl und seine Sache[5]. 12. Und sie sagten: Unsinn[6]. Gib doch uns kund! Da sagte er: So und so hat er mir gesagt ( )[7]. 13. Da nahmen sie eilends ein jeder

2 Lies mit LXX 3.pl. statt 3.sg.

3 Der Ausdruck השלום kommt in unserer Erzählung siebenmal vor (2 Kön 9,11.17.18.19.22(bis).31; zu V.19.22 s.u. Anm.14.16); das Nomen שלום ist innerhalb unserer zwei Kapitel insgesamt zehnmal gebraucht. Bei je-dem der zehn Belege ist das שלום grundsätzlich in dem Sinne "Alles ist in Ordnung" zu verstehen. Das שלום in der Jehu-Erzählung impli-ziert nicht die Bedeutung "Frieden".

4 LXX: ὁ ἐπίλημπτος. Das משגע ist als Besessener vom Geist Gottes zu verstehen. Es handelt sich um die Vorstellung und Bezeichnung der allgemeinen Leute. "Auch die Prophetenjünger sind, wie die alten Pro-phetenscharen (I Sam 10,10; 19,18ff.) noch wesentlich Ekstatiker(משגע)" (Benzinger, KHC IX, 150). Vgl. 1 Sam 10,10b; 19,20b.23b:

ותצלח/ותהי על .. רוח אלהים ויתנבא(ו)

In dem Wort משגע, das in aller Leute Munde gewesen sein muß, liegt sicher die Nuance "ein wunderlicher Heiliger, Kauz". Bekanntlich ist es in Jer 29,26; Hos 9,7 im negativen Sinne gebraucht.

5 "שיח gibt G mit 'Geschwätz' ἀδολεσχία wieder, ähnlich T. Am be-sten paßt 'Geschäft', wie I 18,27" (Šanda, EHAT 9/2, 94). Nach H.-P.Müller, Die hebräische Wurzel שיח, ist "die von LXX (ἀδολεσχία) suggerierte Übersetzung 'Geschwätz' ... zu schwach" (364). Der Aus-druck שיח in unserer Stelle soll besser als "Geschrei" (364) ver-standen werden. Allerdings beabsichtigt der Verfasser nicht in erster Linie die Schilderung eines Ekstatikers. In V.5 sagt der Propheten-jünger: דבר לי אליך השר. Auf dieses דבר, nämlich die Angelegenheit des Prophetenjüngers, bezieht sich der Ausdruck שיחו in unserer Stelle.

6 "Zu שקר cf. Jer 37,14. Es könnte auch als starke, absolut stehende Ne-gation (nein, nein!) gefaßt werden" (Šanda, EHAT 9/2, 94). In unserer Erzählung findet man die damalige Umgangssprache, die urwüchsig ist.

7 V.12bβγ (mit dem einführenden Infinitiv לאמר) ist Glosse. Stade-Schwally, SBOT 9, 221: "MT כזאת וכזאת shows that the author does not intend to give the substance of what the disciple said; cf. Jud. 18,4; 2 S 17,15. Besides, the passage after לאמר would only have an appropriate meaning if it came after an account of the ceremony of anointing and stood connection with it. From לאמר on is hence to be regarded as later scribal expansion". H.Gunkel, Elisa 75: "Hebräischer Stil meidet in solchem Falle die Wiederholung der Worte; ein späterer Leser hat sie hinzugefügt". Vgl. ferner W.Baumgartner, Ein Kapitel vom hebräischen Erzählungsstil. Der Ausdruck כזה וכזה kommt (ab-gesehen von der Wendung in 2 Sam 11,25) in Ri 18,4; 1 Kön 14,5 vor. כזאת וכזאת ist in Jos 7,20; 2 Sam 17,15(bis); 2 Kön 5,4; 9,12 belegt. Was Jos 7,20 betrifft, vgl. W.Dietrich, Prophetie und Geschichte 48 Anm.2.

sein Gewand und legten (es) ihm zu Füßen auf גרם המעלות[8]. Und sie
stießen in die Posaune und riefen: König geworden ist Jehu! ( )

16. Dann bestieg Jehu den Kampfwagen und fuhr nach Jesreel. ( )

17. Der Wächter aber stand auf dem Turm in Jesreel. Als er die Schar
des Jehu kommen sah[9], rief er: Ich sehe eine Schar[10]. Da sagte Joram:
Hol einen Reiter[11] und sende (ihn) ihnen[12] entgegen, daß er sage: So
spricht der König: Ist alles in Ordnung? 18. Und der reitende Bote ging
hin ihm entgegen und sagte: So spricht der König: Ist alles in Ordnung?

8 Unklar. Benzinger, KHC IX 150: "Was אל-גרם המעלות bedeutet, ist
nicht zu sagen. Die Stufen המעלות erklären sich, wenn man annimmt, Jehu habe sich von einer Erhöhung aus, etwa von der Treppe
am Hause aus dem Volk als König gezeigt. Aber גרם, eigentlich
Knochen, giebt, auch wenn es das 'Gerüst' der Treppe bedeuten
könnte, keinen guten Sinn. LXX hat das Wort schon nicht verstanden": γαρεμ! Wahrscheinlich ist eine Art Freitreppe gemeint. Vgl.
Ch.Levin, Atalja 20f. Anm.11 und die dort genannte Literatur.

9 וירא את-שפעת יהוא בבאו. Wörtlich: Und er sah die Schar des Jehu,
während er (Jehu) herankam. Dazu vgl. P.Joüon, Grammaire de l'hébreu biblique 126b N. Das שפעה meint wahrscheinlich die Truppe
(vgl. Jes 60,6). LXX hält es jedoch für die Staubwolke (κονιορτόν).
Vgl. Ez 26,10.

10 Lies שפעה statt שפעת. Stade-Schwally, SBOT 9, 222: "If an altera-
tion seems necessary, and if שפעת is not taken as a plural ..., the
simplest emendation would be שפעה".

11 rakkab. Dieser Ausdruck findet sich noch in 1 Kön 22,34. Während
er dort einen Wagenlenker bezeichnet (LXX: ἡνίοχος), ist in unserer
Stelle sehr wahrscheinlich ein Reiter gemeint (LXX:ἐπιβάτης). Stade-
Schwally, SBOT 9, 222, sowie Šanda, EHAT 9/2, 96, schlagen vor,
rokeb statt rakkab zu punktieren. In V.18.19 ist von רכב (ה)בוס die
Rede (LXX: ἐπιβάτης ἵππου). Der Reiter in unserer Erzählung ist
kein Kavallerist, sondern ein berittener Eilbote. Dazu vgl. z.B. BHH
1584f.

12 Das Suffix ם meint selbstverständlich die Schar Jehus. In V.18
kommt der Ausdruck לקראתו vor. Das ו bezieht sich freilich auf
Jehu. Die Fassung der LXX weicht in zwei Punkten von der des masoretischen Textes ab:

ושלח לקראתם	17*	καὶ ἀπόστειλον ἔμπροσθεν αὐτῶν
וילך ... לקראתו	18*	καὶ ἐπορεύθη ... εἰς ἀπαντὴν αὐτῶν
בא-המלאך עד-הם		Ἦλθεν ὁ ἄγγελος ἕως αὐτῶν
ויבא אלהם	19*	καὶ ἦλθεν πρὸς αὐτόν
בא עד-אליהם	20*	Ἦλθεν ἕως αὐτῶν

Und Jehu sagte: Was geht es dich an, ob alles in Ordnung ist?[13] Wende um, folge mir! Und der Wächter meldete: Der Abgesandte ist zu ihnen gekommen, aber kehrt nicht zurück. 19. Da sandte er einen zweiten reitenden Boten. Und er kam zu ihnen und sagte: So spricht der König: Ist alles in Ordnung(?)[14] Und Jehu sagte: Was geht es dich an, ob alles in Ordnung ist? Wende um, folge mir! 20. Und der Wächter meldete: Er ist zu ihnen gekommen, aber kehrt nicht zurück. Die Jagd aber ist wie die Jagd Jehus, des Sohnes Nimschis; er jagt wie rasend[15]. 21. Da sagte Joram: Spann an! Und man spannte seinen Kampfwagen an. Und er fuhr hinaus ( ). ( )

22. Und es geschah, als Joram dem Jehu begegnete, sagte er: Ist alles in Ordnung, Jehu? Und er sagte: Was, ist alles in Ordnung[16] ( )? 23. Da lenkte Joram um und floh. ( ) 24. Jehu aber spannte den Bogen und schoß Joram mitten in seinen Rücken[17]; der Pfeil fuhr durch sein Herz. So fiel er in seinem Kampfwagen zusammen. ( )

30. Dann kam Jehu nach Jesreel. Isebel aber hörte (das). Da schminkte sie ihre Augen und schmückte ihr Haupt und schaute zum Fenster hinaus. 31. Jehu aber kam zum Stadttor[18]. Da sagte sie: Ist alles in Ord-

---

13 Eine Übersetzung, die den hebräischen Satzbau nachvollzieht, ist schwierig. P.Haupt in Stade-Schwally, SBOT 9, 223: "Jehu's answer, מה לך ולשלום, means How can you ask such a stupid question, whether all is well? Hold your tongue and join my followers!"; diese Auffassung ist im Recht.

14 Lies השלום statt שלום. Der Botenformel muß die wortwörtliche Rede des Absenders folgen.

15 Vgl. etwa: wie verrückt, wie ein Verrückter, wie der Teufel, mit rasender Schnelligkeit, wütend, wild, heftig, ungestüm, stürmisch, unbändig, feurig, hitzig. Auch manche alten Übersetzungen haben unsere Stelle sinngemäß interpretiert, dazu vgl. Stade-Schwally, SBOT 9, 223; C.F.Burney, Notes on the Hebrew Text of the Books of Kings 299. Der Ausdruck בשגעון findet sich sonst noch in Dtn 28,28; Sach 12,4. Diese zwei Belege, die aus sehr später Zeit stammen, helfen nicht, die Nuance der Aussage an unserer Stelle zu bestimmen.

16 "Es ist mit Targ. māh $h^a\check{s}al\hat{o}m$ (statt $ha\check{s}\check{s}al\hat{o}m$ der Mass.) zu vokalisieren." (Benzinger, KHC IX, 151). Ähnlich meinen z.B. Stade-Schwally, SBOT 9, 223; Šanda, EHAT 9/2, 97.

17 בין זרעיו: "Zwischen seine Arme".

18 MT: בשער. LXX: ἐν τῇ πόλει. Es trifft schwerlich das Richtige, wenn A.Jepsen in BHS als hebräische Vorlage בעיר statt בשער annimmt. Denn in LXX wird שער oft mit πόλις übersetzt: Gen 22,17;

nung, Hochverräter[19] Simri? 32. Und er erhob sein Gesicht zum Fenster und sagte: Wer hält's mit mir, wer?[20] Da schauten zwei drei[21] Höflinge[22] zu ihm heraus. 33. Und er sagte: Stürz(t sie)[23] herab! Und sie stürzten sie hinab. Und ihr Blut spritzte an die Wand und an die Rosse. Und (sie) trat(en sie)[24] nieder. 34. Und er ging hinein und aß und trank. Dann sagte er: Seht nach jener Verfluchten und begrabt sie; denn sie ist eine Königstochter! 35. Und sie gingen hin, um sie zu begraben, aber fanden nichts von ihr als den Schädel sowie die Füße und die Handflächen. ( )

Dtn 12,15.17.18.21; Ri 5,8.11; 9,40; 1 Sam 9,18; 21,14; 2 Sam 10,8; 1 Kön 8,37; 2 Kön 7,3; Jes 45,1; Jer 52,7; Neh 8,16; 1 Chr 16,42; 2 Chr 6,28. Und das ist natürlich in 2 Kön 10,8 auch der Fall.

19 זמרי הרג אדניו. Wörtlich: (Du) Simri, der Mörder seines Herrn. Vgl. C.Brockelmann, Hebräische Syntax 153c.

20 MT: *mî 'ittî mî*. LXX: Τίς εἶ σύ; κατάβηθι μετ' ἐμοῦ. Die hebräische Aussage ist als solche gut verständlich, die griechische Übersetzung Unsinn. Stade-Schwally, SBOT 9, 225: "The translator read (a) *mî 'attî*, which is wrong, since Jehu must have known who addressed him in V.31; and (b) instead of MT מי 2° he read עמי, or pehaps רדי עמי. This clause is meaningless (Jehu certainly did not offer to escourt Jezebel downstairs!)". Es scheint, daß der Übersetzer 9,32bβ nach Analogie von 10,13bβ verstanden bzw. mißverstanden hat.

21 שנים שלשה: "zwei drei" = ein paar. Das שלשה hat LXX - wohl wegen ihres Unverständnisses - gestrichen. Ähnliche syndetische Ausdrücke sind jedoch nicht singulär. Vgl. z.B. W.M.W.Roth, The Numerical Sequence X/X+1 in the Old Testament; aber vor allem Ed.König, Stilistik, Rhetorik in Bezug auf die biblische Literatur 163. Für "zwei (und/oder) drei" zählt König folgende Belege auf: "2 K 9,32; Jes 17, 6a; Am 4,8 (vgl. Hos 6,2); Hi 33,29; Sir 13,7; 23,16; 26,28; 32,7b; 50,25; Mt 18,20".

22 סריסים. Ob dieser Ausdruck unserer Stelle die Eunuchen bezeichnet, ist nicht zu ermitteln, während Jes 56,3-5 eindeutig von den Verschnittenen spricht und auch Dtn 23,2 darauf hinweist, daß solche Männer in Israel vorhanden waren. Dazu vgl. Gesenius-Buhl 552f. Wie dort aufgezählt, ist von סריסים/סריס am israelitisch-judäischen Hofe außer an unserer Stelle noch in 1 Sam 8,15; 1 Kön 22,9 (→ 2 Chr 18,8); 2 Kön 8,6; 23,11; 24,12.15; 25,19 (// Jer 52,25); Jer 29,2; 34, 19; 38,7; 41,16; 1 Chr 28,1 die Rede.

23 Lies mit Qere: שמטוה.

24 MT: *wajjirm^e sennāh*. Diese Lesart ist unwahrscheinlich. Es ist schwer vorstellbar, daß Jehu, aus dem Kampfwagen gestiegen, Isebel einen Fußtritt gegeben hat. Das Subjekt des Satzes müssen die Rosse sein. Hier muß nämlich 3.pers.pl. statt 3.pers.sg. gelesen werden. LXX ist im Recht: καὶ συνεπάτησαν αὐτήν. Die meisten Exegeten

1. ( ) Und Jehu schrieb Briefe und sandte (sie) nach Samaria an die Be-amten[25] (der Stadt und an)[26] die Ältesten und an die Erzieher ( ): 2. Und nun, wenn dieser Brief zu euch kommt, - da bei euch die Söhne eures Herrn sind, und bei euch Kampfwagen und Rosse sowie befestigte (Städte)[27] und Rüstung sind - so erseht den besten und tüchtigsten un-ter den Söhnen eures Herrn und setzt (ihn) auf den Thron seines Vaters und kämpft für das Haus eures Herrn! ( )

7. Und es geschah, als der Brief zu ihnen kam, ergriffen sie die könig-lichen Prinzen[28] und schlachteten (sie)[29], siebzig Mann, und legten ihre Köpfe in Körbe und sandten (sie) ihm nach Jesreel. 8. Und der Bote kam und meldete ihm: Sie haben die Köpfe der königlichen Prinzen ge-bracht. Und er sagte: Legt sie in zwei Haufen an den Eingang des Stadttors bis zum Morgen! 9. Und am nächsten Morgen[30] ging er hinaus und sagte zu allem Volk: Ihr urteilt gerecht![31] Siehe, ich habe mich ge-

nehmen וירמסוה statt וירמסנה an. Vgl. Šanda, EHAT 9/2, 101; aber auch Stade-Schwally, SBOT 9, 226. Kann Jehu die Isebel nicht mit den Rossen zertreten haben? Die Möglichkeit ist nicht ausge-schlossen. Dazu s.u.

25 Gunkel, Elisa 85, hält die שרים für "die Obersten ..., d.h. die mili-tärischen Behörden". Doch sind unter ihnen die hohen Zivil- und Mili-tärbeamten überhaupt zu verstehen. Vgl. 1 Kön 4,2. Kittel vertritt die Auffassung: "Die שרים sind von den זקנים mit Absicht unter-schieden: es sind die Militär- und Zivilbehörden, die natürlich ... vor-wiegend Truppenkommandanten und höhere Offiziere sind, und dane-ben die Stadtältesten, der Rat,somit die Organe der Gemeinde" (HK I,5, 235).

26 Klostermann, KK A,3, 423: "SL πρὸς τοὺς στρατηγ. τῆς πόλεως καὶ πρός (Hier. optimates civitatis ...) d.i. אל-שרי העיר ואל-. Im H ist aus העירואל durch Schr.fehler das widersinnige יזרעאל geworden". Diese Auffassung ist seither communis opinio.

27 Lies mit LXX ערי statt עיר. Hier ist nicht vom Eingeschlossensein in Samaria die Rede. Klostermann weist mit Recht auf 2 Sam 20,6 hin (KK A,3, 423).

28 Mit בני אדניכם (V.2) sind vornehmlich die Söhne des umgebrachten Königs Joram gemeint. Dagegen bezeichnen die בני המלך (V.7.8) al-le männlichen Angehörigen des Königshauses.

29 Lies mit LXX וישׁטוּם statt וישׁחטו. "Although MT is not exactly impossible, the suffix is to be expected here" (Stade-Schwally, SBOT 9, 228).

30 Der Ausdruck ויהי בבקר ist noch in Gen 29,25; 41,8; Num 22,41; 1 Sam 20,35; 25,37; 2 Sam 11,14; 2 Kön 3,20 belegt.

31 Vgl. O.Thenius, KEH 9, 325: " צדקים אתם) ihr seid gerecht (und wer-det daher auch recht richten); nicht innocentes".

gen meinen Herrn verschworen und ihn getötet; wer hat aber diese alle erschlagen? ( ) 12. Und er machte sich auf ( ) und kam nach Samaria.

Der Text der postulierten Urgestalt ist vollständig. Die rekonstruierte Erzählung ist in sich verständlich. Sie schildert, wie Jehu König geworden ist. Unter diesem Thema stellt sie ein in sich geschlossenes Ganzes dar. Alle Szenen sind sinnvoll untereinander verknüpft[32]; der Aufbau der Erzählung ist klar und straff. Der rote Faden ist der Marsch Jehus von Ramot Gilead über Jesreel bis nach Samaria.

Zu Anfang wird Jehu in Ramot Gilead, wo er sich als Oberst befindet, im Namen Jahwes zum König über Israel gesalbt und proklamiert. Nunmehr ist er de iure König, wenn auch noch nicht de facto. Um die alte Herrschaft zu beseitigen und sein Königtum zu installieren, setzt er sich in Marsch nach Jesreel, wo der König Joram und die Königinmutter Isebel sich aufhalten: וירכב יהוא וילך יזרעאלה (9,16aα). Vor der Stadt erschießt er den König Joram, der ihm entgegentritt, mit einem Pfeil. Darauf erreicht er Jesreel: ויבא יהוא יזרעאלה (9,30a). Die Königinmutter Isebel schaut ihm zum Fenster heraus entgegen. Sie stirbt eines gewaltsamen Todes, indem sie von ihren Dienern vor ihn hinabgestürzt und von den Rossen vollends niedergetreten wird. Jehu nimmt die Stadt ein. Dann gelingt es ihm, Samaria von dorther in die Hand zu bekommen. Denn alle königlichen Prinzen in Samaria werden von den dortigen Aristokraten gefangengenommen und ermordet; ihre Köpfe, die man zu ihm nach Jesreel bringt, setzt man am Stadttor auf zwei Haufen. Das Königshaus, in dessen Dienst Jehu gestanden hat, geht zugrunde, und die Hauptstadt wird übergeben. Anschließend bricht Jehu auf und zieht als Triumphator nunmehr unblutig in Samaria ein: ויקם ויבא שמרון (10, 12a*). Dort übernimmt er förmlich die Macht. Bekanntlich war Samaria sein Königssitz (vgl. 10,36).

Unsere Erzählung ist ein von vornherein als Einheit konzipiertes Werk. Die Frage: "Wieweit die Erzählung einzelne ältere Überlieferungselemente verwendet, wird noch zu fragen sein" (O.H.Steck[33]), ist ent-

32 Gegen H.-Chr.Schmitt, Elisa 28; E.Würthwein, ATD 11,2, 327.
33 Überlieferung und Zeitgeschichte in den Elia-Erzählungen 32. Anm.2.

behrlich. "Was das Verhältnis zur Tradition und damit auch die eigene Gestaltungsmöglichkeit angeht, unterscheidet sich" unsere Erzählung ebenso wie "die Thronfolgegeschichte grundsätzlich von Werken wie der Saulüberlieferung, der Aufstiegsgeschichte (vielleicht abgesehen von deren Schlußteil) oder auch J. Waren dort bereits ausformulierte Einzelerzählungen vorgegeben, die es so gut wie möglich miteinander zu verbinden galt, so steht hier schon am Anfang eine Gesamtkonzeption, nach der alles einzelne frei entworfen werden kann. Die Vorgänge sind von vornherein als Szenen auf das Ganze hin gesehen und komponiert" (R. Smend[34]).

Wir wollen unsere Erzählung näher betrachten.

Sie beginnt in 2 Kön 9,1 mit dem Auftreten des Propheten Elischa. Wo befindet er sich? Es wird nicht angegeben. Es kommt der Erzählung darauf nicht an. Die Person des Elischa ist nicht in erster Linie von Gewicht. Er ruft einen der Prophetenjünger und befiehlt ihm, nach Ramot Gilead zu gehen, um Jehu, der sich dort aufhält, im Namen Jahwes zum König über Israel zu salben. Die Ansprache des Elischa bildet sozusagen den Prolog des Dramas. Dann tritt er für immer von der Szene.

Der Einsatz unserer Erzählung ist ähnlich dem der vordeuteronomistischen Prosaerzählung in Ri 4[35]. Dort beginnt das Geschehen mit der Prophetin Debora. Sie ruft Barak und befiehlt ihm, ein Lager aufzuschlagen. Damit veranlaßt sie das Folgende. Auf diese Weise wird der göttliche Beistand beim Kampf angedeutet, auch wenn Debora selbst nicht wieder auftritt und die göttliche Beteiligung am Kampf gar nicht dargestellt wird.

Die Rolle des Elischa in unserer Erzählung ist es, die göttliche Legitimierung der Erhebung Jehus zum König kundzutun. Als Prophet ist er der Vermittler des göttlichen Willens.

Die Erzählung nennt ihn ausdrücklich den Propheten Elischa (אלישע הנביא). Das ist schwerlich ein Zufall. Diese Bezeichnung ist, abgesehen

---

34 Die Entstehung des Alten Testaments 131.
35 Zum ursprünglichen Bestand, der dem ersten Redaktor DtrH vorlag, rechne ich derzeit: V.4a. 5a. 6abα*(ohne הלא צוה יהוה אלהי־ישראל). 10aα.12.13.14b.16b.17a.18-22. Von DtrH stammen V.1-3.4b.5b.24.

von dem Ausdruck אלישע הנביא אשר בישראל in 2 Kön 6,12, nur hier belegt, während der Name Elischa im Alten Testament 58mal vorkommt.
A.Klostermann ist der Meinung, "daß der Red. הנביא einsetzte, um nach
der Unterbrechung 8,16-19 wieder in den Zshg mit 8,7-17 zurückzuzie-
hen"[36]. Daß dieses הנביא eine Glosse ist, ist aber unwahrscheinlich. In
2 Kön 13,14, wo Elischa nach langer Unterbrechung wieder vorkommt,
wird er nur "Elischa" genannt. ואלישע חלה את-חליו אשר ימות בו (V.14a).
Der Ausdruck אלישע הנביא ist ein Indiz dafür, daß unsere Erzählung
nicht zu den Elischa-Legenden gehört hat[37]. Zwar erscheint der Terminus
בני הנביאים der sich in 2 Kön 9,1 findet, sonst in den Elischa-Legenden
und in der prophetischen Perikope 1 Kön 20,35-43[38]; aber es ist nicht
verwunderlich, daß unserem Schriftsteller, der Elischa gekannt hat, die
Existenz und Benennung der בני הנביאים bekannt gewesen ist. Sicher
ist, daß die Elischa-Legenden in ihrem literarischen Entstehungsprozeß
unsere Erzählung voraussetzen. Eines der deutlichsten Beispiele kann man
in 2 Kön 4,29 finden. Unverkennbar verdankt der Anfang dieses Verses
seine Formulierung 2 Kön 9,1b:

2 Kön 4,29aα*	2 Kön 9,1b
ויאמר לגיחזי	ויאמר לו
חרג מתניך	חרג מתניך
וקח משענתי בידך	וקח פך השמן הזה בידך
ולך	ולך רמת גלעד

Die Jehu-Erzählung selbst aber ist keine Prophetenerzählung[39]. Jehu ist
nicht als Werkzeug des Propheten Elischa aufgefaßt. Eher ist das Umgekehrte der Fall: Für Jehu, der in der Erzählung die Hauptrolle spielt,
ist Elischa als Prophet zu seiner Legitimation unentbehrlich.

　　Durch den Mund des Propheten wird eingangs die Entscheidung Jahwes für Jehu, den Protagonisten der Erzählung angezeigt:

(V.3aβ²γ). כה-אמר יהוה משחתיך למלך אל-ישראל

36 KK, A,3, 419.
37 M.Noth, Überlieferungsgeschichtliche Studien 80, vertritt mit Recht
　die Auffassung, daß unsere Erzählung "nicht aus dem Zyklus der Elia-
　und Elisageschichten stammt, da die Person des Elisa hier völlig in
　den Hintergrund tritt".
38 1 Kön 20,35; 2 Kön 2,3.5.7.15; 4,1.38(bis); 5,22; 6,1.
39 Vgl. Smend, Die Entstehung des Alten Testaments 134 (§ 22,1).

Mit diesem Spruch, der "durch äusserste Prägnanz ausgezeichnet ist"[40], wird behauptet, daß die Machtergreifung des Jehu legitim war.

Nach der Anweisung des Elischa führt der Prophetenjünger seinen Auftrag aus.

V.4-6*.10b	V.1b-3*
	חגר מתניך
	וקח פך השמן הזה בידך
וילך הנער רמת גלעד	ולך רמת גלעד
ויבא	ובאת שמה
והנה שרי החיל ישבים	וראה-שם יהוא בן-נמשי
ויאמר	ובאת
דבר לי אליך השר	והקמתי מתוך אחיו
ויאמר יהוא	
אל-מי מכלנו	
ויאמר	
אליך השר	
ויקם ויבא הביתה	והביאת אתו חדר בחדר
	ולקחת פך-השמן
ויצק השמן אל-ראשו	ויצקת על-ראשו
ויאמר לו	ואמרת
כה אמר יהוה	כה אמר יהוה
משחתיך למלך אל-ישראל	משחתיך למלך אל-ישראל
ויפתח הדלת	ופתחת הדלת
וינס	ונסתה
	ולא תחכה

"In 2.Kön 9,1-3 wird berichtet, welche Instruktionen Elisa seinem Schüler, der Jehu zum König salben sollte, mit auf den Weg gab, in 9,4-10, wie der Auftrag ausgeführt wurde. Und der Prophetenschüler hält sich strikt an die Anweisungen! Er geht nach Ramoth (V.4, vgl. V.1bβ), findet dort Jehu (V.5, vgl. V.2a*bα), führt ihn beiseite (V.6aα, vgl. V.2b*αβ), gießt Öl über sein Haupt (V.6aβ, vgl. V.3aα) und erklärt Jehu, er sei hiermit zum König Israels gesalbt" (W.Dietrich[41]). Die Schilderung, "wie der Auf-

40 T.Veijola, Das Königtum 75 Anm.13.
41 Prophetie und Geschichte 47.

trag ausgeführt wurde", ist sehr lebendig. Dazu trägt z.B. das Gespräch V.5aβb statt der Beschreibung der Handlung bei. "Die Wiederholung gebraucht nicht ganz genau denselben Wortlaut, was der hebräische Erzählungsstil, im Unterschiede etwa vom babylonischen Gilgamesch-Epos und von Homer, in solchen Fällen verschmäht" (H.Gunkel[42]).

Der beauftragte Prophetenjünger geht hin und kommt nach Ramot Gilead. Dort sitzen die Heeresobersten beisammen. Ähnlich wie der Prophetenjünger, der in V.1 als אחד מבני הנביאים bezeichnet ist, in V.4 הנער genannt ist, werden diejenigen, die in V.2 als Jehus Kameraden (אחיו [43]) erwähnt sind, in V.5 ausdrücklich שרי החיל genannt. J.Wellhausen vermutet, daß die Obersten ein Trinkgelage gehalten haben[44]. Aber man sitzt nicht nur zum Trinken beisammen. Wie ist ihm die Idee in den Sinn gekommen? Vielleicht hat Wellhausen Hos 7,5 im Kopf gehabt. In seiner Übersetzung lautet V.5a[45]:

"Am Tage unseres Königs waren die Fürsten krank am Weinfieber."
Hier ist von einem König die Rede. Der Prophet Hosea mag, wie H.W. Wolff mit Vorsicht vorschlägt[46], von der Thronbesteigung des Hoschea ben Ela gesprochen haben. In diesem Spruch spiegelt sich allerdings die Verurteilung der Thronwirren überhaupt. Darum steht in V.7bα die Pluralform von מלך: כל-מלכיהם נפלו. Diese Antipathie des Propheten[47] gilt fraglos auch für den Fall Jehus, den Gegenstand unserer Erzählung[48]. Doch unterscheidet sich der Gesichtspunkt desjenigen, der die Salbung Jehus im Namen Jahwes zur Darstellung gebracht hat, von dem hoseanischen. Zu ein und demselben Ereignis kann es viele verschiedenen Stellungnahmen geben: "auch zu gleichen Zeiten hat man selbst auf der Basis des Jahweglaubens nicht gleich gedacht und gehandelt" (Smend[49]). Im

---

42 Elisa 73.
43 Vgl. Neh 5,10.14.
44 Prolegomena 289.
45 Die kleinen Propheten 15.
46 BK XIV/1, 158f.
47 Nebenbei bemerkt: "Aber von einer dogmatischen Theorie geht er dabei nicht aus, sondern lediglich von der geschichtlichen Erfahrung" (Wellhausen, Die kleinen Propheten 132). Dazu vgl. Smend, Der Ort des Staates im Alten Testament 193.
48 Gegen Wolff, BK XIV/1, 178.
49 Smend, Der Ort des Staates im Alten Testament 186.

übrigen hat auch derjenige, der in 1 Sam 10,1 offenkundig aufgrund von 2 Kön 9,1-6 die Salbung Sauls durch Samuel erfunden hat[50], die Aussage seiner Quelle - freilich auf seine Weise - ernst genommen. In der Tat ist unsere Szene gar nicht ironisch geschildert.

Der Prophetenjünger sagt: Ich habe dir etwas mitzuteilen, Oberst. Es ist Jehu, der unter den Obersten den Mund auftut: Wem von uns allen? Er antwortet: Dir, Oberst. Die Beschreibung dieses Gesprächs läßt Jehu, den Helden der Erzählung, aus den mit ihm zusammensitzenden Genossen hervortreten. Freilich ist es gut denkbar, daß Jehu historisch, wie Omri im Lager zu Gibbeton[51], primus inter pares war. Die geschilderte Szene dient aber in erster Linie dem darstellerischen Effekt. Das Gespräch in V.5aßb entspricht dem Befehl des Elischa in V.2bα[3]: והקמתו מתוך אחיו. "Zu beachten ist hier die auffallende Knappheit der Worte: der ursprüngliche Sagenstil liebt, wie auch das Folgende zeigen wird, solche kurzen Sätze überaus" (Gunkel[52]).

Den Einsatz des hiesigen Gesprächs bildet die Anrede: דבר לי אליך השר (V.5aß[2]). Wir haben zwei weitere Belege für diesen Ausdruck. Den einen bietet die Thronfolgegeschichte Davids, und zwar die Szene über das heimliche Zwiegespräch zwischen Adonija und Batseba. Er sagt zu ihr: דבר לי אליך (1 Kön 2,14a[1]). Der andere findet sich in der Ehud-Geschichte in Ri 3. Wird der Zusatz V.19aα[53] gestrichen, heißt der Abschnitt, wo der betreffende Ausdruck vorkommt, folgendermaßen:

"Und als er (Ehud) vollendet hatte, den Tribut hineinzutragen, entließ er die Leute, die den Tribut getragen hatten. Und er sagte: ich habe dir heimlich etwas zu sagen, König (דבר-סתר לי אליך המלך). Und er (der König) sagte: Ruhe! Da gingen hinaus von ihm alle, die um ihn gestanden hatten" (V.18.19aßb).

Auf diese Weise bleiben zwei Personen allein. In unserer Erzählung ver-

---

50 Vgl. Levin, Atalja 91 Anm.2.
51 1 Kön 16,16
52 Elisa 72.
53 V.19aα und V.26b gehören zusammen. Die ursprüngliche Erzählung ist mit V.26a unverkennbar abgeschlossen. Ihre Bestandteile sind: V.16. V.17a.18.19aßb.20b.21.24*(nur ויראו באו ועבדיו).25bγ.26a. Diese Auffassung verdanke ich Ch.Levin. V.20aγ lautet: דבר-אלהים לי אליך. Die Formulierung ist gegenüber V.19aß[2] sekundär.

läßt Jehu selber sogleich den Kreis der Obersten. Die Schilderung V.6aα weicht einigermaßen von der Anweisung des Elischa V.2bα³β ab. Der Prophetenjünger führt Jehu nicht, sondern folgt ihm, was allerdings nicht dargestellt wird. So sind sie zu zweit allein. Jedenfalls meint die Redeweise דבר לי: Ich habe eine sehr wichtige Angelegenheit mitzuteilen.

Jehu steht auf und geht ins Haus[54] hinein. Dort wird er im Namen Jahwes zum König über Israel gesalbt. Die Schilderung, die der Anweisung des Elischa V.3aα¹ entsprechen soll, ist dabei ausgelassen. Jedoch verläuft die Szene im wesentlichen gemäß der Rede des Elischa. Der literarische Effekt ist beabsichtigt: am Anfang der Erzählung wird die Aussage, Jehu sei der Gesalbte Jahwes[55], auf diese Weise doppelt dargestellt. Der Prophetenjünger teilt die Botschaft mit: כה-אמר יהוה משחתיך למלך אל-ישראל (V.6b*). Nach Ausführung seiner Aufgabe verschwindet der Prophetenjünger sogleich, wie Elischa ihn angewiesen hat. Das Tempo Allegro bestimmt unsere Erzählung durchgehend[56]. Daß das Salbungsritual unter vier Augen geschieht, ist die wirkungsvolle Voraussetzung der nächsten Szene.

Jehu kommt zu den "Knechten seines Herrn" hinaus (V.11aα). Die Bezeichnung seiner Amtsgenossen wird noch einmal umschrieben. Die Variierung ist darstellerisch angebracht. In V.5 wird informiert, Jehu sei einer der Heeresobersten in Ramot Gilead. Der Ausdruck עבדי אדניו

---

54 Der Ausdruck הביתה in V.6 entspricht חדר בחדר in V.2. Vgl. Hld 3,4. Außer an unserer Stelle ist der Ausdruck חדר בחדר noch in 1 Kön 20,30; 22,25 (→ 2 Chr 18,24) belegt.

55 Freilich kommt der Ausdruck משיח יהוה in unserer Erzählung nicht vor. Der Tatbestand wird als Vorgang erzählt.

56 Eine historische und psychologische Begründung für das eilige Verschwinden des Prophetenjüngers kommt nicht in Betracht. Es beruht auf bloßer Phantasie, wenn Gunkel, Elisa 72.73, folgendermaßen sagt: "Solche plötzliche Flucht ist in dieser Lage begreiflich genug; das Wort, das er gesprochen hat, ist Hochverrat. Möglich, daß Jehu ihn sofort verhaften läßt oder ihn selber ohne Zaudern niederschlägt; denn vielleicht geht er auf Elisas Plan nicht ein, oder er will doch jedenfalls den Zeugen aus der Welt bringen. Elisa selbst also weiß es wohl, daß es sich in dieser Sache um Leben oder Tod handelt. ... Ehe aber Jehu noch recht zur Besinnung gekommen, war der Jüngling schon entflohen. - Die Sätze, die er spricht, sind natürlich ganz kurz: so ist es ihm anbefohlen, und so müssen sie sein: sonst zieht Jehu sein Schwert". Vgl. ferner ebd. 99 Anm.10.

weist darauf hin, daß die Erzählung von einer Verschwörung handelt. So-
bald Jehu den Dienern seines Herrn das prophetische Wort meldet, brin-
gen sie ihm die Huldigung dar, indem sie die Königszeremonie vollziehen.
Der Ausdruck וימהרו V.13aα[1] ist bekanntlich adverbial zu verstehen[57].
Ein ähnliches Beispiel bietet V.3b[3]: ולא תחכה. Beide Male wird die
Hurtigkeit betont.

Das Gespräch V.11aβb.12aα* klingt keck. Hier können wir die
Umgangssprache der betreffenden Zeit vernehmen.

מדוע בא-המשגע הזה אליך (V.11aγ): "Warum ist dieser Verrückte zu dir gekommen? Das Wort ist außerordentlich bezeichnend; so urteilt man also
in gewissen Kreisen über die Propheten! ... Besonders aber reden so hohe
Offiziere; denn der Krieg ist ein rohes Handwerk, und im Militär ist man
an kräftige Reden gewöhnt" (Gunkel[58]).

שקר הגד-נא לנו (V.12aα[2]β): "Lüge! Sage es uns! Auch das so geradezu,
wie hohe Militärs damals sprechen. Höflicher übersetzt Kamphausen bei
Kautzsch, 3.Aufl.: 'Das sind Ausflüchte.' Schade nur, daß die alte Zeit
nicht so höflich gewesen ist" (Gunkel[59]).

Theoretisch wäre es möglich, V.11aγb.12a zu streichen; V.11aβ könnte an
V.12bα* glatt anschließen. Durch die Streichung aber nimmt man unserer
Erzählung ihre frische Schönheit. Der Wortwechsel macht die Schilderung
V.13 eindrücklich.

Von dem Ausdruck השלום,   der die Anrede der Amtsgenossen an
Jehu bildet, war schon die Rede. Wie erwähnt, ist er siebenmal gebraucht. In V.18.19 findet sich der Satz מה-לך ולשלום. Die wiederholte
Verwendung von שלום in 9,11-35 "verleiht den Aussagen Lebendigkeit
und hält den Leser in Spannung" (W.Eisenbeis[60]). Sie wirkt sehr dramatisch.

Die Proklamation wird ausgerufen: מלך יהוא. Dieselbe Form der
Proklamation findet sich sonst nur in 2 Sam 15,10: מלך אבשלום. Diese

---

57 Vgl. Gesenius-Buhl 403.
58 Elisa 74.
59 Die Revolution des Jehu 215 mit Anm.2. In ders., Elisa 75, ist die
   Kritik an Kamphausen gestrichen.
60 Die Wurzel שלם im Alten Testament 108.

"Formel wird kaum zufällig beidesmal bei einem Aufstand gegen den Throninhaber gebraucht" (Ch.Levin[61]). A.R.Johnson hat mit Recht die Auffassung vertreten: "In these passages ... the expression under discussion need mean no more than 'So-and-so is king', the context serving to show that in these cases the expression has the force of 'So-and-so is (now) king'"[62]. A.Gelston hat ebenfalls recht, wenn er die zwei Sätze interpretieren will: "Jehu is (and not Joram) king", "Absalom is (and not David) king"[63]. Zu dem Problem, "whether the perfect מלך should be translated 'be king' or 'become king'" (Gelston) vertritt er selbst die Meinung: "The verb מלך is best translated 'is king' or 'reigns' rather than 'has become king'"[64]. Diese Alternative mag jedoch unangemessen sein; "der Akt meint den Zustand" (Smend[65]). Die Proklamation des Jehu besagt also: Jehu ist König geworden; es ist Jehu, der jetzt König ist, nicht mehr Joram. Der Proklamationsruf מלך יהוא ist die Grundmelodie der Erzählung. Diese Grundmelodie führt durch das ganze Geschehen. Die Schilderung, wie Jehu die göttliche Legitimierung und die erste menschliche Anerkennung seines Königtums erhalten hat, bildet die Exposition[66].

Anschließend, ohne Zögern, besteigt Jehu seinen Kampfwagen und fährt nach Jesreel, wo Joram sich aufhält. Dieser ist nun zu beseitigen.

Der Wächter steht auf dem Turm in Jesreel. Und er meldet, er sehe eine Schar herankommen. Der Ausdruck אני ראה in V.17 scheint eine amtlich geprägte Redeweise gewesen zu sein (vgl. 2 Sam 18,27). Auf den Ruf des Wächters hin befiehlt Joram, der Schar einen Boten zu senden. Auf diese Weise wird Joram in die Erzählung eingeführt. Daß er sich in Jesreel aufhält, ist als selbstverständlich vorausgesetzt. Ein Aus-

---

61 Atalja 92.
62 Sacral Kingship in Ancient Israel 68.
63 A Note on מלך יהוה 509.
64 Ebd. 507.512.
65 Elemente alttestamentlichen Geschichtsdenkens 162.
66 Die irrtümlich manchmal aufgestellte These, das Stück 9,1-13* sei kein Bestandteil der ursprünglichen Erzählung, hat Schmitt, Elisa 27f., mit Recht widerlegt. Wer war der Thronprätendent Jehu? Von wo aus ist er nach Jesreel marschiert? Diese Informationen bietet ausschließlich die Exposition.

druck wie יהורם מלך ישראל, der sich in der Juda-Bearbeitung findet,
kommt in der Urgestalt der Erzählung nicht vor. Nur die Botenformel
כה-אמר המלך in V.18.19 läßt erkennen, wer er ist.

"Derartige Wächterszenen sind bei den hebräischen Erzählern offenbar beliebt gewesen, weil sie voller Spannung sind" (Gunkel[67]). H.Greßmann weist auf die Ähnlichkeit unserer Szene besonders mit 2 Sam 18, 24ff. hin[68]. Vergleicht man die beiden Szenen, so ergibt sich, daß die Art der Spannung verschieden ist. In dem betreffenden Abschnitt der Thronfolgegeschichte erwartet David gespannt die Nachrichten vom Kriegsschauplatz. Die Gespanntheit Davids kann man schon von dem Einsatz des Abschnitts ablesen. V.24a lautet:

"David aber saß zwischen den beiden Toren[69]."

Es ist seine ungeduldige Unruhe, die ihn bis dorthin getrieben hat. Durch Davids Angst veranlaßt - so darf man zwischen den Zeilen lesen - wird der Wächter auf das Dach des Tores, auf die Mauer geschickt. Das gespannte Gefühl Davids spiegelt sich getreulich in seinen drei Reden. 2 Sam 18,24bββγ-27 lautet:

"Und er (der Wächter) hob seine Augen auf und sah hinüber, und siehe, ein Mann lief allein. Und der Wächter rief und meldete (es) dem König. Und der König sagte: Ist er allein, so ist eine gute Botschaft in seinem Munde. Und er (der Laufende) kam immer näher. Und der Wächter sah einen zweiten Mann laufen, und der Wächter rief in das Tor und sagte: Siehe, ein (anderer)[70] Mann läuft. Und der König sagte: Der ist auch ein guter Bote. Und der Wächter sagte: Ich sehe den ersten laufen, wie Ahimaaz, der Sohn des Zadok, läuft. Und der König sagte: Er ist ein guter Mann, und bringt eine gute Botschaft."

Auf diese Weise steigert sich die innere Spannung Davids. Die hoch spannende Szene hat mit der Darstellung Jorams in 2 Kön 9 fast nichts

---

67 Elisa 77.
68 SAT II,1, 311. In der Thronfolgegeschichte ist vom Wächter noch in 2 Sam 13,34 die Rede.
69 בין-שני השערים = in der Torhalle. "Gew. war das Tor ein größeres Gebäude mit einem Torwege; deshalb: zwischen den beiden Toren 2S 18,24, s.v.a. בתוך השער 1S 9,18 (wohl auch V.14)" (Gesenius-Buhl 854).
70 Vgl. BHS.

zu tun. 2 Kön 9,20b ist 2 Sam 18,27aβγ gegenüberzustellen:

אני ראה את-מרוצת הראשון כמרצת אחימעץ בן-צדוק

והמנהג   כמנהג יהוא   בן-נמשי <u>כי בשגעון ינהג</u>

Der כי-Satz V.20bβ, dessen Aussage als Meldung des Wächters am Turm überflüssig ist, bringt die Vorstellung des Erzählers zum Ausdruck[71]. In unserer Szene ist von Jehus Vormarsch die Rede.

Gunkel stellt sich vor, "daß er (sc. Joram) ungeduldig auf Nachrichten vom Kriegschauplatz wartet, in banger Sorge um das Heer, das er hat verlassen müssen; die Männer, die aus der Gegend von Ramoth herankommen, bringen sicherlich eine wichtige Botschaft, vielleicht von einer geschlagenen Schlacht! So sendet er einen Reiter"[72]. Ein solches Bild, das auch viele andere in der Szene sahen, erlauben die Ergebnisse der Literarkritik nicht. Zwar kommt Jehu von Ramot Gilead, aber vom dortigen Krieg ist in der Erzählung nicht die Rede. Die Sendung des Boten durch Joram ist nicht historisch-psychologisch aufzufassen.

In dem vergleichbaren Abschnitt der Thronfolgegeschichte ist das Geschehen ausschließlich aus dem Blickwinkel der Stadt erzählt, in der David anwesend ist. In unserer Szene dagegen ist der Gesichtswinkel nicht feststehend. Wichtig ist der Wortwechsel zwischen dem von Joram gesandten Boten und Jehu.

Der Bote kommt zu Jehu und übermittelt das Wort dessen, der ihn gesandt hat: כה-אמר המלך השלום. Jehu, mit unwiderstehlicher Gewalt vorwärtsstürmend, verweigert die Antwort auf die Anfrage des Königs Joram schlechthin - alea iacta est - und fordert laut rufend den Boten zu Unterwerfung und Beteiligung auf: מה-לך ולשלום סב אל-אחרי. Der Ton dieser Worte, die "so kurz wie möglich"[73] sind, ist im Deutschen nicht leicht wiederzugeben. Wie dem auch sei, auch hier begegnen wir der da-

---

71 Gunkel neigt zur vorschnellen Historisierung, wenn er aus V.20 folgert, "daß Jehu durch wahnsinniges Fahren bekannt war, wodurch in außerordentlich anschaulicher Weise seine rücksichtslose Verwegenheit geschildert wird. ... Dabei wird uns auch das wieder deutlich, wie Jehu in dieser Lage äußerste Schnelligkeit für notwendig hält" (Elisa 79).

72 Elisa 78.

73 Gunkel, Elisa 78.

maligen lebhaften Umgangssprache. Die Botenformel im profanen Gebrauch ist im Alten Testament 26mal belegt[74]. Der Ausdruck .. ל..ול מה kommt nicht selten vor[75]. Besonders scharf klingt die Redeweise: "Wende um, folge mir". Damit ist gesagt: Du sollst mein Diener sein. In Jehus Donnerstimme steckt wohl auch die Nuance: Geh aus dem Weg, Platz da! Jedenfalls hat der Löwe sehr gut gebrüllt.

Es fehlt eine Beschreibung, wie der Bote sich verhält. Doch ist sie ohne Schwierigkeit zu erschließen. Man darf sich auf evangelische Überlieferungen berufen, selbst wenn dort nicht im geringsten tobende Stimmung herrscht.

Mk 1,17-18*: δεῦτε ὀπίσω μου, ...

καὶ εὐθὺς ... ἠκολούθησαν αὐτῷ.

Mk 2,14*: ἀκολούθει μοι.

καὶ ... ἠκολούθησεν αὐτῷ.

Die ausgelassene Satz würde etwa heißen: Und sogleich folgte er ihm. Die Kunst des Schweigens aber hält die Darstellung in Spannung. Durch den Mund des Wächters wird die Sachlage andeutungsweise zum Ausdruck gebracht: "Der Bote ist zu ihnen gekommen, kehrt aber nicht zurück" (V.18bβ).

Dann wird ein zweiter Bote geschickt.

"Und er kam zu ihnen und sagte: So spricht der König: Ist alles in Ordnung? Und Jehu sagte: Was geht es dich an, ob alles in Ordnung ist? Wende um, folge mir! Und der Wächter meldete: Er ist zu ihnen gekommen kehrt aber nicht zurück."

So lautet V.19aα²β-20a. Die Wiederholung ist künstlerisch sehr effektvoll. Sie dient zur Steigerung der Spannung.

V.19aα	V.17b.18aα[1]
	ויאמר יהורם
	קח רכב

---

74 Gen 32,5; 45,9; Ex 5,10; Num 20,14; 22,16; Ri 11,15; 1 Sam 9,9; 1 Kön 2,30; 20,3.5; 22,27; 2 Kön 1,11; 9,18.19; 18,19 (→ Jes 36,4); 18,29 (→ Jes 36,14); 18,31 (→ Jes 36,16); 19,3 (→ Jes 37,3); Am 7,11; Esr 1,2; 2 Chr 32,10; 36,23.
75 מה לי ולך: Ri 11,12; 1 Kön 17,18; 2 Kön 3,13; 2 Chr 35,21.   מה לי ולכם: 2 Sam 16,10; 19,23. Vgl. ferner Jer 2,18; Hos 14,9.

וישלח רכב סוס שני   ושלח לקראתם

ויאמר השלום

ויבא אלהם   וילך רכב הסוס לקראתו

Die Ausführung des Befehls Jorams wird nicht mit denselben Worten erzählt: die Verben לקח und שלח werden nicht gebraucht. Darum wirkt die Schilderung straff. Bei der zweiten Botensendung wird der Befehl des Königs selbst ausgelassen. Stattdessen erscheint der bündige Narrativ V.19aα[1]. In V.19 findet sich das Verbum בוא, während in V.18 הלך verwendet ist.

Der Wortwechsel zwischen Jehu und dem Boten sowie die Meldung des Wächters werden im wesentlichen genau wiederholt:

V.19aßb.20	V.18*
ויאמר	ויאמר
כה-אמר המלך (ה)שלום	כה-אמר המלך השלום
ויאמר יהוא	ויאמר יהוא
מה-לך ולשלום סב אל-אחרי	מה-לך ולשלום סב אל-אחרי
ויגד הצפה לאמר	ויגד הצפה לאמר
בא עד-אליהם ולא-שב	בא-המלאך עד-הם ולא-שב
<u>והמנהג כמנהג יהוא בן נמשי</u>	
<u>כי בשגעון יהנג</u>	

Wegen der Wiederholung ist die Notiz V.20b, die dem Wächter in den Mund gelegt ist, um so wirkungsvoller.

"Im Revolutionsbericht", d.h. in unserer Erzählung, "ist wörtliche Rede das bevorzugte Gestaltungsmittel einer hochstehenden Kunstprosa. Sie ist bewußt eingesetzt: Ein bloßer Tatsachenbericht hätte weitgehend auf sie verzichten können. Die Erzählung hebt sich so über die bloße Notierung des Geschehenen hinaus. Sie will nicht die Vergangenheit als solche festschreiben, sondern sie vergegenwärtigen, den Leser nicht lediglich informieren, sondern zum unmittelbaren Zeugen werden lassen. Der Bericht wird zum Drama" (Ch.Levin[76]).

Eine solche dramatische Wirkung erzielt unsere Erzählung wie überall auch in der Wächterszene. Sie ist in sich kunstvoll konstruiert. Auch hier spielt die wörtliche Rede eine wichtige Rolle. Sie wird wirkungsvoll

76 Atalja 80f.

gehandhabt, in der Meldung und Schilderung von Sachverhalten, in Befehl, Übermittelung, Aufforderung. Abgesehen davon ist die Stellung der Szene kompositorisch sinnreich. Als Zwischenglied zwischen der Exposition und den Mordszenen bildet sie ein retardierendes Moment. Der Effekt ist bewunderungswürdig. Jehu stürmt, doch bevor er die Stadt Jesreel erreicht, wo der König Joram und die Königinmutter Isebel sich aufhalten, und die direkte Auseinandersetzung mit den Omriden beginnt, wird sein schneidiges Auftreten eindrucksvoll zur Darstellung gebracht.

In der Wächterszene kann man sich die Figur Jehus sehr gut vorstellen, der mit dem Kampfwagen Staubwolken aufwirbelnd unter dem blauen Himmel durch die Wüste heranrast. Diese Anschaulichkeit findet sich überall. Unsere Erzählung "zeichnet sich aus durch ungewöhnliche Lebhaftigkeit der Schilderung und eine mehrfach fast überraschende Anschaulichkeit der Darstellung. Einzelnes ist geradezu von dramatischer Lebendigkeit, so dass man sieht, dass dem Verfasser in hohem Masse die Kunst, das Interesse des Lesers zu fesseln, zu Gebote steht" (R.Kittel[77]).

Tatsächlich macht die Schilderung vom Kampf Jehus einen großen Eindruck auf jedermann. Für J.Wellhausen ist die Handlung Jehus ein "gemeiner Verrat"[78]. Gegen die Person des "Mordgenies"[79] empfindet er große Abneigung. Sein Freund R.Smend meint desgleichen: Jehu sei der "gräuelvolle Mörder und teuflische Verräther"[80]. Eine solche Vorstellung hat zwar sub specie aeternitatis vielleicht Recht, weicht aber von der Absicht des Erzählers toto caelo ab. Die blutigen Szenen unserer Erzählung singen vielmehr ein volles Lob für Jehu.

Joram ordnet Anspannen an, seinen Wagen fertig zu machen. Dann fährt er hinaus. Als Joram dem Jehu begegnet, sagt er zu ihm: Ist alles in Ordnung, Jehu? Dieser erwidert kurz: Was, ist alles in Ordnung? Da kehrt Joram um und flieht. Warum ist er überhaupt hinausgefahren?

In dieser Szene wird der Kontrast zwischen Joram und Jehu darge-

---

77 HK I,5, 227.
78 Prolegomena 290.
79 Ebd. 290.
80 Lehrbuch der alttestamentlichen Religionsgeschichte 158.

stellt. Die knappe Beschreibung der Handlung Jorams V.23a bringt dessen Weichlichkeit an den Tag: וינס [81] ויהפך יהורם ידיו. Hier klingt sicher der Spott des Erzählers an: es ist nicht ehrenvoll, dem Feind den Rücken zu zeigen. Jehu hingegen erschießt den zurückfliehenden Joram mit einem Pfeil. Das ist der Beweis seiner Tapferkeit. Mit großem Lob verherrlicht V.24a den Helden der Erzählung. In diesem Sinne ist dieser Halbvers mit 1 Sam 17,49 zu vergleichen:

2 Kön 9,24a		1 Sam 17,49
ויהוא מלא ידו בקשת		וישלח דוד את-ידו אל-הכלי
		ויקח משם אבן
		ויקלע
ויך את-יהורם בין זרעיו		ויך את-הפלשתי אל-מצחו
ויצא החצי מלבו		ותטבע האבן במצחו
ויכרע ברכבו		ויפל על-פניו ארצה

In der fast analytischen Schilderung besingt die Freude am Erzählen die Ehre des Siegers.

Der Ausdruck von 9,24aα[1] ist eigentümlich[82]: ויהוא מלא ידו בקשת , ebenso V.30bα[2]: ותשם בפוך עיניה. Mit diesen zwei Sätzen sind vielleicht idiomatische Redewendungen gebraucht[83]. LXX übersetzt V.30bα[2] frei, aber gewiß gemäß dem ursprünglichen Sinn: καὶ ἐστιμίσατο τοὺς ὀφθαλμοὺς αὐτῆς. Dagegen gibt sie V.24aα[1] Wort für Wort wieder: καὶ ἔπλησεν Ιου τὴν χεῖρα αὐτοῦ ἐν τῷ τόξῳ. Infolgedessen ist diese Übersetzung nicht hilfreich, um die Bedeutung des Satzes zu erklären. A.B.Ehrlich vertritt die Auffassung: "מלא ידו בקשת ist wörtlich = er gab dem Bogen seine volle Kraft, das heisst, er spannte ihn bis aufs Aeusserste. Gewöhnlich versteht man den Ausdruck vom Erfassen des Bogens, doch ist er dafür unhebräisch"[84]. Mit ihm u.a. darf man sich hier wohl den seinen Bogen straff spannenden Jehu vorstellen. Die angespannte, in sich

81 Der Ausdruck הפך יד/ידים ist sonst nur in 1 Kön 22,34 (→ 2 Chr 18, 33) belegt. Nützlich ist die Vergleichung unserer Stelle mit der Wendung הפך ערף לפני in Jos 7,8, obgleich die betreffende Rede Josuas von sehr junger Herkunft ist.
82 Der Ausdruck בין זרעיו ist ebenfalls eigentümlich. Vgl. 1 Kön 22,34 (→ 2 Chr 18,33).
83 Vgl. Stade-Schwally, SBOT 9, 223f.
84 Randglossen zur hebräischen Bibel VII, 300.

kraftvolle Figur des jungen David, der im nächsten Augenblick einen Stein wirft, wurde von Michelangelo in Marmor gehauen. Was unsere Schilderung betrifft, könnte sie an einige assyrische Reliefs erinnern. Jehu ist hier fraglos als ehrenvoller Kämpfer aufgefaßt. Beachtenswert ist die positive Einstellung unserer Erzählung zum kriegerischen Wesen.

In der Szene vom Ende Jorams ist von seinem Gefolge gar nicht die Rede. Auch diejenigen, die Jehu folgen, spielen überhaupt keine Rolle. Die Darstellung konzentriert sich auf die zwei Personen. Sie stellt als solche selbstverständlich keinen historischen Bericht dar. Es handelt sich um die schriftstellerische Dramatisierung des Vorgangs.

Jehu erreicht die Stadt Jesreel gleich anschließend, nachdem Joram gefallen ist. Isebel erfährt, was sich ereignet hat. Wie bei Joram hält die Erzählung ihren Aufenthalt in Jesreel für selbstverständlich. Auch ist sie nicht ausdrücklich als Königinmutter bezeichnet. Dies ist als bekannt vorausgesetzt.

Isebel schminkt ihre Augen, schmückt ihr Haupt und schaut zum Fenster hinaus. Nach H.Ewald: "Die alte Izebel ... schmückte sich ... mit allen verführerischen reizen aus ... und redete den rasenden wie er ankam so an als habe sie nicht übel lust mit ihm den palast und seine herrlichkeiten zu theilen"[85]. Der Gedanke hängt an einem Haar. Die Anrede mit זמרי הרג אדניו hat mit Koketterie nichts zu tun, es sei denn, daß man den Text künstlich umdeutet[86]. Mit זמרי ist einwandfrei der Sieben-Tage-König Simri gemeint (vgl. 1 Kön 16). Das Wort Isebels klingt hart und entschlossen.

Isebel war, wie auch unsere Erzählung bezeugt (V.34), Tochter eines Königs[87]. Die Prinzessin aus Tyrus ist als Braut des Thronfolgers nach Israel gekommen. Dort hat sie etwa dreißig Jahre, anderthalb Menschenalter der damaligen Zeit, verbracht. Sie war in Israel Kronprinzessin, dann zwei Jahrzehnte Königin, danach Königinmutter. Jehu war ein Knecht der Dynastie, der sie als erste Frau sehr lange Zeit angehörte. War sie

---

85 Geschichte des Volkes Israel bis Christus III/1, 569.
86 Ein Beispiel bietet S.B.Parker, Jezebel's Reception of Jehu.
87 Zu אתבעל (1 Kön 16,31), dem Vater der Isebel, vgl. Josephus, Contra Apionem I, 123; Antiquitates Judaicae VIII, 324.

ihm gegenüber nicht bis zu ihrem letzten Atemzug zur Noblesse verpflichtet? Andererseits war ihr Schicksal in dieser Situation ihr vielleicht bekannt. Wie dem auch sei, die Stellung der Königinmutter scheint im allgemeinen eine besondere politische Bedeutung innegehabt zu haben[88]. Im Falle des babylonischen Exils im Jahre 597 erwähnen sowohl das amtliche bzw. halbamtliche Annalenstück (2 Kön 24,12) als auch der Prophet Jeremia (Jer 13,18) die Königinmutter neben dem König ausdrücklich. Das mögliche Los Isebels in diesem Augenblick war wohl nur, entweder das Schicksal ihres königlichen Sohnes zu teilen, oder den Rebellen Jehu zu beseitigen. Bei der Erscheinung Isebels am Fenster geht es wahrscheinlich um die politische Auseinandersetzung[89]. Dabei ist mit dem Fenster (חלון) möglicherweise ein offizielles Erscheinungsfenster gemeint[90]. Daß der Erzähler aus Isebel eine Verführerin hat machen wollen ist fraglich[91]. Es ist viel wahrscheinlicher, daß er vor ihr eine Art Ehrfurcht gehabt hat.

Das Verhalten Jehus in der Erzählung ist jedenfalls eindeutig. Die Königinmutter Isebel spricht zu ihm: Ist alles in Ordnung, du Simri, der Mörder des Herrn? Jehu schaudert vor ihr nicht zurück, er hebt sein Gesicht auf, gibt aber ihr selbst, der geschworenen Gegnerin, kein Wort. Stattdessen ruft er in die Burg hinauf: Wer hält's mit mir, wer (steht auf meiner Seite)? Ein Augenblick des spannenden geistigen Zweikampfes; auch hier wird die Schar Jehus nicht vor Augen gebracht. Zu Jehu schauen ein paar Hofbeamte heraus. Jehu befiehlt ihnen knapp und scharf, Isebel hinzuwerfen. Demgemäß stürzen sie sie zur Erde hinab. So siegt Jehu. Er nimmt die Stadt Jesreel ein.

In 2 Sam 20 ist mutatis mutandis ein ähnlicher Vorgang wie dieser Sturz Isebels belegt. Ein Benjaminiter namens Scheba empört sich gegen David und nimmt die Stadt Abel-Bet-Maacha als Stützpunkt. Das Heer

---

88 Vgl. 1 Kön 2,19 mit 1 Kön 1,15f. Dazu vgl. Noth, BK IX/1, 33f. 335f. und die dort genannte Literatur.
89 Vgl. Steck, aaO. 58 und die dort in Anm.2 genannte Literatur.
90 Vgl. Steck, aaO. 57 Anm.3.
91 Die These, die in Frage stehende Szene aufgrund des Motivs der "Frau im Fenster" zu interpretieren, hat Steck, aaO. 56f. Anm.4, musterhaft widerlegt.

Davids unter Joabs Kommando belagert die Stadt. Die Leute in Abel-Bet-Maacha strecken die Waffen, indem sie den Häuptling Scheba enthaupten und seinen Kopf über die Mauer vor Joab hinwerfen. - Aber diese Episode in der Thronfolgegeschichte läßt sich in der dramatischen Gespanntheit und prächtigen Darstellung nicht mit unserer Szene vergleichen.

Tatsächlich ist die Schilderung vom Ende Isebels hart und rücksichtslos. Durch ihr Fallen werden die Mauer und die Rosse mit ihrem Blut bespritzt (נזה). Außerdem wird sie von den Rossen zerstampft (רמס).

Das Verbum רמס kann Niedertreten als absichtliche Tat bedeuten. Dies bezeugen vor allem 2 Kön 7,17.20. Bei unserer Szene ist es allerdings, wie erwähnt, schwer vorzustellen, daß Jehu aus dem Wagen aussteigt und mit seinem Fuße die Isebel zertritt. Andererseits hat dieses Verbum den Wortsinn "eine Person mit dem Huf schlagen bzw. überfahren" wahrscheinlich nicht. Ez 26,11a kann nicht Beleg dafür sein. Denn dort ist vom Zerstampfen der Straßen mit Pferdehufen die Rede. Demnach hat unsere Stelle mit einer bewußten Leichenschändung durch Jehu vermutlich nichts zu tun[92].

Eine ähnlich ungestüme Darstellung findet sich in Jes 63,3. Auch dort sind sowohl נזה wie רמס verwendet. Doch der Vorgang ist anders:

2 Kön 9,33*   Jes 63,3aγbα

וישמטוה

ויז מדמה אל-הקיר ואל-הסוסים   וארמסם בחמתי

וירמסנה   ויז נצחם על-בגדי

Jes 63,3aγbα heißt:

"Und ich zerstampfte sie in meinem Grimm, sodaß ihr Saft[93] an meine Kleider spritzte."

92 Das Verbum עלה fungiert in dem Sinne "sich bäumen". Gesenius-Buhl 589: "sich bäumen, v. Rossen Jer 46,9 ..., viell. auch 2K 9,33 (l.: ויעל f. ואל d.i. ועל)". Der Vorschlag ist zwar beachtenswert, geht jedoch wohl zu weit.

93 Das Wort נצח, das nur in Jes 63,3.6 belegt ist, ist sicher ein Synonym von דם. In Gen 49,11; Dtn 32,14 ist דם in dem Sinne "Saft, Traubenblut" gebraucht (dazu vgl. HAL 215 und die dort genannte Literatur). Die metaphorische Wendung von נצח in Jes 63,3 ist aus-

Hier bezeichnet das Verbum רמס die absichtliche Handlung. Das Blut fließt durch das Zerstampfen. Dies ist in unserer Szene nicht der Fall. - Auf jeden Fall kann man sich die schauerliche Szene gut vorstellen.

Isebel stirbt eines schrecklichen Todes. Dann zieht Jehu ein und hält einen Schmaus: ויבא ויאכל וישת (V.34a). In der lakonischen Darstellung ist die Figur des Revolutionärs voll von Leben[94].

Kittel: "Bei der Länge der Reise von Ramoth nach Jesreel ... ist es nicht ohne Weiteres als Zeichen von Roheit zu fassen, wenn Jehu sich nun mit Speise und Trank erquickt"[95]. Mit einer solchen modern rationalisierten Vorstellung kann man nichts anfangen. Nach Gunkel war Jehu dabei "nach dem langen Fahren hungrig und durstig, unbekümmert um die ermordete Königin"[96]. Das stimmt auch nicht. "Jehu weiß, was er tut und was er sich zutrauen kann, als er 'es sich gut schmecken' läßt" (Smend[97]).

Es ist eine Binsenwahrheit, daß die Jehu-Erzählung nicht für unseren Geschmack geschrieben ist. Unsere erstaunliche Szene macht Jehu sicher keine moralischen Vorwürfe. Daß Isebel von ihren eigenen Dienern zu Tode hinabgestürzt wird, weist auf den stürmischen Heldenmut Jehus hin.

Zum Verständnis unserer Szene dürfte die stolze Aussage des assyrischen Königs Salmanassar III., des Zeitgenossen Jehus, ein guter Hinweis sein. Die Monolith-Inschrift II Z.78-80 lautet[98]:

78) ... a-na $\bar{a}l\bar{a}n\bar{i}^{me\check{s}-ni}$ 79) $\check{s}a$ ^{I}Gi-am-mu
  Den Städten von Giammu

$n\bar{a}r$ Baliḫi(KAS.KUR.A)
  (an) dem Fluß Balihi

gezeichnet; "Blut ist ein ganz besondrer Saft".
94 Vgl. Smend, Essen und Trinken 201.
95 HK I,5, 234.
96 Elisa 84.
97 Essen und Trinken 203. Vgl. Wellhausen, Israelitische und jüdische Geschichte 76.
98 Der akkadische Text richtet sich nach der (noch unpublizierten) Bearbeitung von R.Borger. Dies gilt nicht nur für die Monolith-Inschrift, sondern auch für die Inschrift des Schwarzen Obelisken. Herr Professor Dr. Borger hat mir die Benutzung seiner Manuskripte freundlicher-

aq-ṭí-rib

habe ich mich genaht.

púl-ḫa-at bēlu-ti-ia

Die Furchtbarkeit meiner Majestät

na-mur-rat ^{giš}kakke^{meš}-ia ez-zu-te

(und) den Glanz meiner wütenden Waffen

ip-la-ḫu-ma

fürchteten sie und

ina ^{giš}kakki ra-ma-ni-šú-nu

mit ihrer eigenen Waffe

^{I}Gi-am-mu bēlu-šú-nu 80) i-du-ku

töteten sie Giammu, ihren Herrn.

a-na ^{uru}Saḫ-la-la u ^{uru}Tillu-ša-tur-a-ḫi lu ērub(TU-ub)

In (die Städte) Sahlala und Tillušaturahi trat ich ein.

ilānī^{meš}-ia ana ekallātī^{meš}-šú lu ú-še-ri-ib

Meine Götter brachte ich in seine Paläste hinein.

ta-ši-il-tu ina ekallātī^{meš}-šú lu áš-kun

Einen Schmaus gab ich in seinen Palästen.

Nach Ermordung der Isebel und Eroberung der Stadt Jesreel darf sich Jehu in Sicherheit bringen. V.34b kann auch als Ausdruck dessen verstanden werden. Jehu kann jetzt Großmut zeigen. Er befiehlt nämlich die Beerdigung Isebels. Dies hat mit Sarkasmus bestimmt nichts zu tun, ebensowenig wie der Befehl Salomos zur Beerdigung Joabs (1 Kön 2, 31b). Vielleicht deutet die Erwähnung der Bestattung darauf hin, daß Isebel - ebenso wie Joab - eine großartige Person der Zeit war[99]. Sie

weise genehmigt. Dafür danke ich ihm herzlichst.

99 Wellhausen, Israelitische und jüdische Geschichte 97 Anm.1: "Auch die Hingerichteten sollen nach dem Gesetz begraben werden. Das geschah auch in den Fällen 1 Reg. 2,34. 2 Reg. 9,34. Aber allgemeine Sitte war es nicht". Daß es nicht allgemeine Sitte war, muß bedeutungsvoll sein. Sicher ist jedenfalls, daß weder Salomo noch Jehu an das Gesetz Dtn 21,22-23 gebunden waren. Gunkel, Elisa 84, vertritt cum grano salis die rechtliche Auffassung: "Daß selbst Jehu ein ehrliches Begräbnis für sie befiehlt, woran er bei Joram nicht gedacht hatte, und sie eine 'Königstochter' nennt, ist eine unfreiwillige Huldigung für die stolze Fürstin, von deren Hoheit auch das israelitische

wird jedoch dabei "Verfluchte" genannt. Diese Bezeichnung wird verständlich, wenn man sich auf das Begriffspaar "Verfluchen - Segnen" des Jahwisten (Gen 12,3; 27,29; Num 24,9) mutatis mutandis beruft. Jehu in unserer Erzählung ist derjenige, der von Jahwe zum König gesalbt ist, also der Gesegnete; dementsprechend muß die Antagonistin eine Verfluchte sein[100].

Man geht, um Isebel zu begraben, findet aber von ihr nichts als den Schädel, die Füße und Handflächen. Sie ist vom Fenster hinabgestürzt worden, so daß die Mauer und die Rosse mit Blut bespritzt worden sind. Die Rosse haben sie zerstampft.

Für unseren Erzähler muß Isebel eine eindrucksvolle Person gewesen sein. Das Ende Isebels bedeutet eine deutliche Zäsur in der Erzählung.

Die Erzählung geht weiter[101]. Jehu in Jesreel schreibt einen Brief an diejenigen, die in Samaria als Stützen des Königshauses fungieren. Dem Kontext nach ist der "Brief" in erster Linie darstellerisch aufzufassen. Es handelt sich um eine Variation von Jehus Anruf: "Wende um, folge mir!" (9,18.19), oder "Wer hält's mit mir, wer?" (9,32). Aus dem Umstand, daß Jehu einen Brief nach Samaria sendet, kann man schwerlich schließen, daß die Stadt im Reich Israel staatsrechtlich ein Sonderbezirk gewesen ist[102]. Der Brief Jehus besagt, daß es in Israel nicht zwei Herren geben kann; es geht dabei um das ganze Nordreich, nicht spezifisch um die Stadt Samaria.

Unserer Szene liegt unverkennbar die literarische Gestaltung der Naaman-Geschichte in 2 Kön 5 zugrunde. Man vergleiche den Brief des Königs von Aram an den König von Israel:

Volk, so sehr es sie hassen mochte, doch einen starken Eindruck empfangen haben muß".
100 Anders z.B. Steck, aaO. 55f. Anm.4.
101 Gunkel, Elisa 99 Anm.40: "Eine Mißhandlung der aufs klarste aufgebauten Geschichte ist es, wenn man beide Teile von einander hat trennen und mit dem zweiten (sc. 10,1ff.) gar einen neuen Abschnitt im Königsbuche hat beginnen wollen, Kautzsch, 3. Auflage. Ebenso verkennt man die künstlerische Einheit, wenn man die Salbung Jehus durch den Prophetenjüngling 9,1-13 einer anderen Quelle zuweist".
102 Gegen A.Alts These vom Stadtstaat Samaria. Vgl. Das Königtum in den Reichen Israel und Juda; Der Stadtstaat Samaria.

2 Kön 10,2aα.7aα		2 Kön 5,6bα.7aα*
ועתה כבא הספר הזה אליכם		ועתה כבוא הספר הזה אליך
ויהי כבא הספר אליהם		ויהי כקרא מלך-ישראל את-הספר

Wie der König von Aram - laut 2 Kön 5,7 - Händel mit dem König von Israel sucht, gilt der Brief Jehus als Herausforderung. Es ist jedoch klar, daß unser Verfasser den Vorgang als Jehus ehrliche Herausforderung schildert[103]. In dem Brief ist von der Beseitigung der königlichen Prinzen keine Rede. In dieser Hinsicht unterscheidet sich der Brief Jehus von dem sogenannten Urijasbrief und dem Brief Isebels unter dem Namen Ahabs in 1 Kön 21. Die letzten beiden "Briefe" stellen jeweils eine bestimmte Anweisung dar; sie wird beide Male strikt in die Tat umgesetzt[104].

2 Sam 11,14-18 lautet:

"14. Und am nächsten Morgen schrieb David einen Brief an Joab und sandte ihn durch Urija. 15. Er schrieb in dem Brief: Stelle[105] Urija an die Spitze des heftigen Kampfes, und zieht euch von ihm zurück, daß er geschlagen werde und sterbe (ומת). 16. Und es geschah, als er gegenüber der Stadt lagerte, setzte Joab den Urija an den Ort ein, von dem er wußte, daß dort tüchtige Männer standen. 17. Und als die Männer der Stadt herauskamen und kämpften mit Joab, fielen etliche vom

---

103 Gunkel, Elisa 85: "Alle Hilfsmittel - so schreibt Jehu - habt ihr auf euer Seite! So fasset Mut und streitet mit mir um das Reich! Also ein ritterlicher Zug in dieser wilden Geschichte ... Feige ist Jehu nicht ... Mutig sieht er der Gegenrevolution entgegen und fordert sie heraus". Diesen Eindruck, den Gunkel wiedergibt, wollte unser Autor erwecken. Was den historischen Vorgang angeht, haben wir oben postuliert, daß die Gegenrevolution wirklich stattgefunden hat.

104 Es ist auf den ersten Blick klar, daß die beiden Abschnitt denselben Aufbau haben:

1 Kön 21,8-14	2 Sam 11,14-18
ותכתב ספרים ..	ויכתב דוד ספר אל-יואב
ותשלח הספרים אל-הזקנים	וישלח ביד אוריה
ותכתב בספרים לאמר ..	ויכתב בספר לאמר ..
:	:
וישלחו אל-איזבל לאמר	וישלח יואב ויגד לדוד
...	...

105 Lies הב(י)א statt הבו - trotz ושבתם in V.15bβ - entsprechend LXX: εἰσάγαγε.

Volk, von den Mannen Davids. Und es starb (וימת) auch der Hetiter Urija. 18. Da sandte Joab hin und berichtete David alle Angelegenheiten des Kampfes."

1 Kön 21,8*.9.10.11a*.14[106] lautet:

"8. Und sie schrieb Briefe im Namen Ahabs und versiegelte sie mit seinem Siegel. Und sie sandte die Briefe an die Ältesten ( ). 9. Und sie schrieb in den Briefen: Ruft ein Fasten aus und setzt Nabot an die Spitze des Volkes. 10. Und setzt zwei nichtsnutzige Männer ihm gegenüber. Und sie sollen gegen ihn zeugen und sagen: Du hast Gott und dem König geflucht. Und führt ihn hinaus und steinigt ihn, daß er sterbe (וסקלהו וימת). 11a. Und die Männer seiner Stadt ( ) taten, wie ihnen Isebel entboten hatte. 14. Dann sandten sie an Isebel hin und sagten: Nabot wurde gesteinigt und starb (סקל נבות וימת)."

Hingegen ist die Reaktion der Briefempfänger in unserer Erzählung merkwürdig. Die Handlung entfaltet sich drastisch. Sobald der Brief kommt, nehmen die Aristokraten in Samaria alle königlichen Prinzen gefangen und richten sie hin. Sie senden Jehu in Jesreel die Köpfe der Prinzen. Das ist die Antwort auf den Brief Jehus. Auf diese Weise wird das Königtum Jehus endgültig anerkannt.

Die nach Jesreel gebrachten Köpfe werden am Stadttor auf zwei Haufen gesetzt. Dies ist das Symbol für Jehus entscheidenden Sieg. Eine ähnliche Sitte bezeugen die assyrischen Königsinschriften aus dem 9. Jh.[107]; z.B. findet sich in der Monolith-Inschrift Salmanassars III. die folgende Aussage[108]:

a-si-tu šá qaqqadē(SAG.DU.MEŠ) ina pu-ut ālī-šú ar-ṣip

Den Haufen der Köpfe baute ich vor der Stirnseite seiner Stadt auf.

---

106 V.11b-13 stellt eine sekundäre Erweiterung dar. Dies ist an der Wiederholung כאשר leicht erkennbar. Der Ausdruck ואל-החרים אשר בעירו הישבים את-נבות in V.8 und אשר הישבים בעירו והחרים הזקנים in V.11 sind wahrscheinlich Nachträge. Darauf weist das asyndetische הזקנים hin. Im übrigen kann man die Darstellungsweise der Novelle in 1 Kön vielleicht nicht als sehr realistisch bezeichnen. Isebel schreibt einen Brief im Namen Ahabs (V.8). Die Empfänger des Briefs aber teilen der Isebel - nicht dem Ahab - die Ausführung des Befehls mit (V.14).
107 Vgl. W.v.Soden, AHw 74.
108 I Z.16.25.34.48.

Wegen Jehus starken Mutes, den sein "Brief" empfinden läßt, gehen die Aristokraten in Samaria zu ihm über. Dies ist ihr spontaner Entschluß. Dem Erzählablauf nach darf der Spruch Jehus V.9aγb also als ganz aufrichtig verstanden werden.

Dem Volk gegenüber prahlt Jehu mit seiner Machtergreifung. V.9aγ heißt: צדקים אתם. Dieser Satz bedeutet ungefähr: Ihr seid gerecht; ihr müßt daher in der Sache gerecht richten können, ihr sollt als gerecht anerkennen, wie ich die Königswürde erlangen habe. Anschließend daran lautet V.9b:

"Siehe, ich habe mich gegen meinen Herrn verschworen und ihn getötet; wer hat aber diese alle erschlagen?"

Das ist Jehus Siegesschrei. Die Aussage 10,9bα entspricht der Anrede Isebels für Jehu 9,31bβ[109]:

זמרי <u>הרג אדניו</u>   (9,31bβ)

הנה אני קשרתי על <u>אדני ואהרגהו</u> (10,9bα)

Den rebellischen Ursprung des Königtums Jehus vertuscht unser Erzähler nicht; gerade der erfolgreiche Aufstand Jehus ist das Thema der Erzählung. Deshalb liegt es nahe, daß die Darstellung Jehus und seiner Tat nicht ohne Sympathie geschehen ist. Das Umgekehrte ist der Fall. Der Verfasser will die Zustimmumg zur Revolution zum Ausdruck bringen (und bewirken). Die rhetorische Frage V.9bβ hat mit Ironie nichts zu tun. Jehu ist schlechthin stolz darauf, daß die Diener des gestürzten Königshauses ihn gestützt und positiv an seinem Aufstand teilgenommen haben. Mit eigenem Munde erklärt Jehu die Entstehung seines Königtums. Zwar besteht die Hörerschaft, die als כל-העם bezeichnet ist, dem Kontext nach aus den Stadtbewohnern von Jesreel, aber der Spruch Jehus in der Erzählung ist als Anrede an das Volk pro toto zu verstehen.

Darauf bricht Jehu auf und zieht als neuer Herr geradewegs und majestätisch in Samaria ein: ויקם ויבא שמרון (10,12a*). Damit erreicht die Erzählung ihr Ziel und kommt zum Schluß.

Deutlich ist die künstlerische Meisterschaft unseres Schriftstellers. Mit virtuoser Erzählkunst hat er die Jehu-Erzählung abgefaßt. Es ist auch

109 Dies beobachtet Parker, aaO. 72, scharfsinnig.

deutlich, daß er seine schriftstellerische Kunst in der Absicht gehandhabt hat, die Legitimität des Königtums Jehus zu erweisen und zugleich den Gründer dieses neuen Königtums zu preisen[110]. Mit dieser Absicht hängt der blitzende Effekt der "Dynamik der Vorgänge und der Darstellung" (Smend[111]) zusammen.

Unsere Erzählung ist die Ätiologie des Königtums Jehus. Sie ist zur Legitimation und zum Ruhme Jehus geschrieben. Es liegt in der Natur der Sache, daß die Erzählung sicherlich in der Zeit der Jehu-Dynastie, möglicherweise noch zu Lebzeiten Jehus, d.h. innerhalb seiner 28jährigen Regierungszeit entstanden ist, wahrscheinlich am Hofe in Samaria.

Unsere Erzählung repräsentiert die Literatur der herrschenden gesellschaftlichen Schicht der damaligen Zeit. In diesem Sinne ist sie nicht "volkstümlich"[112].

Die Ideologie der Erzählung verrät sich durch ihre Komposition. Im Anfang wird dargestellt, wie der Königsantritt Jehus von Jahwe sanktioniert wird. Aufgrund der Autorität, die Jehu in der Exposition erhalten hat, stürmt er los, um sein Königtum zu errichten. Die Beseitigung der Omriden ist dem Aufbau der Erzählung nach nichts anderes als die gerechtfertigte Tat Jehus. Die Schilderung, wie er das alte Königshaus ausgeräumt hat, bildet seine Tapferkeitsmedaille. Vom Volk (עם) ist in unserer Erzählung nur einmal im Schlußteil die Rede. Nach Auffassung unseres Erzählers ist die Bedeutung des Volkes darauf beschränkt, regiert zu werden.

Jehu ist sozusagen ein königlicher Jakob. "Jakob ist realistischer gezeichnet als die beiden anderen; List und Gewinnsucht zeichnen ihn aus, und diese Eigenschaften führen ihn schließlich immer zum Ziele. ... Jahve hilft ihm, aber vor allem hilft er sich doch selber, ohne in seinen Mitteln nach unserem Geschmacke sehr wählerisch zu sein. Die Er-

---

110 Es liegt nahe, daß das Stück 2 Kön 10,18-27* als Ergänzung zur ursprünglichen Jehu-Erzählung ad maiorem gloriam des Dynastie-Gründers abgefaßt worden ist.
111 Die Entstehung des Alten Testaments 134.
112 Vgl. Wellhausen, Prolegomena 288.

zählungen über ihn machen am wenigsten ein moralisches Gesicht, ... über alle gelungenen Künste und Griffe des Erzschelms" (Wellhausen[113]).

Wellhausen hat gezeigt, "daß die Helden der israelitischen Sage (in der jahwistischen bzw. jehowistischen Genesis) sich wenig kriegerisch zeigen"[114]; dies sei "doch nicht so unbegreiflich, daß ein Volk, welchem in der Gegenwart ewiger Krieg aufgezwungen wurde, nicht bloß von einem ewigen Frieden der Zukunft träumte, sondern auch seines Herzens Wünsche in diesen friedlichen Gestalten der goldenen Vorzeit verkörperte"[115]. Wellhausen hat auch darauf hingewiesen, "daß im persönlichen Charakter der Patriarchen das Selbstbewußtsein der Nation so wenig zum Ausdruck kommt"[116]. In der Darstellung Jehus wird das Selbstbewußtsein seines Königtums sehr wohl dargestellt. Die Jehu-Erzählung bezeugt die Anschauung der politisch führenden Schicht der Nation, deren Gott Jahwe ist, für die Zeit, als das Königtum eine feste Institution war.

Unsere Erzählung, der – wie der Brief Jehus deutlich bezeugt – dynastisches Denken bekannt ist, will die Legitimität der Machtergreifung Jehus begründen. Dabei stellt kein anderer als Jahwe die Quelle der Legitimierung dar. Die Behauptung der Legitimität stützt sich nämlich auf seine Sanktionierung durch Jahwe. Jehu wird als der Gesalbte Jahwes eingeführt. Freilich kommt die definierende, nominale Ausprägung משח יהוה, wie oben bemerkt, in unserer Erzählung nicht vor. Der Tatbestand wird als Vorgang erzählt. Von Belang ist immerhin die schriftliche Formulierung des Willens Jahwes in unserer Erzählung: כה אמר יהוה משחתיך למלך אל-ישראל (9,3aβ²γ.6b*). Die Aussage bezieht sich auf die "Königsideologie"[117].

Smend: "Ein Prophet muß in einem konkreten Vorgang zwischen Gott und Menschen zu Anfang seiner prophetischen Tätigkeit den Auftrag zu seiner Prophetie erhalten, er muß also eine Berufung erlebt haben. Mag sie sich in Wirklichkeit so oder so abgespielt, mag sie für seine Biographie eine große oder eine kleine Rolle gespielt oder vielleicht

113 Prolegomena 318.
114 Ebd. 319.
115 Ebd. 319.
116 Ebd. 319.
117 Vgl. Smend, Der Ort des Staates im Alten Testament 191.

als solche überhaupt nicht stattgefunden haben – wir wissen darüber meist nichts zu sagen–: er muß sie erzählen und aufschreiben, um sich mit ihr vor der Öffentlichkeit zu legitimieren. Die Berufungserzählung ist sein Ausweis. Sie faßt sein individuelles Prophetsein in dem einen inaugurierenden Akt bündig und bindend zusammen.

Mutatis mutandis ist das auch beim charismatischen Heerführer der Richterzeit, dann beim König, bei der davidischen Dynastie und beim aaronitischen und allem anderen Priestertum so: sie alle gelten als erwählt, berufen, gesalbt (oder vielleicht einmal auch nicht!), und das Zustandekommen ihrer Herrschaft in diesen Akten (oder etwa auch deren Fehlen) wird zur Rechtfertigung (oder auch Bestreitung oder Relativierung) ihres Anspruchs erzählt"[118].

Unsere Erzählung will zur Rechtfertigung des Königtums Jehus dienen[119]. Die Vermutung liegt nahe, daß sie um dessentwillen[120] mit der Salbung Jehus einsetzen mußte.

118 Elemente alttestamentlichen Geschichtsdenkens 168.
119 "Freilich darf das Verbum 'dienen' keine falsche Vorstellung erwecken: die Erzählungen werden nicht sozusagen ad hoc hergestellt, sind weder beliebig noch austauschbar, haben Schönheit, Würde und Macht, können sogar übermächtig werden" (Smend, Überlieferung und Geschichte 18).
120 Smend, Der Ort des Staates im Alten Testament 190: "Zieht man in den Samuel- und Königsbüchern die deuteronomistischen Bearbeitungszusätze ab, dann überraschen die alten Texte durch ihre Profanität. Dann bleibt, um eine wichtige Einzelheit herauszugreifen, auch nicht der Eindruck, das Königtum des Nordreiches Israel sei grundsätzlich ein charismatisches in dem Sinne gewesen, daß die Könige der Designation durch einen Jahwepropheten bedurften, der ihnen ihre Legitimation notfalls auch wieder entziehen konnte, so daß dieses Reich zeitweise 'ein Reich der gottgewollten Revolutionen' gewesen wäre. Die fraglichen Propheten sind, wie neuere Untersuchungen ergeben haben, fast durchweg deuteronomistische Erfindung; es scheint, als halte allein der Elisaschüler, der den Jehu zum König gesalbt hat (2 Kön 9,1-6), der Kritik stand". Die Eigentümlichkeit von 2 Kön 9,1-6 liegt auf der Hand. In unserer Salbungsszene fehlt jede Spur einer geschichtstheologischen Reflexion im Rückblick auf die Königszeit. Von der Sünde des zugrundezurichtenden Königshauses ist keine Rede. Wellhausen weist auf den "prophetischen Auftrag" hin, keinen von der Dynastie und vom Hofe übrigzulassen sowie den Baal und seine Verehrer zu vertilgen (Grundrisse 39; vgl. Israelitische und jüdische Geschichte 74f.). Die Auffassung trifft nicht den historischen Sachverhalt. Was Jehu hört, be-

Die Exposition der Jehu-Erzählung scheint in Rücksicht auf das übliche Königszeremoniell der damaligen Zeit dargestellt worden zu sein[121]: zuerst findet die Salbung statt, farauf folgt die Proklamation.

Es ist anzunehmen, daß das Königszeremoniell als solches einen religiösen Charakter besitzt[122]. Darauf weist die Tatsache hin, daß die Königwerdung oft mit der Angabe einer heiligen Stätte erzählt wird. Sinnreich ist die Bemerkung Ri 9,6b. Es lautet Ri 9,6:

"Da versammelten sich alle Bürger von Sichem und das ganze Bet-Millo, gingen hin und machten Abimelek zum König bei מצב אלון (sic!) bei Sichem."

Vor allem ist die Angabe über die Geburt des Königtums in Israel in Betracht zu ziehen. 1 Sam 11,15 lautet:

"Da ging das ganze Volk nach Gilgal. Und sie machten dort Saul zum König vor Jahwe in Gilgal und schlachteten dort Heilsopfer vor Jahwe. Und Saul und alle Männer Israels freuten sich dort gar sehr."

In der vorangehenden Erzählung (11,1-11[123]) ist von Gilgal nicht die Rede. Das Volk begibt sich eigens nach Gilgal, um Saul zum König zu machen[124].

In Hebron wird David König zuerst über Juda (2 Sam 2,4a), dann auch über Israel (2 Sam 5,3aαb[125]) gesalbt. Die Berichte sind sicher abgekürzt. Doch die Profanität des historischen Tatbestandes läßt sich nicht ohne weiteres daraus schließen. Bemerkenswert ist die Darstellung der Erhebung Abschaloms in Hebron (2 Sam 15,7-12). Dort ist zumindest von der Darbringung von Opfern die Rede (V.12).

Achten wir auf den Schlußteil der Thronfolgegeschichte Davids. Um Salomo zum König zu erheben, führt man ihn eigens zum Gihon;

schränkt sich auf eine Kundgabe von äußerster Prägnanz: כה-אמר יהוה משחתיך למלך אל-ישראל (V.6b*). Eine prophetische Beauftragung des Jehu kommt nicht in Frage. Es geht lediglich darum, daß bei der Erhebung Jehus zum König ein Prophet seines Amtes waltet.

121 Vgl. Levin, Atalja 91-94.
122 Gegen Levin, Atalja 92.
123 Zu V.12-14 vgl. Wellhausen, Prolegomena 247; Smend, Die Entstehung des Alten Testaments 118.
124 Vgl. 1 Kön 12.
125 V.3aβ ist ein Einschub. Vgl. Levin, Die Verheißung des neuen Bundes 122f. Anm.180.

der Erzählung zufolge schließen sich Adonija und seine Partei gerade zur gleichen Zeit bei der אבן הזחלת[126], an der "Walker-Quelle"[127] zusammen (1 Kön 1). "Die Quelle Gihon ... gilt offenbar wie der 'Schlangenstein' (= אבן הזחלת) als heilige Stätte" (E.Würthwein[128]).

Das Königszeremoniell ist als solches im religiösen Sinne aufzufassen. Demzufolge hat auch die Salbung als Bestandteil religiöse Bedeutung. Dies bezeugt deutlich der Fall Salomos (1 Kön 1,32-34.38-40[129]). Der dort geschilderten Thronbesteigungsfeier "dürfte ein älteres, fest eingespieltes Jerusalemer Ritual zugrunde liegen" (Würthwein[130]). Darauf deutet manches hin: aufgezählt seien außer der Bezeichnung des bestimmten Ortes Gihon z.B. der Ritt auf dem Maultier und die besondere Nennung von Kultgeräten[131]. Es kann auch kaum zufällig sein, daß die Salbung durch den Priester Zadok aus der jebusitischen Stadt Jerusalem[132] ausgeführt wird[133]. Freilich steht ausdrücklich geschrieben, daß die Erhebung

126 Vgl. Noth, BK IX/1, 1.6 und die dort genannte Literatur. Noth übersetzt den Ausdruck mit dem "gleitenden Stein".
127 Vgl. Noth, BK IX/1, 6.
128 ATD 11,1, 16.
129 Zu V.35-37 vgl. Veijola, Die ewige Dynastie 16ff.
130 ATD 11,1, 15.
131 Vgl. Würthwein, ATD 11,1, 18 mit Anm.34.
132 K.Koch, Art. Zadok in BHH 2200: "Sobald Jerusalem zur Hauptstadt Davids wird, taucht dort ein Priester Z. auf (2Sm 15,24-29; 17,15; 19,12) ... Auffällig ist, daß in einer Beamtenliste (2Sm 8,17) für Z. im Unterschied zu Ebjathar kein Vater angegeben wird ... Das Verschweigen bzw. Korrigieren der Herkunft läßt vermuten, daß er der jebusitische König Jerusalems war, dem David die priesterlichen Funktionen beließ (Bentzen) oder der jebusitische (Haupt-) Priester, dessen Amt und Heiligtum israelitisiert wurden (Rowley)". Vgl. die dort genannte Literatur.
133 Schmitt, Elisa 149f. Anm.59: "Zwar scheint nach dem jetzigen Text von I 1,34.45 Salomo von dem Priester Zadok und dem Propheten Nathan gemeinsam zum König gesalbt worden zu sein. Doch nach 1,39 hat die Zadok die Salbung allein vorgenommen. Es liegt der Verdacht nahe, daß die Nennung Nathans in diesem Zusammenhang auf eine Bearbeitung zurückgeht. Stade (ZAW 3,186f.), Stade-Schwally (SBOT 9,62f.), Benzinger (KHC 9,7f.), Greßmann (SAT 2,1, 2.Aufl. 187f.), Eißfeldt (HSAT I,496f.) und Smend (Jahwekrieg 51 Anm.95) streichen daher in v.34 ונתן הנביא und in v.45 הנביא ונתן צדוק הכהן zu Recht als Zusätze". Der ursprüngliche Text von V.45aα¹ lautet also: וימשחו אתו למלך בגחון. Das Subjekt des Satzes sind diejenigen, die an dem Salbungsritual teilnehmen: der Priester Zadok, der Prophet Natan, Benaja, der Sohn des Jojada, sowie die Kreter und

Salomos zum König dem Willen Davids entstammt. Vielleicht ist der Vorgang als Posse negativ zur Darstellung gebracht worden: die Thronbesteigungsfeier Salomos sei nur parteiisch als Folge der Intrige am Hofe geschehen. Wie dem auch sei, der (sozusagen soziologische) Sinn des Königszeremoniells war dem Autor der Thronfolgegeschichte sehr gut bekannt. Unabhängig von ihrer Tendenz läßt die Erzählung erkennen, daß die öffentliche Erklärung der betreffenden politischen Entscheidung Davids religiös zum Ausdruck gebracht werden mußte. Kann man sich vorstellen, daß der König David seinen Sohn Salomo mit eigener Hand gesalbt hätte, wenn er gesund gewesen wäre? Ein solcher Gedanke ist ausgeschlossen angesichts der Darstellungsweise. Die Salbung Salomos (im Auftrag von David) stellt einen liturgischen Akt dar. Die Rolle, die der Priester spielt, ist vorzüglich die geistliche[134]. Im übrigen ist es selbst-

---

Pleter (vgl. V.32.33.38.44). Die Wendung משח im Plural bezeichnet den Vollzug der Salbung durch die Beteiligten. Es ist aber der Priester Zadok, der den von David zum Nachfolger ernannten Salomo mit Öl begießt:

(V.34a*) ומשח אתו   שם צדוק הכהן ( ) למלך על-ישראל
(V.39a) ויקח צדוק הכהן את-קרן השמן מן-האהל
וימשח את-שלמה

Dieser Bericht über die Salbung Salomos ist zum Verständnis des betreffenden Rituals überhaupt sehr aufschlußreich.

134 Gegen Würthwein, ATD 11,1, 16. "Die Profanität des überragenden Literaturwerks dieser Zeit (sc. der Zeit der Staatenbildung in ihrem Endstadium), der umfangreichen Erzählung von der Thronfolge Davids ... hat jüngst E.Würthwein besonders scharf herausgestellt; es handelt sich danach um politische, nicht um theologische Geschichtsschreibung (E.Würthwein, Die Erzählung von der Thronfolge Davids - theologische oder politische Geschichtsschreibung? (1974). Wenngleich die Alternative zu scharf gestellt sein dürfte und das religiöse Element in der Erzählung doch wohl von vornherein eine größere Rolle spielt, als Würthwein annimmt, trifft es gewiß zu, daß die eigentlich theologischen Lichter erst später aufgesetzt sind. Das war hier wie sonst vor allem das Werk der deuteronomistischen Schule, durch deren Hand nahezu die ganze vorexilische Überlieferung gegangen ist, soweit sie uns vorliegt" (Smend, Überlieferung und Geschichte 23 mit Anm.43). Es kommt von vornherein nicht in Frage, eine religionsfreie Gesellschaft im Altertum anzunehmen. Und es ist auch selbstverständlich, daß der Jahweglaube nicht erst nach dem Exil entstanden ist. Nur: "Das Alte Testament war den Israeliten unbekannt, es ist eine Einrichtung - und zur größeren Hälfte auch ein Produkt - des Judentums" (Wellhausen, Israelitische und jüdische Geschichte 188).

verständlich, daß die hiesige Salbung zum Jahwe-Kult gehört[135], selbst wenn von Jahwe nicht expressis verbis die Rede ist.

Es unterliegt fast keinem Zweifel, daß dergleichen Salbung als Krönungsritual institutionalisiert fortbestanden hat, und zwar daß sie die Sanktionierung durch Jahwe symbolisiert hat. Darauf weist der oft belegte Ausdruck משיח יהוה[136] hin. Wenn Deuterojesaja von Cyrus als Gesalbtem Jahwes spricht, hat er sicherlich Kenntnis vom judäischen Königsritual und wendet diesen Begriff von der Salbung - natürlich auf seine Weise - an (Jes 45,1).

In den vorexilischen Quellen ist vom Vollzug der Salbung durch Geistliche nur ausnahmeweise die Rede. Nur in den Erzählungen 1 Kön 1 und 2 Kön 9 ist sie angedeutet. Die Salbung "wird in 2 Kön 11,12 von der Garde als der zum König erhebenden Gruppe vollzogen" (Levin[137]); laut 2 Kön 23,30 salbt der עם הארץ den jungen Joschija. Beide Male ist das Verbum משח im Plural gebraucht[138]. Diese Wendung bezeichnet den Vollzug der Salbung durch die Beteiligten. Es kommt freilich nicht in Frage, daß all und jeder von ihnen den neuen König mit Öl begießt. "Im praktischen Vollzug handelt ein einzelner im Auftrag der Gruppe" (Levin[139]). Als solcher sollte, bei der Sukzession im stabilen Königs-

---

135 Der Synkretismus der alten Jahwereligion mit dem jebusitisch-jerusalemischen Kult ist eine andere Frage.

136 Vgl. 1 Sam 2,10.35: 12,3.5; 16,6; 24,7(bis).11; 26,9.11.16.23; 2 Sam 1,14.16; 19,22; 22,51 (← Ps 18,51); 23,1; Hab 3,13; Ps 2,2; 20,7; 28, 8; 84,10; 89,39.52; 132,10 (→ 2 Chr 6,42).17; Klgl 4,20. Alle Belege in den Samuelbüchern sind exilisch-nachexilisch. Dennoch geht der Begriff von Gesalbtem Jahwes auf die Königszeit zurück. Gegen E. Kutsch, Salbung als Rechtsakt im Alten Testament und im Alten Orient 52ff.; dort besonders 60-63. Dazu vgl. J.A.Emerton, JSS 12 (1967), 122-127; Schmitt, Elisa 151f. Anm.66. Vgl. ferner Smend, Die Entstehung des Alten Testaments 200: "Wegen ihrer Beziehung auf die bestehende Institution des Königtums gehören diese Pss (sc. die sogenannten Königspsalmen) zumindest in ihrer ursprüngl. Form in die vorexil. Zeit".

137 Atalja 91.

138 Vgl. ferner besonders Ri 9,15; 2 Sam 2,4; 5,3; 19,11; 1 Kön 1,45 (s.o. Anm.133). Die weiteren Belege finden sich in 2 Sam 5,17; 1 Kön 5,15; 1 Chr 11,3 (← 2 Sam 5,3); 29,22; 2 Chr 23,11 (←2 Kön 11,12).

139 Atalja 91f.

hause, nur ein Priester als Hofbeamter denkbar sein[140]. Der natürlichen Verbindung des Königtums mit der Religion als Institution wegen fehlt die besondere Erwähnung von einer derartigen Rolle des geistlichen Königsbeamten beim Königszeremoniell in der amtlichen bzw. halbamtlichen Quelle, die DtrH vorlag.

Hos 8,4a lautet:

"Sie haben Könige eingesetzt, doch nicht von mir,

sie haben sich Fürsten erwählt, doch ich kenne (sie) nicht."

Daraus läßt sich nicht folgern, daß das Königszeremoniell den gewaltsamen Thronwechseln im Nordreich fremd war. Den Halbvers kann man unter Benutzung der Diktion von Mt 7,21-23 auslegen:

Viele sagen: Jahwe, Jahwe, haben wir nicht in deinem Namen den König eingesetzt? Haben wir dabei das Salbungsritual nicht vollzogen? Steht das Königtum damit nicht in deiner Anerkennung? Doch bekennt Jahwe ihnen: Ich kenne euch nicht, die ihr nicht meinen Willen tut.

Dort ist nämlich von den Gottlosen nicht die Rede. Die Kritik betrifft sozusagen die "Herr-Herr-Sager" (Mt 7,21 // Lk 6,46 = Q-Quelle). Mit anderen Worten: Die angeklagten Leute waren gewiß auf ihre Weise jahwegläubig.

In diesem Zusammenhang ist die Botschaft des Propheten Amos in Betracht zu ziehen. Am 5,4 lautet:

"So spricht Jahwe zum Hause Israel: Suchet mich, und lebt!"[141]

Daran schließt V.5aαβ an:

"Nicht suchet Bet-El! In Gilgal zieht nicht ein!"

Nach Amos hat die Treue zum Kult mit der wahren Suche Jahwes nichts zu tun. Der Kult soll lediglich eine Sünde sein (4,4-5; vgl. 5,21-24). "Das Nein des Amos"[142] zum Kult aber verrät, daß man gemeinhin darauf Gewicht legte[143]. Fraglos war "das Haus Israel" (5,4) seinem Selbstverständnis nach - ohne Unterschied zwischen hoch und niedrig -

---

140 S.o. Anm.133. Vgl. z.B. R. de Vaux, Les Institutions de l'Ancient Testament I, 160.
141 V.4b: דרשוני וחיו. Wie schön klingt dieser Halbvers! Die Vokale i und u bilden eine Melodie.
142 Vgl. Smend, Das Nein des Amos.
143 "Seit Amos und Wellhausen ist es Theologensitte, auf die Kultreligion zu schimpfen ... Daß ... die offizielle Religion Israels mindestens bis

das Volk Jahwes. Angesichts dieser Umstände hat die Vermutung viel für sich, daß das Königszeremoniell als Jahwe-Kult bei jedem Königsantritt eines neuen Königs conditio sine qua non war.

Ist Jehu aber wirklich auf Veranlassung des Elischa durch diesen Jünger gesalbt worden? Der Bericht ist womöglich eine schriftstellerische Konstruktion, um die Legitimität des Königtums Jehus aufgrund der Sanktionierung Jahwes zu Anfang mit Nachdruck zu behaupten. Wenn die Exposition unserer Erzählung im wesentlichen gemäß dem gewöhnlichen Ablauf der Erhebung zum König dargestellt ist, so bezeugt dies lediglich, daß der Verfasser sich des traditionell festgeprägten Königszeremoniells deutlich bewußt war. Die Historizität des Berichtes ist hingegen nicht sogleich zu folgern. Tatsächlich trägt die in Frage stehende Darstellung, wie gesehen, märchenhafte Züge, derentwegen man sich nicht ohne weiteres für bare Münze nehmen kann. Elischa selbst kommt nicht öffentlich vor. Die Salbung geschieht unter vier Augen. Alles ist geheimnisvoll. Die Schilderung vom Verhalten des Jehu sowie seiner Amtsgenossen ist sicher nicht sehr realistisch. Jedenfalls kann man sie schwer vorstellen, Jehu habe eigentlich keinen Willen zur Macht gehabt; es ist ausgeschlossen, daß er nur deshalb seinen Aufstand unternommen hat, weil er im Namen Jahwes zum König gesalbt worden ist. Vielleicht ist das Königszeremoniell für Jehu nicht vor seinem Überfall auf das Herrscherhaus, sondern erst nach der geglückten Machtergreifung abgehalten worden. Der Voranstellung der Darstellung der Salbung Jehus liegt wohl das grundsätzliche Abfassungsmotiv der Erzählung zugrunde.

2 Kön 13,14bβγ lautet:

"Mein Vater, mein Vater, das Kriegswagenkorps Israels und seine Gespanne!"

Der Ehrentitel רכב ישראל ופרשיו, der dem König Joasch von Israel in den Mund gelegt ist, läßt darauf schließen, daß der Prophet Elischa sozu-

zum Exil eine nationale Kultreligion gewesen, ist trotz den Schriftpropheten sicher; eine 'prophetische Epoche' der israelitischen Religion hat es nie gegeben, nur vereinzelte, in Opposition stehende prophetische Geister" (S.Mowinckel, Psalmenstudien II, 16f.). Dazu vgl. Smend, Das Nein des Amos 96ff.

sagen Bannerträger des religiösen Patriotismus eine angesehene Persönlichkeit in der ersten Hälfte der Jehu-Dynastie war[144]: eine nicht beamtete Größe[145], die in enger Beziehung zum Königshause stand. Man sieht ein, daß unser Verfasser diesen Geistlichen die Rolle des Vermittlers der göttlichen Sanktionierung zum Königsantritt Jehus hat spielen lassen. Die Frage, ob Elischa in Wirklichkeit an dem Aufstand Jehus Anteil gehabt hat, muß offenbleiben. Sicher ist auf alle Fälle, daß der Prophet in der Jehu-Erzählung als Werkzeug des Revolutionärs aufgefaßt ist, und nicht umgekehrt.

"Die Eiferer haben ein recht unheiliges Werkzeug zu ihren Zwecken aufgeboten, von dem sie dann selbst als heiliges Mittel zu seinen Zwecken benutzt wurden" (Wellhausen[146]). Die letzte Hälfte des Satzes ist cum grano salis im Recht, während die erste schlechterdings nicht in Frage kommt[147].

Jehu "kämpfte nicht für eine Idee" (Wellhausen[148]). Darüber besteht kein Zweifel. Aber sein Weg zur Macht mußte religiös gerechtfertigt werden. Der Jahweglaube als institutionalisierte Sitte war in der Welt, wo er lebte, grundlegend. Wie gesagt, muß das Königszeremoniell für Jehu tatsächlich vollzogen worden sein. Wie es in Wirklichkeit geschehen ist, ist schwer zu ermitteln. Abgesehen davon ist es eigenartig, daß unser Verfasser die Salbung und das ihr nachfolgende Ritual für Jehu in dichterisch übertragener Weise zur Darstellung gebracht hat. Dadurch gibt er ein bemerkenswertes Zeugnis über das Verhältnis zwischen Nation und Religion in seiner Zeit.

Zum Schluß dieses Kapitels noch ein Wort über unsere Erzählung im Vergleich mit der Thronfolgegeschichte Davids. "Mit der 'zweiten Ge-

---

144 Statt vieler vgl. K.Galling, Der Ehrenname Elisas und die Entrückung Elias.
145 Von einer Tätigkeit des Elischa am Hofe ist nirgends die Rede.
146 Israelitische und jüdische Geschichte 77.
147 Nebenbei bemerkt: Wir wissen nicht, ob der historische Elischa ein entschlossener Gegner des Baal war. Der Bericht 1 Kön 19,15-17 ist nicht historisch. In der umfangreichen Überlieferung von Elischa spielt nur 2 Kön 3,13 auf das Baalsproblem an. Diese Stelle beruht aber, wie der Augenschein zeigt, auf 1 Kön 18,19.
148 Prolegomena 290.

schichte Davids', der Geschichte von der Thronfolge Davids, werden wir auf den frühen Höhepunkt der isr. Erzählungskunst geführt. ... Auf dem gleichen Niveau wie die Thronfolgegeschichte steht die Erzählung vom Sturz der Dynastie Omris durch Jehu (2 Kön 9f.). Die Dynamik der Vorgänge und der Darstellung übertrifft noch die dortige" (Smend[149]).

Einen Unterschied zwischen diesen beiden Kunstwerken von hohem Rang stellt der jeweils behandelte Zeitraum dar. Die Thronfolgegeschichte umfaßt einen langen Zeitraum. "Über den Einsatz der Erzählung herrscht Unklarheit" (Smend[150]). Es ist auf alle Fälle sicher, daß David dort von Anfang an als König auftritt. 2 Sam 9,1a lautet:

"Und David sagte: Ist noch jemand vom Hause Sauls übriggeblieben?" Demnach steht das Königtum in der Hand Davids schon fest. Im Anfang der Erzählung steht David auf dem Gipfel seiner Macht. Und er begeht Ehebruch, während der israelitische Heerbann einen Feldzug gegen die Ammoniter unternimmt. Die Affäre beginnt damit, daß er eine Frau baden sieht. Eine Notiz lautet:

"Die Frau aber war von sehr schöner Gestalt" (2 Sam 11,2b). Er läßt sie, Batseba, zu ihm kommen, schläft mit ihr, und sie wird schwanger. Daraufhin läßt David Urija, den Mann Batsebas, mit Vorsatz auf dem Schlachtfeld umkommen.

"Die Frau Urijas aber hörte, daß ihr Mann Urija tot war, und sie klagte um ihren Ehemann. Sobald aber die Trauerzeit vorüber war, sandte David hin und nahm sie in sein Haus auf. So wurde sie seine Frau und gebar ihm einen Sohn" (2 Sam 11,26.27a). Daran schließt sich ursprünglich, wie bekannt ist[151], 2 Sam 12,24bα^2:

"Und er[152] nannte ihn Salomo."

Das Gegenstück dieser Szene steht am Schluß der Erzählung. Die Entsprechung ist beabsichtigt. Nach einem Menschenalter ist David hochbetagt und steht an der Schwelle des Grabes. Seine Diener besorgen ihm

---

149 Die Entstehung des Alten Testaments 130.132.
150 Ebd. 131.
151 Vgl. Veijola, Salomo - der erstgeborene Bathsebas, und die dort genannte Literatur.
152 Qere: ותקרא.

ein Kammermädchen. Auch hier findet sich eine Notiz:

"Das Mädchen aber war überaus schön" (1 Kön 1,4a).

2 Sam 11,2b und 1 Kön 1,4a entsprechen sich:

מאד   טובת מראה   והאשה   (2 Sam 11,2b)

עד-מאד   יפה   והנערה   (1 Kön 1,4a)

Wie verhält sich David diesmal? Non eadem est aetas, non actio. Es lautet 1 Kön 1,4bβ:

"Der König aber erkannte sie nicht."

Unter diesen Umständen ereignet sich ein Parteikampf am Hofe um die Macht. Batseba, die einmal nur passiv erschien, spielt jetzt eine einigermaßen aktive Rolle, und ihr Sohn Salomo, der inzwischen mündig geworden ist, wird vom altersschwachen König David zu seinem Nachfolger ernannt. Auf diese Weise ist die Thronfolge von Erfolg gekrönt, ein langer Zeitlauf ist eindrucksvoll zum Ziel gekommen.

Die Jehu-Erzählung hingegen konzentriert sich auf eine wesentlich kürzere Zeitspanne: die Zeit der Königwerdung Jehus. Daß sein Putsch sich in ziemlich kurzer Zeit vollzogen hat, ist ein Faktum. Es besteht kein Zweifel, daß der berichtete Marsch Jehus von Ramot Gilead über Jesreel bis nach Samaria auf dem Boden der historischen Tatsachen steht. Aber die Abfassung eines literarischen Werkes ist vorzüglich Sache des Schriftstellers: Begrenzen, ausschalten, gestalten. So gewinnt er Form[153]. Die Exposition unserer Erzählung, wo das Königszeremoniell für Jehu dargestellt wird, ist nicht das Kennzeichen für einen Dokumentarbericht. "Ganz so drastisch, wie es hier und bei der ganzen Revolution scheint, ist es doch nicht zugegangen" (Wellhausen[154]). Dies haben wir oben festgestellt[155]. Die Jehu-Erzählung stellt ein literarisch idealisiertes Gebilde dar. Die Schilderung unserer "prachtvollen Erzählung"[156],

---

153 Hier stütze ich mich auf: Th.Mann, Schwere Stunde.
154 Israelitische und jüdische Geschichte 75 Anm.1.
155 Šanda, EHAT 9/2, 109f., glaubt, daß die Machtergreifung Jehus sich in sechs Tagen vollzogen hat. Es ist aber müßig, aufgrund der erzählerisch verdichteten Darstellung den historischen Vorgang chronologisch genau rekonstruieren zu wollen. Wir haben oben die kritische Sonde an die uns vorliegende Erzählung gesetzt und postuliert, daß das omridische Königshaus in Verbindung mit den Davididen die Gegenrevolution gegen Jehu in Jesreel versuchte.
156 Wellhausen, Die Composition des Hexateuchs 286.

deren hervorragender Zug "die dramatische Lebendigkeit der Scenen"[157] ist, ist nach dem Geschmack eines Autors von virtuosester Erzählkunst in hohem Grade idealisiert. Mit seiner Absicht, die Legitimität des Königtums Jehus zu beweisen und dem Helden der Dynastie-Gründung Lob und Preis zu erteilen, hängt, wie bereits mancherorts gezeigt wurde, der bewunderswerte Effekt der "Dynamik der Vorgänge und der Darstellung"[158] zusammen.

157 Ebd. 286.
158 S.o. Anm.149.

XI. Die Revolution des Jehu

In unserer Erzählung wird der Held Jehu zweimal יהוא בן-נמשי genannt (2 Kön 9,2*.20[1]). Diese Bezeichnung, die den Namen des Vaters
umfaßt, läßt darauf schließen, daß "Jehu" der Geburtsname war. Der
Bekenntnisname[2] Jehu, "'Jahwe ist es' = Jahwe ist Gott" (R.Kittel[3]),
bringt demnach nicht das persönliche Glaubensbekenntnis des Namen-
trägers zum Ausdruck[4]. Tatsächlich ist kaum vorstellbar, daß Jehu von
besonderem Eifer für Jahwe getrieben war. Die Erzählung über seine
Revolution behauptet zwar, daß Jahwe auf Jehus Seite ist. Aber die Vorstellung ist ihr fremd, Jehu sei um Jahwes willen gegen das Herrscherhaus aufgestanden. Der Personenname Jehu besagt lediglich, daß Jehu
einer jahwegläubigen Familie entstammte[5]. Dies gilt übrigens auch für

1 Vgl. ferner 1 Kön 19,16; 2 Kön 9,14*; 2 Chr 22,7.
2 Vgl. M.Noth, Die israelitischen Personennamen 140ff.
3 HK I,5, 228. Vgl. ferner HAL 376 und die dort genannte Literatur.
4 Der Fall ist anders bei dem Namen Elija. "Die Aussage dieses 'Be-
  kenntnisnamens' trifft in sehr auffälliger Weise mit dem Satz zusammen, auf den die Karmelszene zusteuert: יהוה הוא האלהים (1 Reg.
  xviii 39). Der Name, so ist gesagt worden, drückt bereits das Pro-
  gramm der ganzen Bewegung, nämlich des Kampfes für Jahwe in Nordisrael, aus" (R.Smend, Der biblische und der historische Elia 237). J.
  Wellhausen bemerkt: "Elias hat keinen Vatersnamen" (Israelitische und
  jüdische Geschichte 73). "Elijjahu braucht nicht sein Geburtsname gewesen zu sein" (Smend, aaO. 241). Wellhausen bemerkt: "Es verdient
  Beachtung, wieviel häufiger von jetzt an die mit Jahve komponierten
  Eigennamen werden. Unter den Richtern und den Königen bis auf Ahab
  von Israel und Asa von Juda findet sich kein einziger, von da an werden sie die Regel" (Grundrisse 38 Anm.12). Dies ist sicher eine inter-
  essante Tatsache. Aber die Gestalt des Elija ist in jeder Hinsicht eine
  Ausnahmeerscheinung. Wellhausen: "Einsam ragte dieser Prophet über
  seine Zeit hervor, nur die Sage konnte sein Bild festhalten, aber nicht
  die Geschichte" (Grundrisse 38, vgl. Israelitische und jüdische Geschichte 73).
5 Natürlich war Jehu selbst auf seine Weise jahwetreu. Seinen Sohn, der
  sein Nachfolger wurde, nannte er Jehoahas. Der Sohn des Jehoahas,
  der als dritter König auf dem Thron der Jehu-Dynastie saß, hieß
  Joasch. Möglicherweise wurde Jehoahas schon vor der Machtergreifung
  Jehus geboren; es ist auch gut möglich, daß Joasch noch in der Regie-

seinen Zeitgenossen Jojada, denjenigen, der den Sturz der Königin Atalja angestiftet hat[6].

Jehu war 28 Jahre lang König über Israel (2 Kön 10,36). Demnach war er wahrscheinlich noch nicht alt, als er den Aufstand unternahm; in der Erzählung wird er als kraftvoller Krieger geschildert. Unsere Erzählung berichtet, daß er sich als einer der שרי החיל[7] (9,5) in Ramot Gilead aufhielt. Fraglos war er dort primus inter pares. Nach ihrer Lage zu schließen, dürfte die Stadt Ramot Gilead ein wichtiger militärischer Stützpunkt Israels gewesen sein. Jehu war möglicherweise der Befehlshaber der dortigen Garnison.

Nach unserer Erzählung befand sich Ramot Gilead nicht im Krieg, als Jehu dort zum König ausgerufen wurde. - Ein Prophetenjünger des Elischa geht nach Ramot Gilead. Nach der Ausführung seines Auftrags tritt er sofort von der Szene ab. Es fehlt jede Spur vom Vorhandensein eines aramäischen Heeres.

Es ist eine denkbare Möglichkeit, daß Jehu Vogt des Gaues von Ramot Gilead[8] war und als solcher die Truppen hinter sich hatte. In 1 Kön 20 ist von נערי שרי המדינות die Rede. E.Würthwein hält sie für "die Berufssoldaten der Vorsteher der Gaue"[9]. Er fährt fort: "Über die Gaueinteilung des Reiches Israel wissen wir leider nichts Näheres, der Ausdruck medina dürfte aus späterer Sicht eingefügt sein. Die Gauvorsteher sind von 'jungen Leuten' ... umgeben, worunter man Berufssoldaten zu verstehen hat, die das Amt des Gauvorstehers erforderte. Die Zahl dieser Soldaten wird (in 1 Kön 20,15) mit zweihundertzweiunddreißig angegeben, eine kleine, aber wohlausgerüstete und ausgebildete Truppe"[10]. Ein vergleichbarer Fall findet sich in 2 Kön 15,14 berichtet:

rungszeit Jehus geboren wurde (vgl. 2 Kön 10,36; 13,1.10).
6 Dazu vgl. Ch.Levin, Atalja. Der Sturz der Königin Atalja hatte mit einem religiösen Problem nichts zu tun. Nach Levin wurde Jojada zum Priester erst ein halbes Jahrtausend nach dem Sturz der Atalja.
7 Vgl. 2 Sam 24,2.4; 1 Kön 15,20 (→ 2 Chr 16,4); 2 Kön 25,23 // Jer 40,7; 2 Kön 25,26; Jer 40,13; 41,11.13.16; 42,1.8; 43,4.5; Neh 2,9; 2 Chr 33,14.
8 Vgl. 1 Kön 4,13.
9 ATD 11,2, 239.
10 Ebd. 239.

"Und Menahem, der Sohn des Gadi, zog von Tirza herauf und kam nach Samaria. Und er schlug Schallum, den Sohn des Jabesch, in Samaria. Und er wurde König an seiner Statt."

Dieser Menahem war vielleicht Statthalter von Tirza. - Solche Erwägungen sind freilich reine Spekulation.

Sicher ist dagegen, daß der Thronprätendent Jehu, der mit השר[11] angeredet wird (9,5), zur obersten Schicht der Gesellschaft gehört hat. Die Erzählung setzt voraus, daß er sowohl den König Joram als auch die Königinmutter Isebel kennt. Der Wächter am Turm in Jesreel nennt seinen Namen (9,20). Auch der König spricht ihn mit Namen an (9,22*). Danach wird man vermuten dürfen, daß Jehu eine wohlbekannte Person war.

Ebenso wie die Thronfolgegeschichte Davids ist die Jehu-Erzählung "ganz auf die handelnden Personen abgestellt, anonyme Mächte und Verhältnisse, ja auch schon die Masse des Volkes bleiben im Hintergrund" (R.Smend[12]). Vom Volk ist, wie erwähnt, in unserer Erzählung nur einmal am Schluß die Rede. Es erscheint lediglich als Publikum der Rede Jehus. Nach Auffassung des Erzählers ist die Bedeutung des Volkes darauf beschränkt, regiert zu werden. Damit gibt er gewiß den historischen Tatbestand wieder. Die Machtergreifung Jehus "wurde durch eine Offiziersverschwörung zu stande gebracht. Jehu hatte nur die Berufssoldaten hinter sich" (J.Wellhausen[13]). In der Tat gestattet unsere Erzählung keine andere Interpretation. Der Machtwechsel vollzog sich innerhalb der dünnen Oberschicht[14].

Der Fall Jehus stellt keine Ausnahme in der Reihe der nordisraelitischen Machtwechsel dar. Der Vatersname des Usurpators ist nur bei Simri und Omri nicht angegeben. Anhand von 1 Kön 16,9.16 wissen wir allerdings, daß Simri der Befehlshaber der Hälfte der Streitwagentruppe

11 Die Anrede mit השר ist innerhalb des Alten Testaments nur in unserer Stelle (bis) belegt.
12 Die Entstehung des Alten Testaments 132.
13 Israelitische und jüdische Geschichte 77.
14 Nach der marxistischen Geschichtsauffassung darf die Machtergreifung Jehus nicht als "Revolution" bezeichnet werden. Dazu vgl. K. -H.Bernhardt, Revolutionäre Volksbewegungen im vorhellenistischen Syrien und Palästina.

(שר מחצית הרכב) war, Omri Heerbannkommandant (שר־צבא[15]). Beide waren von hoher Stellung in der Staatsorganisation und befanden sich in der günstigen Lage, eine militärische Macht zur Verfügung zu haben. Dies muß im großen und ganzen auch für alle anderen Usurpatoren zutreffen. Pekach war z.B. nach 2 Kön 15,25 der Adjutant des Königs (שליש).

Unsere Erzählung teilt mit, daß Joram und Isebel in Jesreel ums Leben kamen. Warum der König und die Königinmutter sich dort aufhielten, ist nicht zu ermitteln. Aufgrund unserer Erzählung läßt sich schließen, daß die Omriden nicht nur in Samaria, sondern auch in Jesreel eine Residenz hatten. Dies wäre nicht zu verwundern: Nach den damaligen assyrischen Inschriften gab es manche Kleinstaaten, die mehrere Residenzen hatten. Wir begnügen uns mit der Anführung eines Beleges. Im Jahre 853 ist Salmanassar III. anschließend an die Eroberung von Aleppo in das Land Hamat eingedrungen. Die Monolith-Inschrift II Z.87-90 lautet:

87) ... ištu ^{uru}Ḫal-man at-tu-muš

    Von (der Stadt) Halman (Aleppo) bin ich aufgebrochen.

a-na ālāni^{meš}-ni 88) ša ^{I}Ir-ḫu-le-e-ni ^{kur}A-mat-a-a

Den Städten des Irhuleni von (dem Land) Hamat

aq-ṭí-rib

habe ich mich genaht.

^{uru}A-de-en-nu ^{uru}Bar-ga-a ^{uru}Ar-ga-na-a

(Die Stadt) Adenu, (die Stadt) Barga, (die Stadt) Argana,

āl šarru-ti-šú

seine Residenz[16]

akšud(KUR-ud)

eroberte ich.

15 Vgl. Gen 21,22.32; 26,26; Ri 4,2.7 (→ 1 Sam 12,9); 1 Sam 14,50; 17, 55; 26,5; 2 Sam 2,8; 10,16.18 (→ 1 Chr 19,16.18); 19,14; 1 Kön 1,19; 2,32; 11,15.21; 2 Kön 4,13; 5,1; 25,19; 1 Chr 27,34 (← 2 Sam 20, 23).

16 Sehr wahrscheinlich bezieht sich der Ausdruck āl šarru-ti-šú auf jede der genannten drei Städte.

šal-la-su bušâ-šú 89) makkūr ekallātī^{meš}-šú

Seine Beute, seinen Besitz, das Eigentum seiner Paläste

ú-še-ṣa-a

holte ich hervor.

a-na ekallātī^{meš}-šú išātu(IZI.MEŠ) addi(SUB-di)

In seine Paläste warf ich Feuer.

išutu ^{uru}Ar-ga-na-a at-tu-muš

Von (der Stadt) Argana bin ich aufgebrochen.

a-na ^{uru}Qar-qa-ra aq-ṭí-rib

(Der Stadt) Qarqara habe ich mich genaht.

90) ^{uru}Qar-qa-ra āl šárru-ti-šú

(Die Stadt) Qarqara, seine Residenz,

ap-púl aq-qur ina išāti(IZI.MEŠ) áš-ru-up ...

zerstörte ich, riß nieder, verbrannte mit Feuer.

Der Aufenthalt von König und Königinmutter in Jesreel, der in unserer Erzählung vorausgesetzt ist, mag, historisch gesehen, nicht zufällig gewesen sein. Es ist gut denkbar, daß Jehu sich gerade bei dieser Gelegenheit empört hat. Denn Jesreel war fraglos leichter einzunehmen als Samaria[17].

Für das Verständnis der geschichtlichen Zusammenhänge, innerhalb derer der Aufstand Jehus sich zutrug, ist den außerbiblischen Quellen nur wenig zu entnehmen.

Laut einigen seiner Inschriften zog Salmanassar III. in seinem ersten, sechsten, zehnten, elften, vierzehnten, achtzehnten und einundzwanzigsten Regierungsjahr, das sind die Jahre 858, 853, 849, 848, 845, 841 und 838, in das Gebiet Syrien-Palästina[18]. Zwischen 853 und 845 führte er viermal Krieg mit einer aramäischen Koalition, deren Führer

17 Welche Funktion die Residenzstadt Jesreel im Vergleich zu Samaria hatte, ist eine ziemlich müßige Frage. Anders die Literatur, die O.H. Steck nennt (Überlieferung und Zeitgeschichte in den Elia-Erzählungen 57f. Anm.4 und 67 Anm.2).

18 Die beste Übersetzung der betreffenden Inschriften bietet R.Borger, TUAT I, 354ff. Die Ordnung und Untersuchung der Inschriften Salmanassars III. bietet W.Schramm, EAK II., 70-105.

^{Id}Adad(IŠKUR)-´i-id-ri/^{Id}Adad(IŠKUR)-id-ri[19] šá mät(KUR)

imērī(ANŠE)-šú genannt ist. Ahab von Israel, der als ^IA-ḫa-ab-bu ^{kur}Sir-´i-la-a-a in der Monolith-Inschrift erscheint[20], beteiligte sich an der Schlacht bei Qarqar im Jahre 853. Joram ben Ahab ist in den keilschriftlichen Inschriften nie erwähnt. Es ist jedoch - wie A.Jepsen annimmt[21] - denkbar, daß er in den Jahren 849, 848 und 845 an der Koalition beteiligt war. Aber Jehu, dessen Name als ^IJa-ú-a mär (DUMU) ^(I)Ḫu-um-ri-i, d.h. Jehu aus Bīt-Omri[22], belegt ist, leistete Salmanassar III. im Jahre 841 Tribut. Hat Jehu eine andere Außenpolitik verfolgt als das omridische Königshaus?

Ein Annalenfragment Salmanassars III. lautet[23]:

23) ... ina u$_4$-me-šú-ma

      Zu jener Zeit (sc. im achtzehnten Regierungsjahr):

24) ma-da-tu šá ^{kur}Ṣur-ra-a-a 25) Ṣi-du-na-a-a

      Abgabe der Tyrer, der Sidonier

šá ^IIa-ú-a 26) mär(DUMU) Ḫu-um-ri-i

      des Jehu aus Bīt-Omri

am-ḫur

      empfing ich.

---

19 Diese Bezeichnung entspricht fraglos הדדעזר.

20 II Z.91-92.

21 Israel und Damaskus 157. Allerdings muß es offen bleiben, ob die Koalition der "zwölf Könige" ein in sich fester Bund war. Zwar "sieht sich Salmanassar einer im wesentlichen gleichgebildeten Schar von Verbündeten gegenüber" (Jepsen, aaO. 154), aber dies bestätigt nicht, daß die Koalition immer aus demselben Kreis bestanden hat. Sicher ist nur, daß der König Adad-id-ri jedesmal die verbündeten Streitkräfte zusammenrufen konnte.

22 Zu dieser Übersetzung vgl. Borger, ABZ^2 98 und die dort genannte Literatur. Nebenbei bemerkt: Der assyrische Ausdruck Bīt(É) N.N., der oft mit dem Determinativ URU oder KUR vorkommt, ist ein geographischer Begriff, stellt also nicht ein bestimmtes Herrscherhaus, d.h. die Dynastie des N.N., vor. Wir begnügen uns mit der Anführung eines Beleges. Sargon II. (722-705) nennt sich denjenigen, der (die Stadt) Samaria und das ganze Land von Bīt-Omri eroberte:

   ka-šid ^{uru}Sa-mir-i-na ù gi-mir mät(KUR) Bīt(É) Ḫu-um-ri-a.
Vgl. Borger, BAL^2 59-63; dort 61.

23 Vgl. TUAT 365f.

Israel unter Jehu stand wohl nicht in gutem Einvernehmen mit Tyrus, der Heimat Isebels. Der Tribut Jehus muß von der Haltung der phönizischen Staaten unabhängig gewesen sein. Was den Tribut Jehus betrifft, muß man beachten, daß die antiassyrische Koalition im Jahre 841 nicht mehr vorhanden war. Dem assyrischen König huldigte damals nicht nur Israel unter Jehu, sondern auch z.B. der Stadtstaat Byblos[24], der den Krieg der Verbündeten im Jahre 853 mitgemacht hatte[25]. In den Jahren 841 und 838 kämpfte Hasael von Aram, den die assyrischen Inschriften als ^{I}Ha-za-´i-ilu(DINGIR) šá mā̄t(KUR) imē̄rī̄(ANŠE)-šú bezeichnen, allein mit den Assyrern. Er hatte in diesem Kampf Erfolg[26], aber verbündete sich darin, anders als sein Vorgänger Adad-id-ri[27], merkwürdigerweise[28] nicht mit den Nachbarn. Das nachgiebige Verhalten Jehus gegenüber den Assyrern im Jahre 841 scheint, wie im allgemein vermutet wird[29], in erster Linie die Folge seiner gegensätzlichen Einstellung zu Hasael von Aram gewesen sein. Der Aufstand Jehus gegen die

24 Byblos leistete Salmanassar III. im Jahre 838 Tribut. Vgl. die Inschrift des Schwarzen Obelisken Z.103-104.
25 Vgl. Monolith-Inschrift II Z.92.
26 Nach 838 hatte Salmanassar III. (858-824) nicht mehr vor, in das aramäische Reich unter Hasael einzudringen.
27 Nach der Inschrift auf der Basaltstatue Salmanassars III. aus Assur (dazu vgl. die bei Schramm, aaO. 82f. genannte Literatur) ist Hasael anstatt Adad-id-ri (d.h. הדדעזר) auf den Thron gestiegen. Der Regierungsantritt Hasaels war fraglos von gewalttätigem Charakter, wie dies auch in der Legende 2 Kön 8,7-15 vorausgesetzt wird. Dort wird aber der König, der durch Hasael ermordet wurde, בן-הדד genannt. Die Verschiedenheit des Königsnamens bildet jedoch kein schwieriges Problem. Denn der Abschnitt 2 Kön 8,7-15 kann nicht als historischer Bericht gelten (dazu H.-Chr.Schmitt, Elisa 177-179). Die Behauptung, der Prophet Elischa habe auf den Thronwechsel in Aram Einfluß ausgeübt, ist historisch gesehen abwegig. Der Name "Ben-Hadad" ist lediglich als typischer Name für den aramäischen Herrscher eingeführt worden. Eine ähnliche Verwendung findet sich in Am 1,4.
28 Jepsen vertritt die Auffassung: "Mit dem Tode Hadadezers bricht die antiassyrische Koalition auseinander. Jedenfalls finden wir Hazael im Gegensatz zu Hadadezer immer allein im Kampf gegen die Assyrer. Die früheren Bundesgenossen scheinen den Usurpator nicht recht anerkannt zu haben" (aaO. 159). Die Einzelheiten sind aber nicht zu ermitteln. Es ist übrigens auch unklar, aus welchen Gründen Hasael sich empört hat.
29 Vgl. z.B. Wellhausen, Israelitische und jüdische Geschichte 77.

Omriden im Jahre 845[30] hatte wohl mit dem assyrischen Problem nichts zu tun; soviel wir sehen, haben die Assyrer keinen Anlaß gegeben.

Wie dem auch sei, es ist ein Charakteristikum unserer Erzählung, daß sie die internationalen Verhältnisse gar nicht erwähnt. Sie hat sie mit Schweigen übergangen. Aber auch die innenpolitischen Hintergründe des Aufstandes Jehus bringt sie nicht ans Licht. Eindeutig kann man nur feststellen, worum es dabei nicht ging. Was ist nicht geschrieben? "Der Baal ist es nicht gewesen, der das Haus Ahabs zu Fall gebracht hat" (J.Wellhausen[31]). Das haben wir oben bestätigt: Vom Baal - übrigens auch von Ahab - ist in der Urgestalt der Jehu-Erzählung überhaupt nicht die Rede gewesen. Es ging auch nicht darum, eine außerordentliche Tyrannei zu beseitigen. Eine solche klagt unsere Erzählung nicht an. Der Fall Nabots, den die "Novelle" (E.Würthwein[32]) in 1 Kön 21 gedichtet hat, muß während der Königszeit im wesentlichen immer möglich gewesen sein. "Das Fehlen von Überlieferungen über einzelne Fälle dieser Art besagt um so weniger, je alltäglicher sie gewesen sein werden" (A.Alt[33]). Der Text des sogenannten Königsrechts in 1 Sam 8 "kann zwischen Samuel (oder besser: Salomo) und dem Redaktor, der ihn nachträglich in das deuteronomistische Geschichtswerk eingefügt hat, also während eines halben Jahrtausends, sozusagen immer formuliert worden sein" (R.Smend[34]). Was Jehu angeht, war er als hoher Beamter in der Lage, den Segen des Königsrechts zu bekommen.

Es ist eine merkwürdige Tatsache, daß Jehu sich - gemäß der von Jepsen rekonstruierten Chronologie[35] - erst im siebenten Regierungsjahr Jorams von Israel empörte. Denn die durch einen Putsch ermordeten Könige im Nordreich saßen in der Regel nur sehr knappe Zeit auf dem

---

30 Absolute Datierung nach A.Jepsen - R.Hanhart, Untersuchungen zur israelitisch-jüdischen Chronologie. Zur Wahrscheinlichkeit der Jepsenschen Chronologie vgl. ders., Ein neuer Fixpunkt für die Chronologie der israelitischen Könige?
31 Israelitische und jüdische Geschichte 77. Vgl. auch ders., Prolegomena 290.
32 Naboth-Novelle und Elia-Wort.
33 Der Anteil des Königtums an der sozialen Entwicklung in den Reichen Israel und Juda 362.
34 Der Ort des Staates im Alten Testament 192.
35 S.o. Anm.30.

Thron. Wir haben oben darauf aufmerksam gemacht, daß die Schilderung des Endes Isebels in unserer Erzählung überaus eindrucksvoll ist. Nachdem Joram gefallen ist, tritt Isebel entschlossen Jehu entgegen und stirbt eines entsetzlichen Todes. Gewiß war sie, wie schon bemerkt, eine großartige Person der Zeit[36]. Ch.Levin ist der Auffassung: "Der Machtwechsel ist erst perfekt, nachdem Jehu nicht allein den regierenden König, sondern anschließend auch die Königinmutter getötet hat. Demnach war die Königinmutter nach dem Tode ihres Sohnes die offizielle Inhaberin der Macht. Sie wurde abgelöst, wenn ein neuer König und mit ihm eine neue Königinmutter eingesetzt wurden"[37]. Aus Mangel an entsprechenden Quellen[38] kann jedoch nicht geschlossen werden, daß die Königinmutter nach dem Tode ihres königlichen Sohnes verfassungsmäßig die vorläufige Regentschaft geführt hätte. Was den Fall Isebels betrifft, wird es sich vermutlich zumindest nicht ausschließlich um den Rechtszustand, sondern auch um ihre Persönlichkeit gehandelt haben. Es ist denkbar, daß sie politisch nicht erst in diesem Augenblick de iure in den Vordergrund getreten ist, sondern schon zuvor de facto "unter - oder besser: über - den Königen Atalja und Joram" (Smend[39]) - nicht nur wegen ihrer offiziellen Stellung als Königinmutter, sondern darüber hinaus vorzüglich wegen ihrer Persönlichkeit, wie es z.B. bei Semiramis in Assyrien anscheinend der Fall war[40] - von besonders hoher Bedeutung gewesen ist. Diese zwei Könige waren bestimmt nicht aus dem harten Holz ihres Vaters und Großvaters geschnitzt. Wenn die Vermutung einigermaßen zutrifft, mag eine solche Sonderlage vielleicht ein historischer Hintergrund des Aufstandes Jehus gewesen sein. Aber das ist alles Spekulation[41].

36 Ihr Bild in unserer Erzählung ist wohl schon halb fabelhaft. Jedenfalls wird sie sicherlich mit einer Ehrfurcht geschildert, die der Niederschlag des großen Eindrucks gewesen sein muß, den sie auf die Zeitgenossen gemacht hat.
37 Atalja 89 Anm.14.
38 Zur Stellung der Königinmutter vgl. vor allem G.Molin, Die Stellung der G^{e}bira im Staate Juda; H.Donner, Art und Herkunft des Amtes der Königinmutter im Alten Testament.
39 Der biblische und der historische Elia 235.
40 Dazu vgl. Schramm, War Semiramis Assyrische Regentin?
41 Es scheint, daß zwei hervorragende Frauen im 9. Jh., Isebel, die Gat-

Den Aufstand Jehus, der sich erfolgreich vollzogen hat, darf man - kurz und gut - einen der üblichen Vorfälle in der Geschichte des Nordreiches nennen. Es bildet jedoch eine Besonderheit, daß über die Begebenheit eine Erzählung abgefaßt wurde. In ihrer Lebendigkeit und Vielseitigkeit stellt sie für uns eine überaus wichtige Quelle dar, "den Wildling kennen zu lernen, auf den von Priestern und Propheten das Reis der Thora Jahve's gepfropft ist" (Wellhausen[42]).

tin Ahabs, und Atalja, die Schwester Ahabs, im Wesen sehr ähnlich waren.
42 Muhammed in Medina 5. Dazu vgl. Smend, Wellhausen in Greifswald 173f.

Literaturverzeichnis

Aharoni, Y., Das Land der Bibel. Eine historische Geographie, übersetzt von A.Loew, Neukirchen-Vluyn 1984.

Aland, K., et. al. (edd.), Novum Testamentum Graece, Stuttgart [26]1979.

Alt, A., Das Königtum in den Reichen Israel und Juda (1951), in: ders., Kleine Schriften zur Geschichte des Volkes Israel II, München 1953, 116-134.

- Das Gottesurteil auf dem Karmel (1935), ebd. 135-149.

- Der Anteil des Königtums an der sozialen Entwicklung in den Reichen Israel und Juda, in: ders., Kleine Schriften zur Geschichte des Volkes Israel III, München 1959, 348-372.

- Der Stadtstaat Samaria (1954), ebd. 258-302.

Baumgartner, W., Ein Kapitel vom hebräischen Erzählungsstil, in: H. Schmidt (Hrsg.), Eucharisterion I (FRLANT 36,1), Göttingen 1923, 145-157.

Benzinger, I., Die Bücher der Könige, KHC IX, Freiburg i.B./ Leipzig/ Tübingen 1899.

Bernhardt, K.-H., Revolutionäre Volksbewegungen im vorhellenistischen Syrien und Palästina, in: J.Herrmann & I.Sellnow (Hrsg.), Die Rolle der Volksmassen in der Geschichte der vorkapitalistischen Gesellschaftsformationen, Berlin (DDR) 1975, 65-78.

Bohlen, R. Der Fall Nabot. Form, Hintergrund und Werdegang einer alttestamentlichen Erzählung (1 Kö 21), Trier 1978.

Borger, R., Babylonisch-assyrische Lesestücke, AnOr 54, Rom [2]1979: BAL[2].

- Assyrisch-babylonische Zeichenliste, AOAT 33/33A, Kevelaer/Neukirchen-Vluyn [2]1981: ABZ[2].

Brockelmann, C., Hebräische Syntax, Neukirchen 1956.

Burney, C.F., Notes on the Hebrew Text of the Books of Kings, Oxford 1903.

Carson, R.A., Elisée - le succeseur d'Elie, VT 20 (1970), 385-405.

Cross, F.M.Jr. - Freedmann, D.N., Early Hebrew Orthography. A Study of the Epigraphic Evidence, New Haven 1952.

Degen, R., Altaramäische Grammatik der Inschriften des 10. - 8. Jh. v. Chr., Wiesbaden 1969.

Dietrich, W., Prophetie und Geschichte. Eine redaktionsgeschichtliche Untersuchung zum deuteronomistischen Geschichtswerk, FRLANT 108, Göttingen 1972.

- Jesaja und die Politik, BEvTh 74, München 1976.

Donner, H., Art und Herkunft des Amtes der Königinmutter im Alten Testament, in: R.v.Kienle, A.Moortgat, H.Otten, E.v.Schuler, W.Zaumseil (Hrsg.), Festschrift J.Friedrich zum 65. Geburtstag, Heidelberg 1959, 105-145.

- / Röllig, W., Kanaanäische und aramäische Inschriften. Mit einem Beitrag von O.Rössler, I - III, Wiesbaden [3]1971.1973.1976.

Ehrlich, A.B., Randglossen zur hebräischen Bibel VII, 1914 (Nachdruck Hildesheim 1968).

Eisenbeis, W., Die Wurzel שלם im Alten Testament, BZAW 113, Berlin 1969.

Eißfeldt, O., Das zweite Buch der Könige, in: HSAT(K) I, Tübingen [4]1922, 542-585.

Emerton, J.A., Besprechung von E.Kutsch, Salbung als Rechtsakt im Alten Testament und im Alten Orient, JSS 12 (1967), 122-128.

Elliger, K., Art. Megiddo, in: BHH 1182-1184.

- Art. Samaria, in: BHH 1655-1660.

- / Rudolph, W., (edd.), Biblia Hebraica Stuttgartensia, Stuttgart 1967-1977: BHS.

Ewald, H., Geschichte des Volkes Israel bis Christus III/1, Göttingen 1847.

Fensham, F.C., The Numeral Seventy in the Old Testament and the Family of Jerubaal, Ahab, Panammuwa and Athirat, PEQ 109 (1977), 113-115.

Foresti, F., The Rejection of Saul in the Perspective of the Deuteronomistic School. A Study of 1 Sm 15 and Related Texts, Rome 1984.

Galling, K., Der Ehrenname Elisas und die Entrückung Elias, ZThK 53

(1956), 129-149.

Gelston, A., A Note on מלך יהוה, VT 16 (1966), 507-512.

Gesenius, W., Hebräisches und aramäisches Handwörterbuch über das Alte Testament, bearbeitet von F.Buhl, [17]1915 (Nachdruck Berlin 1962): Gesenius-Buhl.

Gibson, J.C.L., Textbook of Syrian Semitic Inscriptions, Vol.2: Aramaic Inscriptions, Oxford 1975.

Greßmann, H., Die ältesten Geschichtsschreibung und Prophetie Israels, SAT II,1, Göttingen [2]1921.

Gunkel, H., Die Revolution des Jehu, Deutsche Rundschau 40 (1913), 209-228.

- Das Märchen im Alten Testament, Tübingen 1917.

- Geschichten von Elisa. Meisterwerke hebräischer Erzählkunst Bd.I, Berlin 1922: Elisa.

Henry, M.-L., Art. Pferd, in: BHH 1438f.

Herrmann,J., Die Zahl zweiundvierzig im Alten Testament, OLZ 13 (1910), 150-152.

Herrmann, S., Die Königsnovelle in Ägypten und Israel. Ein Beitrag zur Gattungsgeschichte in den Geschichtsbüchern des AT, Wissenschaftliche Zeitschrift der Karl-Marx-Universität Leipzig 3 (1953/54), 51-62.

Hölscher, G., Die Profeten. Untersuchungen zur Religionsgeschichte Israels, Leipzig 1914.

Jepsen, A., Israel und Damaskus, AfO 14 (1941/44), 153-172.

- Die Quellen des Königsbuches, Halle [2]1956.

- Ahabs Buße. Ein kleiner Beitrag zur Methode literarhistorischer Einordnung, in: Archäologie und Altes Testament (Festschrift K:Galling), Tübingen 1970, 145-155.

- Ein neuer Fixpunkt für die Chronologie der israelitischen Könige?, VT 20 (1970), 359-361.

- / Hanhart, R., Untersuchungen zur israelitisch-jüdischen Chronologie, BZAW 88, Berlin 1964.

Johnson, A.R., Sacral Kingship in Ancient Israel, Cardiff 1955.

Josephus, F.: Niese, B. (ed.), Flavii Iosephi Opera I-VI, Berlin 1888-1895.

Joüon, P., Grammaire de l'Hébreu Biblique, 1923 (Nachdruck Rom 1965).

Kaiser, O. (Hrsg.), Texte aus der Umwelt des Alten Testaments (TUAT), Bd.I Lieferung 4: Rechts- und Wirtschaftsurkunden, Historisch-chronologische Texte, Gütersloh 1984.

Kittel, R., Die Bücher der Könige, HK I,5, Göttingen 1900.

Koch, K., Art. Zadok, in: BHH 2200.

Klostermann, A., Die Bücher Samuelis und der Könige, KK A,3, Nördlingen 1887.

Köhler, L. / Baumgartner, W., Hebräisches und aramäisches Lexikon zum Alten Testament, 3.Aufl., neu bearbeitet von W.Baumgartner, Leiden 1967ff.

König, E., Stilistik, Rhetorik, Poetik in bezug auf die Biblische Literatur, Leipzig 1900.

Kutsch, E., Die Wurzel עצר im Hebräischen, VT 2 (1952), 57-69.

- Salbung als Rechtsakt im Alten Testament und im Alten Orient, BZAW 87, Berlin 1963.

Levin, Ch., Der Sturz der Königin Atalja. Ein Kapitel zur Geschichte Judas im 9. Jahrhundert v. Chr., SBS 105, Stuttgart 1982: Atalja.

- Joschija im deuteronomistischen Geschichtswerk, ZAW 96 (1984), 351-371.

- Die Verheißung des neuen Bundes in ihrem theologiegeschichtlichen Zusammenhang ausgelegt, FRLANT 137, 1985.

Liddle, H.G. / Scott, R., A Greek-English Lexicon. With a Supplement, Oxford 1968.

Mowinckel, S., Psalmenstudien II: Das Thronbesteigungsfest Jahwäs und der Ursprung der Eschatologie, Kristiana 1922.

Molin, G., Die Stellung der G^{e}bira im Staate Juda, ThZ 10 (1954), 161-175.

Müller, H.-P., Die hebräische Wurzel שיח, VT 19 (1969), 361-371.

Norin, S., Jô-Namen und J^{e}hô-Namen, VT 29 (1979), 87-97.

Noth, M., Das Buch Josua, HAT 7, Tübingen [3]1971.

- Die israelitischen Personennamen im Rahmen der gemeinsemitischen Namengebung, 1928 (Nachdruck Hildesheim 1966).

180

- Überlieferungsgeschichtliche Studien. Die sammelnden und bearbeiten-den Geschichtswerke im Alten Testament, Tübingen [3]1967.

- Könige, BK IX/1, Neukirchen-Vluyn 1968.

Parker, S.B., Jezebel's Reception of Jehu, Maarav 1 (1978/1979), 67-78.

Rahlfs, A. (ed.), Septuaginta. Id est Vetus Testamentum graece iuxta LXX interpretes, Stuttgart 1935.

Roth, W.M.W., The Numerical Sequence X/X+1 in the Old Testament, VT 12 (1962), 300-311.

Šanda, A., Die Bücher der Könige, EHAT 9/1, Münster i.W. 1911.

- Die Bücher der Könige, EHAT 9/2, Münster i.W. 1912.

Schmitt, H.-Chr., Elisa. Traditionsgeschichtliche Untersuchungen zur vor-klassischen nordisraelitischen Prophetie, Gütersloh 1972.

Schramm, W., Einleitung in die assyrischen Königsinschriften. Zweiter Teil: 934-722 v.Chr., Leiden 1973: EAK II.

- War Semiramis assyrische Regentin?, Historia 21 (1972), 513-521.

Schweizer, H., Elischa in den Kriegen. Literaturwissenschaftliche Unter-suchung von 2 Kön 3; 6,8-23; 6,24-7,20, StANT 37, München 1974.

Seebass, H., Der Fall Naboth in 1 Reg. XXI, VT 24 (1974), 474-488.

Sellin, E., Geschichte des israelitisch-jüdischen Volkes I, Leipzig 1924.

Smend, R., Lehrbuch der alttestamentlichen Religionsgeschichte, Freiburg i.Br./Leipzig 1893.

Smend, R., Die Entstehung des Alten Testaments, ThW 1, Stuttgart [3]1984.

- Wilhelm Martin Leberecht de Wettes Arbeit am Alten und am Neuen Testament, Basel 1958.

- Das Nein des Amos (1963), in: ders., Die Mitte des Alten Testaments (Gesammelte Studien Bd.1), München 1986, 85-103.

- Das Gesetz und die Völker. Ein Beitrag zur deuteronomistischen Re-daktionsgeschichte (1971), ebd. 124-137.

- Das Wort Jahwes an Elia. Erwägungen zur Komposition von 1 Kön 17-19 (1975), ebd. 138-153.

- Elemente alttestamentlichen Geschichtsdenkens (1968), ebd. 160-185.

- Der Ort des Staates im Alten Testament (1983), ebd. 186-199.

- Essen und Trinken - ein Stück Weltlichkeit des Alten Testaments (1977), ebd. 200-211.

- Überlieferung und Geschichte. Aspekte ihres Verhältnisses (1978), in: ders., Zur ältesten Geschichte Israels (Gesammelte Studien Bd.2), München 1987, 13-26.

- Der biblische und der historische Elia (1975), ebd. 229-246.

- Wellhausen in Greifswald, ZThK 78 (1981), 141-176.

von Soden, W., Akkadisches Handwörterbuch I-III, Wiesbaden 1965, 1972, 1981: AHw.

Soggin, J.A., Jeremias XII 10a: Eine Parallelstelle zu Deut. XXXII 8/LLX?, VT 8 (1958), 304f.

Spieckermann, H., Juda unter Assur in der Sargonidenzeit, FRLANT 129, Göttingen 1982.

Stade, B., Miscellen. 10, ZAW 5 (1885), 275-297.

- / Schwally, F., The Book of Kings. Critical Edition of the Hebrew Text, SBOT 9, London 1904.

Steck, O.H., Überlieferung und Zeitgeschichte in den Elia-Erzählungen, WMANT 26, Neukirchen-Vluyn 1968.

Steuernagel, C., Deuteronomium und Josua, HK I,3, Göttingen 1900.

Stolz, F., Jahwes und Israels Krieg, AThANT 60, Zürich 1972.

Thenius, O., Die Bücher der Könige, KEH 9, Leipzig [2]1873.

Timm, S., Die Dynastie Omri. Quellen und Untersuchungen zur Geschichte Israels im 9. Jahrhundert vor Christus, FRLANT 124, Göttingen 1982.

de Vaux, R., Les Institutions de l'Ancient Testament I, Paris [3]1972.

Veijola, T., Die ewige Dynastie. David und die Entstehung seiner Dynastie nach der deuteronomistischen Darstellung, STAT 193, Helsinki 1975.

- Das Königtum in der Beurteilung der deuteronomistischen Historiographie. Eine redaktionsgeschichtliche Untersuchung, STAT 198, Helsinki 1977.

- Salomo - der erstgeborene Bathsebas, VT.S 30 (1979), 230-250.

Wellhausen, J., Die Composition des Hexateuchs und der historischen Bücher des Alten Testaments, Berlin [4]1963.

- Prolegomena zur Geschichte Israels, [6]1905 (Nachdruck Berlin 1981).

- Israelitische und jüdische Geschichte, [9]1958 (Nachdruck Berlin 1981).

- Die kleinen Propheten, Berlin [4]1963.

- Der Text der Bücher Samuelis, Göttingen 1875.

- Grundrisse zum Alten Testament (Hrsg. von R.Smend), ThB 27, München 1965.

- Muhammed in Medina, Berlin 1885.

de Wette, W.M.L., Beiträge zur Einleitung in das Alte Testament, 1806/07 (Nachdruck Hildesheim 1971).

Wolff, H.W., Dodekapropheton 1. Hosea, BK XIV/1, Neukirchen-Vluyn [3]1976.

- Dodekapropheton 2. Joel und Amos, BK XIV/2, Neukirchen-Vluyn [2]1975.

Würthwein, E., Die Erzählung vom Gottesurteil auf dem Karmel, ZThK 59 (1962), 131-144.

- Die Erzählung von der Thronfolge Davids - theologische oder politische Geschichtsschreibung?, ThSt(B) 115, Basel 1974.

- Naboth-Novelle und Elia-Wort, ZThK 75 (1978), 375-397.

- Die Bücher der Könige. 1.Kön. 1-16, ATD 11,1, Göttingen 1977.

- Die Bücher der Könige. 1.Kön. 17 - 2.Kön. 25, ATD 11,2, Göttingen 1984.

Bibelstellen

Gen			
12,3	150	12	107
19,30-38	117	12,25.28	66
19,37.38	97	13,7	52
22,15	76	18,9f.	51
22,16	38	21,22f.	149
23,8	79.93	23,2	128
27,29	150	27,6f.	107
27,36	116	28,28	127
33,19	39	32,14	147
34,13	116	32,21	51
35,2	106	32,41	40
35,20	97		
37,14	70	Jos	
41,43	43	3,7; 4,14	32
46,8-27	57	5,2	76
49,11	147	7,8	144
		7,20	125
Ex		7,24f.	40
1,5	57	8,17	115
16,4	66	8,22	58
18,12	107	8,30-35	107
19,10	106	9,4	116
21,12.23-25	116	10,33	58
32	50.52	11,8	58
32,6	107	19,1	89
		21,45	63
Lev		22,9-34	32
26,41	36	23,3	63
		23,14	63f.
Num		24,32	39
14,28	38		
20-21	52	Ri	
21,35	58	1,7	40
24,9	150	2,11	50
25,2	107	2,12	48.50
25,13	44	3	135
		4	131
Dtn		4,15	43
3,3	58	8,30ff.	57
3,12f.	32	9	22.79
7,10	40	9,1	22

Göttinger Theologische Arbeiten (GTA)
Herausgegeben von Georg Strecker

Eine Auswahl

Vandenhoeck & Ruprecht in Göttingen und Zürich

DATE DUE
